Plato's Apology

Greek Text with Facing Vocabulary and Commentary

Geoffrey Steadman

Plato's Apology
Greek Text with Facing Vocabulary and Commentary

First Edition

© 2020 by Geoffrey Steadman

The Greek text is the OCT edition by John Burnet published in 1905.

ISBN-13: 978-0-9991884-6-0

Published by Geoffrey Steadman
Cover Design: David Steadman

Fonts: Times New Roman, GFS Porson, New Athena Unicode

www.geoffreysteadman.com
geoffreysteadman@gmail.com

Table of Contents

Text and Commentary

Preface to the Series

The aim of this commentary is to make Plato's *Apology* as accessible as possible to intermediate-level Greek readers so that they may experience the joy, insight, and lasting influence that comes from reading some of the greatest works in classical antiquity in the original Greek.

Each page of the commentary includes 9-10 lines of Greek, exactly one-third of a page from John Burnet's 1905 Oxford Classical Text, with all corresponding vocabulary and grammar notes arranged below. The vocabulary includes all words occurring nine times or fewer, organized alphabetically, while the grammatical notes are arranged according to line numbers. The advantage of this format is that it allows me to include as much information as possible on a single page and yet ensure that the commentary entries are distinct and readily accessible to readers.

To complement the vocabulary within the commentary, I have added a running list of words occurring 10 or more times in the preface and an alphabetized list of the same words in the glossary. Together, this book has been designed so that, once readers have mastered the core list, they will be able to rely solely on the Greek text and commentary and not need to turn a page or consult dictionaries as they read.

The grammatical notes are designed to help beginning readers read the text, and so I have passed over detailed literary and philosophical explanations in favor of short and concise entries that focus exclusively on grammar and morphology. The notes are intended to complement, not replace, an advanced-level commentary, and so I recommend that readers consult an advanced-level commentary after each reading from this book. Assuming that readers finish elementary Greek with varying levels of ability, I draw attention to subjunctive and optative constructions, identify unusual aorist and perfect forms, and in general explain aspects of the Greek that they should have encountered in first year study but perhaps forgotten. As a rule, I prefer to offer too much assistance rather than too little.

One of the virtues of this commentary is that it eliminates time-consuming dictionary work. While there are many occasions where a dictionary is absolutely necessary for developing a nuanced reading of the Greek, in most instances any advantage that may come from looking up a word and exploring alternative meanings is outweighed by the time and effort spent in the process. Many continue to defend this practice, but I am convinced that such work has little pedagogical value for intermediate and advanced students and that the time saved by avoiding such drudgery can be better spent reading more Greek, reviewing morphology, memorizing vocabulary, mastering principal parts of verbs, and reading advanced-level commentaries and secondary literature.

As an alternative to dictionary work, this commentary offers two approaches to building knowledge of vocabulary. First, I isolate the words that occur 10 or more times and the principal parts for 32 verbs for immediate drilling and memorization. Second, I include the number of occurrences of each Greek word at the end of each definition entry. I encourage readers who have mastered the core vocabulary list and principal parts to single out, drill and memorize moderately common words (e.g. 6-9 times) as they encounter them in the reading and devote comparatively little attention to words that occur once or twice. Altogether, I am confident that readers who follow this regimen will learn the vocabulary more efficiently and develop fluency more quickly than with traditional methods.

Geoffrey Steadman Ph.D.
geoffreysteadman@gmail.com
www.geoffreysteadman.com

How to Use this Commentary

Research shows that, as we learn how to read in a second language, a combination of reading and direct instruction is statistically superior to reading alone. One of the purposes of this book is to encourage active acquisition of vocabulary and grammar.

1. Master the core words occurring 10 or more times before each reading.

Since most of these core words in the *Apology* are accessible to beginning readers, this task should be easy. As time and interest allows, single out and memorize words that occur 6 to 9 times as they appear in the corresponding vocabulary lists.

2. Review principal parts and Daily Review Boxes before each reading.

Develop a daily regimen for the systematic review of the principal parts of 32 core verbs and relevant grammar topics on pages 8-15. This review is designed to be completed during the first half of the *Apology*, so that you can devote time to philosophical, literary, or additional grammatical topics at your own discretion in the second half. The frequency of these forms in the *Apology* is marked prominently as a superscript to encourage you to master these forms as soon as possible.

3. Read actively and make lots of educated guesses

One of the benefits of traditional dictionary work is that it gives readers an interval between the time they encounter a questionable word or form and the time they find the dictionary entry. That span of time often compels readers to make educated guesses and actively seek out understanding of the Greek.

Despite the benefits of corresponding vocabulary lists there is a risk that without that interval of time you will become complacent in your reading habits and treat the Greek as a puzzle to be decoded rather than a language to be learned. *Your challenge, therefore, is to develop the habit of making an educated guess under your breath each time before you consult the commentary.* If you guess correctly, you will reaffirm your understanding of the Greek. If incorrectly, you will become aware of your weaknesses and more capable of correcting them.

4. Take notes as you read on the ancillary translation sheets.

5. Reread the passage immediately after you have finished

Repeated readings not only help you commit Greek to memory but also promote your ability to read the Greek as Greek. You learned to read in your first language through repeated readings of the same books. Greek is no different. Develop a habit of reviewing with the Greek-only pages to ensure that you have mastered the Greek.

6. Reread the most recent passage immediately before you begin a new one.

This additional repetition will strengthen your ability to recognize vocabulary, forms, and syntax quickly, bolster your confidence, and most importantly provide you with much-needed context as you begin the next selection in the text.

7. Consult an advanced-level commentary for a more nuanced interpretation

After your initial reading and as time permits, consult another commentary. Your initial reading will allow you to better understand the advanced commentary, which in turn will offer a more insightful literary analysis than is possible in this volume.

Plato's *Apology*
Core Vocabulary (10 or more times)

The following is a running list of all 144 words that occur ten or more times in the *Apology*. An alphabetized list is found in the glossary. These words are not included in the commentary and therefore must be reviewed as soon as possible. The number of occurrences, indicated at the end of the dictionary entry, were tabulated by the author. The left column indicates the page numer where the word first occurs.

01 Ἀθηναῖος, ὁ: an Athenian, 48

01 ἀληθής, -ές: true, 24

01 ἀνήρ, ἀνδρός, ὁ: a man, 90

01 αὐτός, -ή, -ό: he, she, it; same; -self, 102

01 γάρ: for, (yes) for; since, because, 125

01 γε: at least, indeed, at any rate, 43

01 δέ: but, and, on the other hand, 177

01 δεινός, -ή, -όν: skilled, clever, terrible, fearful, 11

01 δοκέω, δόξω, ἔδοξα, —, δέδογμαι, ἐδόχθην: to seem (good); think, decide, 48

01 ἐγώ: I, 294

01 εἰ: if, whether, 88

01 εἰμί, ἔσομαι: to be, exist, 282

01 εἷς, μία, ἕν: one, single, alone, 11

01 ἐμαυτοῦ, -ῆ, -οῦ: myself, 23

01 ἐμός, -ή, -όν: my, mine, 16

01 ἐν: in, on, among. (+ dat.), 55

01 καί: and; *adv.* also, too; in fact, actually 473

01 κατήγορος, ὁ: accuser, charge, 13

01 κατᾱγορέω: accuse, allege, charge, speak against (gen), 14

01 λέγω, ἐρέω (λέξω), εἶπον (ἔλεξα), εἴρηκα (εἴλοχα), λέλεγμαι, ἐλέχθην: say, speak, 144

01 μάλιστα: most of all; certainly, especially 11

01 μέν: on the one hand, 106

01 μή: not, lest, 64

01 ὁ, ἡ, τό: the, 612

01 οἶδα, εἴσομαι, ᾔδη: to know, 41

01 ὀλίγος -η, -ον: few, little, small, 14

01 ὅς, ἥ, ὅ: who, which, that, 98

01 ὅτι: that; because, 74

01 οὐ, οὐκ, οὐχ: not, 143

01 οὐδείς, οὐδεμία, οὐδέν: no one, nothing, 60

01 οὖν: and so, then; at any rate, certainly, 68

01 οὗτος, αὕτη, τοῦτο: this, these, 237

01 οὕτως: in this way, thus, so, 31

01 πάσχω, πείσομαι, ἔπαθον, πέπονθα: to suffer; allow, experience, 10

01 πολύς, πολλά, πολύ: much, many, 72

01 ὑμεῖς: you, 137

01 ὑπό: by, because of, under (gen.), 29
01 ὤ: O! oh! 106
01 ὡς: as, thus, so, that; when, since, 68
02 ἀκούω, ἀκούσομαι, ἤκουσα, ἀκήκοα, - , ἠκούσθην: to hear, listen to, 26
02 ἀλλά: but, 93
02 ἄν: modal adv., 122
02 δέω, δεήσω, ἐδεήθην: lack, need, *mid.* ask (gen.); δεῖ, it is necessary, lacks (inf.), 44
02 δίκαιος, -α, -ον: just, right, lawful, fair, 20
02 ἔγωγε: I for my part; I indeed, 11
02 εἰς: into, to, against; in regard to (acc.), 16
02 ἤ: or (either...or); than, 87
02 κατά: down (along), according to, 16
02 λόγος ὁ: word, speech, account, 29
02 μέντοι: however; certainly, 13
02 μηδείς, μηδεμία, μηδέν: no one, nothing, 19
02 ὅδε, ἥδε, τόδε: this here, these here, 13
02 ὄνομα, -ατος, τό: name, (single) word, 10
02 οὐδέ: not even, nor, but not, 35
02 πάνυ: quite, entirely, exceedingly, 15
02 πᾶς, πᾶσα, πᾶν: every, all, the whole, 30
02 τε: and, both, 57
02 τις, τι: anyone, -thing, someone, -thing; a certain, a kind of, 121
02 ὥσπερ: just as (precisely as, exactly as), as if, as it were, 31
03 ἀπολογέομαι: to speak or say in defense, 12
03 γίγνομαι, γενήσομαι, ἐγενόμην, γέγονα, γεγένημαι, -: come to be, become, be born, 44
03 δή: exactly, precisely, just; accordingly, 59
03 διά: through (gen); on account of (acc), 16
03 ἐάν: εἰ ἄν, if (+ subj.), 18
03 ἐκεῖνος, -η, -ον: that, those, 22
03 ἐπί: upon (gen.), to, against, for (acc.), at, on (the condition) (dat.), 31
03 ἔχω, ἕξω/σχήσω, ἔσχον, ἔσχηκα, ἔσχημαι, -: have; be able; be disposed; know, 43
03 ἵνα: in order that, so that (subj.); where, 10
03 μήτε: and not; neither...nor, 20
03 νῦν: now; as it is, 24
03 ὅσπερ, ἥπερ, ὅπερ: the very one who/which, precisely who/which, 15
04 Ἄνυτος, ὁ: Anytus, 12
04 ἀρετή, ἡ: excellence, goodness, virtue, 11
04 δικαστής, οῦ, ὁ: a juror, judge, 13
04 ἤδη: already, now, at this time, 14
04 ἴσως: perhaps, probably; equally, likely, 20
04 μᾶλλον: more, rather, 16
04 πρός: to, against, in regard to (acc.), near, (dat.), before, (gen.), 33
05 ἐκ, ἐξ: out of, out from, from (gen.), 21

05 ἡγέομαι, ἡγήσομαι, ἡγησάμην, - , ἥγημαι, ἡγήθην: to be a leader, lead (gen); believe 14

05 θεός, ὁ: god, goddess; divinity, 51

05 νομίζω, νομιέω, ἐνόμισα, νενόμικα, νενόμισμαι, ἐνομίσθην: believe, think, 28

05 πείθω, πείσω, ἔπεισα, πέπεικα, πέπεισμαι, ἐπείσθην: persuade; mid. obey, trust (dat.), 27

05 ποιέω, ποιήσω, ἐποίησα, πεποίηκα, πεποίημαι, ἐποιήθην: to do, make; bring about, 48

05 σοφός, -ή, -όν: wise, skilled, 35

05 Σωκράτης, -εος, ὁ: Socrates, 18

05 χρόνος, ὁ: time, 16

06 ἄλλος, -η, -ο: other, one...another, 83

06 διαβολή, ἡ: slander, false accusation, 12

06 οἷος, -α, -ον: which sort, who, 26

06 ὅσος, -η, -ον: as much/many as; all who/that 10

07 ἀποκρίνομαι: to answer, reply, 13

07 βούλομαι, βουλήσομαι, - , - , βεβούλημαι, ἐβουλήθην: to wish, be willing, desire, 10

07 οἴομαι (οἶμαι), οἰήσομαι, - , - , ᾠήθην: suppose, think, imagine, 53

08 ἀδικέω, ἀδικήσω , ἠδίκησα, ἠδίκηκα, ἠδίκημαι, ἠδικήθην: be unjust, do wrong, wrong, 12

08 ἔρχομαι, εἶμι/ἐλεύσομαι, ἦλθον, ἐλήλυθα: to come or go, 21

08 Μέλητος, -ου ὁ: Meletus, 34

08 νόμος, ὁ: law, custom, 10

08 τίς, τί: who?, which?; why?, 49

09 αὖ: again, once more; further, moreover, 11

09 διδάσκω: to teach, instruct, 15

09 μέγας, μεγάλη, μέγα: big, great, important 12

09 οὔτε: and not, neither...nor, 41

09 περί: about, concerning (acc. gen.), 28

09 πώποτε: ever yet, ever, 11

09 τοιοῦτος, -αύτη, -οῦτο: such, this sort, 32

09 τοσοῦτος, -αύτη, -οῦτο: so great/many/much, 12

10 ἄνθρωπος, ὁ: human being, man, 36

10 καλός, -ή, -όν: beautiful, fair, noble, fine, 11

10 πράττω, πράξω, ἔπραξα, πέπραχα, πέπραγμαι, ἐπράχθην: do; exact (money), 22

10 χρῆμα, -ατος, τό: thing; money, property, 13

11 ἑαυτοῦ, -ῆς, -οῦ: himself, her-, it-, them-, 17

11 ἕκαστος, -η, -ον: each, every one, 10

11 νέος, -α, -ον: young; new; subst. youth, 22

12 ἀγαθός, -ή, -όν: good, brave, capable, 27

12 μέλλω: to be going to, intend to (+ fut. inf.) 13

12 σύ: you, 29

12 φημί, φήσω, ἔφησα: to claim, say, assert, 39

13 πρᾶγμα, τό: deed, act; business; matter; trouble, 12

14 εὖ: well, 10

14 ἡμεῖς: we, 14

14 ποτέ: ever, at some time, once, 10

14 σοφία, ἡ: wisdom, skill, intelligence, 12

15 μετά: with (gen.); after (acc.), 12

15 ὅστις, ἥτις, ὅ τι: whoever, whichever, anyone who, anything which, 21

16 οὑτοσί, αὑτή, τοῦτι: this here, these here, 16

17 ἐνταῦθα: here, there; at that time, then, 10

21 παρά: beside, at (dat.), from (the side of) (gen), to (the side of); contrary to (acc.) 10

23 ὥστε: so that, that, so as to, 20

24 ἄξιος, -α, -ον: worthy or deserving of (gen) 10

25 ἐξετάζω, ἐξετάσω, ἐξήτασα, ἐξήτακα, ἐξήτασμαι, ἐξητάσθην: examine, scrutinize, 11

25 πόλις, -εως ἡ: a city-state, city, 22

26 διαφθείρω -φθερῶ, -έφθειρα, -έφθαρκα, -έφθαρμαι, -εφθάρην: to corrupt, destroy, 21

31 ὅπως: how, in what way; (in order) that, 11

36 κακός, -ή, -όν: bad, base, cowardly, evil, 22

44 εἴτε: whether...or (both if...and if...), 14

45 εἴπερ: precisely if, if (and only if), if really, 14

48 ἀποθνῄσκω, ἀποθανέομαι, ἀπέθανον, τέθνηκα, - , -: to die, perish, 22

49 ἀποκτείνω, ἀποκτενέω, ἀπέκτεινα, ἀπέκτονα: kill; condemn to death, 14

49 θάνατος, -ον: mortal, 25

55 ἐπιμελέομαι, -μελήσομαι, - , -μέλημαι, -εμελήθην: take care of, have concern for (gen), 9

60 βίος, ὁ: life, 10

64 τιμάω, τιμήσω, ἐτίμησα: to honor, value; *mid.* estimate/propose (as penalty), 15

Notes for pp. 1-2 (OCT p. 107)

λέγω[107], ἐρέω[6], εἶπον[29] (ἔλεξα[1]), εἴρηκα[2], λέλεγμαι, ἐλέχθην: say, speak, 144 (comp.[2])

πάσχω, πείσομαι[1], ἔπαθον[5], πέπονθα[4]: to suffer; allow, experience, 10

Particles: Review and be able to translate the following.

οὖν[68]   (1) *and so, then* (resumptive, often resuming or inferring from the previous clause)
       (2) *certainly, at any rate, in fact* (confirmatory)
       μὲν οὖν[8] *certainly* (often expressing positive certainty)
       δ᾽οὖν[6]   *but at any rate* (μέν is not true but (δέ) at any rate this is the case)
γάρ[125] (1) *for, in fact* (causal or confirmatory, explains what precedes)
       (2) *since* (anticipatory, explains the main clause that follows)
While English expresses an affirmative/negation and leaves out the causal conjunction (e.g. 'Are you leaving?' 'Yes, (for) I have to buy milk'), Greek often expresses just the conjunction γάρ (e.g. '(Yes), for I have to buy milk') and the confirmatory sense is assumed. In fact, it is common to translate γάρ '(yes), for' or '(no), for" in conversation. Since English idiom needs that affirmation, confirmatory 'in fact' is often an acceptable and sometimes preferred translation for causal γάρ in English.
γε[38] (1) *indeed, in fact* (intensive) The equivalent of italics or ALL CAPS in print, this particle is often expressed simply by raising the pitch and emphasizing of the preceding word.
       (2) *at least, at any rate* (restrictive, e.g. ἔγωγε[10] 'I at least' = 'I for my part')
καί[473] (1) *and; both...and,* (conjunction)
       (2) *also, too; actually, in fact* (adverb) The adverb is more common than the conjunction.
       καὶ αὐτός[8] (adv. and intensive, often modifying a 1st or 2nd person subject, but often after a verb: e.g. ἐγώ...καὶ αὐτὸς 'I myself also')

Notes for pp. 3-5 (OCT p. 108)

δέω[7], δεήσω[1], ἐδεήθην[2]: lack, need, *mid.*[12] ask (gen.); δεῖ[21], it is necessary, lacks (inf.), 44

ἀκούω[15], ἀκούσομαι, ἤκουσα[6], ἀκήκοα[5], - , ἠκούσθην: to hear, listen to, 26

γίγνομαι[8], γενήσομαι[1], ἐγενόμην[16], γέγονα[23], γεγένημαι, ἐγενέσθην: come to be, become, be born, 44 (comp.[4])

A. Three uses of δέω

(1) **Active δέω:** <u>lack, need</u> + genitive of separation
    e.g. πολλοῦ δεῖ *it lacks from much* ('It is far from it.')
(2) **Middle δέομαι[12]:** <u>ask</u> + genitive of source
    e.g. δέομαι ὑμῶν (17c6): *I ask from you*
(3) **Impersonal δεῖ[21]:** <u>it is necessary</u> + infinitive
    e.g. δεῖ τἀληθῆ λέγειν (22a2): *it is necessary to speak the truth*
Genitive of separation (thing) and genitive of source (person) are common with this verb, and both translate with the preposition 'from' in English. Note the common idioms πολλοῦ δεῖ[4], 'far from it,' and πολλοῦ δέω[2], 'I am far from...'

B. ἀκούω + gen. of source

Just as δέομαι, ἀκούω regularly governs a genitive of source. Often, ἀκούω will goven an accusative object in addition to the genitive of source, as in the example below:
    e.g. μου ἀκούσεσθε...ἀλήθειαν (17b7-8): *You will hear the entire truth from me*

C. ἔχω ('holds' or 'is disposed') + adverb[14] is equivalent to εἰμί + predicate

    e.g. ἔχει οὑτωσί (17d1): *it holds in just this way* → *it is just so*

Notes for pp. 6-8 (OCT p. 109)

οἶδα[43], εἴσομαι, ᾔδη[2]: to know, 41 (comp.[4])

πείθω[19], πείσω[1], ἔπεισα[4], πέπεικα, πέπεισμαι[3], ἐπείσθην[1]: persuade; *mid.* obey, trust (dat.), 27 (comp.[1])

A. Adverbial Accusatives πολύ[10], οὐδέν[12] and τι[3]

Accusatives that behave as adverbs are common in the *Apology*. What readers may not realize is that there are several types of these accusatives. πολύ, οὐδέν, τι are common adv. accs. used in two distinct ways in the *Apology* but with the same English translations.

(1) **Acc. of Extent in Degree** with comparative adjectives and adverbs

πολύ ἄμεινον	_far_/much better
οὐδέν ἄμεινον	_not at all_/in no way better
τι ἄμεινον	_at all_/somewhat/in some way better

(2) **Inner (Internal) Acc.** with a verb

πολύ βλάπτει ἐμὲ	he harms me _much_	('does much harm')
οὐδέν βλάπτει ἐμὲ	he harms me _not at all_/in no way	('does no harm')
τι βλάπτει ἐμὲ	he harms me _at all_/ somewhat/in some way	('does some harm')

B. οἶός τε εἰμί[9] 'to be the sort' + inf. is often translated as 'be able' or 'be possible.' The τε is likely a connective and left untranslated (cf. ὥστε). This construction is used more often than similar constructions, ἔχω + inf.[5] and δύναμαι[5].

Notes for pp. 9-11 (OCT p. 110)

ἔχω[44], ἔξω[3]/σχήσω, ἔσχον[8], ἔσχηκα[1], ἔσχημαι, -: have, acquire; be able; be disposed; know, 43 (comp.[13])

ἔρχομαι[24], εἶμι[1], ἦλθον[12], ἐλήλυθα: to come or go, 19 (comp.[18])

A. ὡς as a relative adverb or conjunction (Lat. *ut*)

1. Clause of Comparison[17]	ὡς οἶμαι	_as I was thinking_
2. Superlative[6]	ὡς πλεῖστα	_as many_ _as possible_
3. Alleged Cause (pple)[8]	ὡς...ὄντος	_on the grounds of_/_since_...being...
4. Purpose (fut. pple)[2]	ὡς ἀκούσων	_so as_ going to hear → _so as to hear_/in order to hear
5. Indirect Discourse[15]	ἔλεγον ὡς χρῆν	I was saying _that_ (i.e. I was telling how...)
6. Exclamatory[2]	ὡς σφόδρος...	_How_ impetuous he was!

B. ὡς as a demonstrative (Lat. *sīc*)

7. Demonstrative[3]	ὡς ἀληθῶς	**_Thus_** truly, so truly

The most common uses of ὡς that readers will encounter will be (1) clauses of comparison that are parenthetical (e.g. ὡς φῇς, 'as you say') and (2) indirect discourse, where ὡς is equivalent to ὅτι.

The remaining uses are easy to identify. ὡς + superlative is also a clause of comparison, but the verb is omitted (e.g. 'is possible,') and must be supplied in translation. Finally, ὡς + pple expresses a cause or purpose from a character's limited point of view.

Notes for pp. 12-14 (OCT p. 111)

λαμβάνω[8], λήψομαι[1], ἔλαβον[8], εἴληφα, εἴλημμαι, ἐλήφθην: to receive, catch, grasp, 9 (comp.[8])

ποιέω[39], ποιήσω[5], ἐποίησα[2], πεποίηκα[2], πεποίημαι, ἐποιήθην: to do, make; bring about, 48

A. Dual Noun Endings: There are ten (10) nouns, pronouns, or adjectives with dual endings in 20a6-b3 (p. 12). Note that Nominative, Accusative, and Vocative have the same endings in each declension, and Genitive and Dative have the same endings.

	1st decl. (-ᾱ, -αιν)	2nd Decl. (-ω, -οιν)	3rd decl. (-ε, -οιν)
N.A.V.	γλώττ-ᾱ *two tongues*	ἵππ-ω[7] *two horses*	ὑεῖ[1] (ὑε-ε) *two sons*
G. D.	γλώττ-αιν	ἵππ-οιν[2]	ὑοῖν (ὑε-οιν)

B. καὶ γὰρ[8] (for in fact, and in fact) is a common formula translated interchangeably in two ways. Either καὶ is a conjunction, 'and,' and γὰρ is a confirmatory adverb, 'in fact,' or καὶ is an adverb, 'in fact/actually/even' and γὰρ is the conjunction 'for.'

C. ἀλλὰ γὰρ[6] (but in fact; well, in fact) in the *Apology* often (a) raises an objection elliptically and γὰρ explains it ('but it is not the case for' = 'but in fact'), (b) raises an objection and anticipatory γὰρ is used separately ('but, since…'), or (c) turns abruptly to a new point and γὰρ is confirmatory ('well, in fact,' cf. δ'οὖν).

Notes for pp. 15-17 (OCT p. 112)

δοκέω[36], δόξω[1], ἔδοξα[10], —, δέδογμαι[1], ἐδόχθην: seem (good); think, decide, 48
τυγχάνω[9], τεύξομαι, ἔτυχον[4], τετύχηκα, –, –: to chance upon, happen; get, attain, 9(comp.[4])

A. γὰρ δή[8] (for…indeed), **δὲ δή[8]** (but/and…indeed), and **μὲν δή[1]** (indeed): translate the particles separately. γάρ, δέ and μέν are postpositive. δή is either an intensive modifying the initial word, resumptive (then), or 'obvious and natural (indeed).

B. καὶ δή[2] (and indeed/and of course→above all) and **καὶ δὴ καί[3]** (and indeed also→in particular) build a climax as the initial words of a clause. The first καί is a conjunction, and the second is an adverb. δή expresses what Smyth describes as 'obvious and natural' (S2841), i.e. what would be generally agreed upon as true. The common translations of 'indeed' or 'of course' are appropriate.

C. Verbal Adjectives + εἰμί express necessity or obligation with a **dative of agent**. In the speech, this construction is always impersonal (e.g. ἀπολογητέον ἐστίν, 'it must be defended'), and both ἐστίν and the dative of agent ἐμοί must be understood:

+ ἐστίν and ἐμοί		translation made active	
ἀπολογητέον	(it is) to be defended (by me)	→	*I must defend*	(p. 7, 18e4-5)
ἐπιχειρητέον	(it is) to be attempted (by me)	→	*I must attempt*	(p. 7, 18e4-5)
πειστέον	(it is) to be obeyed (by me)	→	*I must obey*	(p. 8, 19a6-7)
ἀπολογητέον	(it is) to be defended (by me)	→	*I must defend*	(p. 8, 19a6-7)
ἰτέον	(it is) to be gone (by me)	→	*I must go*	(p. 19, 18e4-5)
ῥητέον	(it is) to be said (by me)	→	*I must say*	(p. 21, 22b6)

Notes for pp. 18-20 (OCT p. 113)

εἰμί, ἔσομαι, ἐγένομην: to be, exist, 282 (entire synopsis on p. 148)

A. εἰμί and εἶμι: Review the forms and frequencies. Note that 1s impf. ἦα is used 7 times.

	εἰμί, ἔσομαι: be				ἔρχομαι, εἶμι: go		
Present					(future)		
1st	εἰμί [9]	ἐσμέν	*I am*		εἶμι [2]	ἴμεν	*I will go*
2nd	εἶ [1]	ἐστέ [1]			εἶ	ἴτε	
3rd	ἐστίν [84]	εἰσίν [13]			εἶσι	ἴασιν	
Imperfect							
1st	ἦ(ν)	ἦμεν	*I was*		ἦα [7]	ἦμεν	*I went, was going*
2nd	ἦσθα	ἦτε			ἤεισθα	ἦτε	
3rd	ἦν [14]	ἦσαν [2]			ἤειν	ἦσαν	

B. Degrees of Adjectives: Before comparative and superlative endings, many 1st and 2nd decl. adjs. use the infix -ω (-ο, if the penult syllable is considered long) and 3rd decl. adjs. -εσ.

positive	comparative (+ τερος, α, ον)	superlative (+ τατος, η, ον)
δεινός, ή, όν *clever*	δεινότερος, α, ον *more clever*	δεινότατος, η, ον *most clever*
σόφος, η, ον *wise*	σοφώτερος, α, ον *wiser*	σοφώτατος, η, ον *wisest*
ἀμαθής, ές *ignorant*	ἀμαθέστερος, α, ον *more ignorant*	ἀμαθέστατος, η, ον *most ignorant*

Notes for pp. 21-23 (OCT p. 114)

εὑρίσκω[1], εὑρήσω[5], ηὗρον[2], ηὕρηκα, ηὕρημαι, ηὑρέθην: to find, devise, invent, 7 (comp.[1])

γιγνώσκω[1], γνώσομαι[2], ἔγνων[3], ἔγνωκα[3], ἔγνωσμαι, ἐγνώθην: to learn, realize; know, 6 (comp.[3])

A. Irregular Degree of Adjectives: Review this list and frequencies thoroughly.

positive	comparative	superlative
ἀγαθός, ή, όν[27] *good*	ἀμείνων, ἄμεινον[6] *better* βελτίων, βέλτιον[8] *better* κρείττων, κρειττον[3] *stronger*	ἄριστος, η, ον [5] *best* (worth) βελτιστος, η, ον[6] *best* (morally) κράτιστος, η, ον [0] *strongest*
κακός, ή, όν[22] *bad*	κακίων, κάκῑον[0] *worse* χείρων, χεῖρον[2] *worse* ἥττων, ἧττον[4] *weaker, less*	κάκιστος, η, ον[0] *worst* (morally) χειριστος, η, ον[0] *worst* (worth) ἥκιστος, η, ον[0] *weakest, least*
μέγας, μεγάλη, μέγα[12] *great, big*	μείζων, μεῖζον[4] *greater, bigger*	μέγιστος, η, ον[7] *greatest, biggest*
σμικρός/μικρός, α, ον[5,4] *small*	ἐλάττων, ἔλαττον[1] *smaller, less*	ἐλάχιστος, η, ον[0] *smallest, least*
πολύς, πολλή, πολύ[72] *much, many*	πλείων, πλεῖον[5] *more*	πλεῖστος *very many, most*

B. Irregular Adverbs: Note, many adverbs are adverbial acc. forms of the adjective.

positive (-ῶς/neut. sg.)	comparative (neut. sg.)	superlative (neut. pl)
μικρόν *a little*	ἔλαττον *less*	ἐλάχιστα *least*

Notes for pp. 24-26 (OCT p. 115)

δείκνυμι[6], δείξω, ἔδειξα[5], δέδειχα, δέδειγμαι, ἐδείχθην: to point out, show, 1 (comp.[10])
πράττω[16], πράξω[2], ἔπραξα[4], πέπραχα, πέπραγμαι, ἐπράχθην: do; exact (money), 22

The postpositive particle δή marks something as **precise, evident,** or **at hand.** No single English word or two cover all of its uses, and its function in a sentence may be ambiguous and allow for multiple translations. Its original use is likely temporal and related to ἤδή, 'already.' In this commentary, 'just,' 'indeed,' and 'now' are default translations. The intensive use is easy to identify, but the remaining three are more difficult to distinguish.

(1) **Intensive (emphatic):** _just, precisely, exactly_ (i.e. this right in front of us and no other)
   This use makes pronouns, adverbs, and imperatives even more definite.
   …with demonstratives, e.g. ταῦτα δή 'just these things' 'precisely these things'
   …with interrogatives, e.g. τί δή 'Just what?' 'What exactly?'
   …with relative pronouns, e.g. ἃ δή 'just which' 'exactly which' 'the very ones which'
   …with adverbs, e.g. οὕτω δή 'in just this way' 'in exactly this way'
   …with imperatives, e.g. εἶπε δή 'just say!' or temporal and emphatic 'say now'
(2) **Resumptive (inferential)**; _now, then, accordingly._ (i.e. this in front of us is clear)
   This use is often found near the beginning of a sentence and resumes the thought or draws an inference from the previous clause. This use is just a weaker form of 'Obvious and Natural' below, and very often it is difficult to distinguish which use is appropriate.
(3) **Obvious and Natural (evidential):** _indeed, of course, clearly, naturally_
   δή concerns what is clear, present at hand, and evident. And so this stronger form of the resumptive is necessary when a speaker wants to stress something that should be obvious and agreed by all.
(4) **temporal**: _now, already_ While δή is sometimes a temporal particle, often the translation 'now' means 'at this point in the discussion' and is really resumptive/inferential in sense.

Notes for pp. 27-29 (OCT p. 116)

τίθημι[2], θήσω, ἔθηκα[4], τέθηκα[1], τέθειμαι, ἐτέθην: to set, put, place, arrange, 2 (comp.[5])
αἱρέω[4], αἱρήσω, εἶλον[6], ᾕρηκα[1], ᾕρημαι, ᾑρέθην: to seize, take; _mid._ choose, 7 (comp.[4])

A. Object Clauses[6] ὅπως (μή) + fut. (fut. opt. in secondary seq.)

Object and purpose clauses both express purpose, but, while the governing verb in a purpose clause states the specific action undertaken to accomplish that outcome, the governing verb of an object clause is often a vague _verb of effort_ (e.g. sees to it that…, takes care that…) and does not include the specific action. Most instances in the _Apology_ follow the verb ἐπιμελέομαι.

περὶ πλείστου ποιῇ ὅπως ὡς βέλτιστοι οἱ νεώτεροι ἔσονται;   (p. 31, 24d1)
   do you consider of the greatest importance that the youth will be as good as possible?

B. Purpose (Final) Clauses[8] ἵνα (μή) + subj. (opt. in secondary seq.)
Review four common ways of translating a purpose clause into English:
ἵνα δὲ μὴ δοκῶσιν ἀπορεῖν   (p. 27, 23d4)

(1) _so that_	so that they may not seem to be at a loss
(2) _in order that_	in order that they may not seem to be at a loss
(3) _in order to_	in order not to seem to be at a loss
(4) _to_	not to seem to be at a loss

Notes for pp. 30-32 (OCT p. 117)

μέλει[3] (μελε-), μελήσει, ἐμέλησε[2], μεμέληκε[2]: there is a care for (dat.) for (gen.), 7
ἐπιμελέομαι[9], -μελήσομαι, - , -μέλημαι, -εμελήθην[1]: take care of, have concern for (gen), 10

A. Complementary (Supplementary) Participle not in Indirect Discourse
These participles are predicative. While they modify the subject, their task is to complete (i.e. complement) the sense of the verb. Note the variation in translation.

τυγχάνω + pple[9]	τυγχάνω ὤν	*I happen to be*
χαίρω + pple[3]	χαίρω ἀκούων	*I enjoy hearing*
παύω + pple[3]	παύομαι φιλοσοφῶν	*I cease from philosophizing*
διάγω + pple[1]	διάγω ἐξετάζων	*I keep on/pass time examining*

B. Complementary (Supplementary) Participle in Indirect Discourse
This noun + predicative pple construction is equivalent to indirect discourse and often identified as such. The pple agrees with the noun as object (gen., acc., dat.) or, in some instances, as the subject. In the *Apology*, the construction is found most often with οἶδα and ἀκούω, both of which can govern ὅτι clauses as well.

ἀκούτητέ μου ἀπολογουμένου   *you hear me defending myself*
   →*you hear that I am defending myself*
(οὐ) σύνοιδα ἐμαυτῷ σοφὸς ὤν·   *I am aware (not) being wise*
   →*I am aware that I am (not) wise*

Notes for pp. 33-35 (OCT p. 118)

ἄγω[17], ἄξω, ἤγαγον[2], -ῆχα, ἤγμαι, ἤχθην: to lead, bring, carry, convey, 9 (comp.[10])
διαφθείρω[18], -φθερῶ, -έφθειρα, -έφθαρκα[1], -έφθαρμαι[1], -εφθάρην[1]: to corrupt, destroy, 21

Circumstantial participles: Participles can be (1) attributive (i.e used as adjectives following an article: ὁ φεύγων, 'the one defending'), (2) complementary (supplementary), or (3) circumstantial. Below are possible translations for circumstantial participles.

A. Uses: Subordinate conjunctions can be added in English to clarify the use of the participle.
                    ποιήσας (ποιῶν)
1. temporal   *when/after(while) doing*
2. causal   *since/because/by doing*
3. concessive   *although doing*   some scholars add #5
4. conditional   *if doing*   5. attendant circumstance   *having done*

B. Particles are sometimes added in Greek to clarify the use of the participle.

ἅτε[3] ποιῶν	inasmuch as (since) doing (causal)	
ὡς[8] ποιῶν	on the grounds that/in the belief that (since) doing (alleged cause)	
ὥσπερ[2] ποιῶν	inasmuch as (since) doing (causal, stronger than ὡς)	
μὴ[1] ποιῶν	if not doing (conditional)	
καίπερ[1] ποιῶν	although doing (concessive)	

C. Aspect: The present denotes ongoing action, while the perfect indicates a resulting state.
Present   ἀποθνήσκων   *(while) dying*
Aorist   ἀποθάνων   *dying, having died*
Perfect   τεθνηκώς   *being dead* (having died and still in that state)

Notes for pp. 36-38 (OCT p. 119)

μανθάνω[3], μαθήσομαι, ἔμαθον[3], μεμάθηκα:: to learn, understand, 6

φεύγω[4], φεύξομαι[3], ἔφυγον[3], πέφευγα[3]: to flee, avoid; defend in court, 4 (comp.[9])

Comparative Clauses of manner with ὡς, ὥσπερ [46]

Elementary level readers know comparative clauses of degree introduced by the conjunction ἤ (e.g. σοφώτερος ἤ, 'wiser than') but less so comparative clauses of manner introduced by relative adverbs ὡς (how, in which way → as) and ὥσ-περ (just how, in which very way → just as). Readers typically find these relative clauses of comparison difficult to identify because the antecedent is often missing (assume demonstrative adv. οὕτως), and the verb is omitted to avoid repetition with the verb in main clause.

A. Parenthetical [25]: Comparative clauses with verbs λέγω, φημί, οἴομαι, δοκέω, and ἔοικα are often parenthetical, where the entire main clause is assumed as indirect discourse in the comparison but omitted to avoid awkward repetition—both in Greek and in English.

ὥσπερ ἐγὼ λέγω   just as I am saying (that...)   (17b6-7)

ὡς φησι,   as he claims (that...)   (18a2)

B. ὥσπερ ἂν εἰ [4]: Relative clauses of comparison can govern indicatives, subjunctives, optatives and even conditions (contrary to fact[1], fut. less vivid[3], and fut. more vivid[1]). As often, a verb is omitted and should be assumed from the main clause.

ὥσπερ ἂν εἰ εἴποι: just as (he would), if he should say...   (17b6-7)

C. As if: This popular translation of the relative ὥσπερ is synonymous with 'just as' or 'as' and does not necessarily make the clause of comparison conditional in sense.

Notes for pp. 39-41 (OCT p. 120)

ὁράω[5], ὄψομαι, εἶδον[1], ἑώρακα[2], ὤφθην: to see, look, behold, 9

βαίνω[3], βήσομαι[1], ἔβην, βέβηκα[5], βέβαμαι, ἐβάθην: to step, walk, proceed, 0 (comp.[9])

Sixteen Prepositions: Review the common uses of the prepositions below.

ἀμφί: around, about, regarding, (acc.), 1

ἀντί: instead of, in place of (gen.), 1

ἀπό: from, away from. (gen.), 6

διά: through (gen)[4]; on account of (acc)[12], 16

εἰς: into, to, against (acc.), 16

ἐκ, ἐξ: out of, out from, from (gen.), 21

ἐν: in, on, among. (dat.), 55

ἐπί: upon (gen.) , to, against, for (acc.), at, on (the condition) (dat.), 31

κατά: according to, down (along), 16

μετά: with (gen.)[6]; after (acc.)[6], 12

παρά: beside, at (dat.)[1], from[3] (the side of) (gen), to[2] (the side of) ; contrary to[4] (acc.), 10

περί: about, concerning (acc.[4] gen.[24]), 28

πρό: before, in front; in place of (gen.), 2

πρός: to, against, in regard to (acc.)[31], near, (dat.)[1], before, (gen.)[1], 33

ὑπέρ: on behalf of[7], about[1] (gen.), 8

ὑπό: by, because of[27]; under[2] (gen.), 29

Notes for pp. 42-44 (OCT p. 121)

οἴομαι[49] (οἶμαι), οἰήσομαι, - , - , ᾠήθην[4]: suppose, think, imagine, 53
ἀποκτείνω, ἀποκτενέω[1], ἀπέκτεινα[3], ἀπέκτονα[3]: kill; condemn to death, 14

Independent Genitives:

1. Genitive of Possession	τὰ ἐμαυτοῦ	*my own affairs*
2. Partitive Genitive	πολλοὶ ὑμῶν	*many of you*
3. Genitive of Source	ἀκούω ὑμῶν	*I hear from you*
4. Genitive of Separation	πολλοῦ δέω	*I am far from... (I lack from much)*
5. Genitive of Price	θανατοῦ τιμῶμαι	*I propose (a penalty) of death*
6. Genitive of Comparison	σοφώτερον ἐμοῦ	*wiser than me*
7. Genitive Absolute	μηδενὸς ἀποκρινομένου	*(while)sour no one is responding*
8. Objective Genitive	ἐμοῦ κατήγοροι	*my accusers* (they accuse <u>me</u>)
9. Subjective Genitive	τὴν Μελήτου γραφήν	*Meletus' indictment* (<u>Meletus</u> indicts me)
10. Genitive of Characteristic[2]	ἐστι παίζοντος	*it is (the work) of one playing*
11. Genitive of Charge[2]	ἀσεβείας φεύγοντα	*defending (on the charge) of impiety*
12. Genitive of Time Within[1]	ἑκάστης ἡμέρας	*each day (during each day)*

Notes for pp. 45-47 (OCT p. 122)

ἀποθνήσκω, ἀποθανέομαι[5], ἀπέθανον[5], τέθνηκα[12], - , - : to die, perish, 12
δείδω, δείσω, ἔδεισα[3],. δέδια[4] (δέδοικα): to fear, dread, 7

Uses of the Dative:

1. Dative Indirect Object	λέγε μοι	*tell to me*
2. Dative of Interest	ἐστίν ἄμεινον μοι	*it is better for me*
3. Dative of Reference	τοῦτό μοι ἔδοξεν	*this seemed to me* (point of view)
4. Dative of Possession	ἔστι μοι χρήματα	*there is to me money/I have money*
5. Dative of Compound Verbs	συγγενέσθαι μοι	*to associate with* (συγ) *me*
6. Dative of Means	κεκαλλιεπημένους ῥήμασι	*embellished by phrases*
7. Dative of Cause	ὕβρει γράψασθαι	*to indict because of arrogance*
8. Dative of Respect	διαφέρειν σοφίᾳ	*to be superior in wisdom*
9. Ethical Dative	ἐμμείνατέ μοι	*please stay constant/stay for me*
10. Dative of Association	ἀλλήλοις διειλέγμεθα	*we have conversed with one another*
11. Dative of Manner	καὶ ἰδίᾳ καὶ δημοσίᾳ	*both in private and in public*
12. Dative of Degree of Difference	ὅσῳ νεώτεροί εἰσιν	*they are younger by how much*

Secondary Readings: Where to Start

Brickhouse, Thomas C. and Smith, Nicholas D. (1989) *Socrates On Trial.*

Contrary to what the authors view as the pervailing modern interpretation—namely that the *Apology* is Plato's own defense of the philosophical life—the authors argue that the *Apology* is an earnest attempt by the historical Socrates to defend himself against his accusers and win acquital. On this view, Plato, who witnessed the trial, intended the speech to be an historically accurate document. The opinions in the speech are those of the historical Socrates, and the *Apology*, on this view, can be used to help readers of other dialogues distinguish the opinions of the historical Socrates from those of Plato's fictional Socrates, who over time became a mouthpiece for Plato's own views.

This commentary is written for a lay audience and is essential reading for Greek or non-Greek readers who want a clear and thorough examination of the *Apology*. Even if readers choose not to adopt the authors' interpretation, they will carry away a nuanced understanding of the speech and be better prepared to address the ever-increasing secondary literature on the *Apology*, Socrates, and Plato.

Nails, Debra (2009) "The Trial and Death of Socrates" in *A Companion to Socrates*. Eds. Sara Ahbel-Rappe and Rachana Kamtekar, 5-20.

The author offers a very clear and insightful account that traces the legal and historical threads of the trial through the five Platonic dialogues that are set during the indictment, trial, and execution of Socrates: *Theaetetus, Euthyphro, Apology, Crito,* and *Phaedo*. This article is highly recommended for any reader who wants an historical overview of the legal proceedings as well as a brief introduction to the dialogues that Plato chose to set dramatically before or after the *Apology*.

Ahbel-Rappe, Sara and Kamtekar, Rachana Eds. (2009) *A Companion to Socrates*.

This compilation of thirty articles from leading scholars examines the sources of our knowledge of Socrates and his reception from Plato, through Hellenistic philosophy, and to the Modern period. These 10-15 page articles, each with it's own bibliography, are an excellent way to explore topics beyond the *Apology*.

Other Intermediate Level Student Commentaries

Helm, James J. (1994) *Plato: Apology*. Rev. Ed. Considered the standard student commentary since its publication in 1981, Helm's *Apology* includes vocabulary and notes below the text and on the facing page. The glossary has a comprehensive list of principal parts and sentence diagrams for a select number of difficult sentences.

Miller, Paul Allen and Platter, Charles (2010) *Plato's Apology of Socrates*. In addition to vocabulary and notes below the text on each page, the authors include 33 one-page essays to encourage readers to pause and reflect as they read the Greek.

Abbreviations

abs.	absolute	impf.	imperfect	pl.	plural
acc.	accusative	impers.	impersonal	plpf.	pluperfect
act.	active	ind.	indicative	pred.	predicate
adj.	adjective	ind.	indirect	prep.	preposition
adv.	adverb	inf.	infinitive	pres.	present
aor.	aorist	m.	masculine	reflex.	reflexive
dat.	dative	mid.	middle	rel.	relative
dep.	deponent	neut.	neuter	S1517	Smyth §1517
dir.	direct	nom.	nominative	seq.	sequence
disc.	discourse	obj.	object	sg.	singular
f.	feminine	opt.	optative	subj.	subject,
fut.	future	pple	participle	subj.	subjunctive
gen.	genitive	pass.	passive	superl.	superlative
imper.	imperative	pf.	perfect	voc.	vocative

1s, 2s, 3s denote 1st, 2nd, and 3rd singular.   1p, 2p, 3p denote 1st, 2nd, and 3rd plural.

Stephanus Page Numbers

The universal method for referring to pages in any of Plato's dialogues is through Stephanus page numbers. This paging system was developed by Henri Estienne (Lat., *Stephanus*), who published a multi-volume edition of Plato's dialogues in 1578. Stephanus divided each page in his edition into roughly equal sections, which he labeled with the letters a, b, c, d, and e. This system allowed his readers to locate a particular passage not only by the page number but by the section letter as well (e.g. 17a, 17b, 17c, 17d, 17e, 18a…). Many modern editions, including the Greek text in this volume, have adopted this system and gone one step further by dividing the sections into individual lines (e.g. 17a1, 17a2, 17a3…). This paging system offers the same advantages as chapters and verses in the Hebrew Bible or Christian New Testament. Since most editions of Plato include the Stephanus page numbers in the margins of the text, a reader can pick up any volume of Plato—in Greek or in translation—and easily locate a particular passage in the dialogue.

Because Stephanus placed the *Apology* on pages 17-42 in his first volume of Plato, the *Apology* begins on Stephanus page 17a1 and ends on page 42a5. In this commentary all of the grammatical notes are arranged and labeled according to this paging system. Since most of the entries on a given page of commentary have the same Stephanus page number, I identify the page number and section letter only once and labeled all subsequent grammatical note entries by the line number (e.g. 17a, 2, 3…b1, 2, 3, 4…).

Just as Socrates felt that it was necessary to create a tension in the mind so that individuals could rise from the bondage of myths and half-truths to the unfettered realm of creative analysis and objective appraisal, so must we see the need for nonviolent gadflies to create the kind of tension in society that will help men rise from the dark depths of prejudice and racism to majestic heights of understanding and brotherhood.

- Martin Luther King
Letter from the Birmingham Jail

A society grows great when the old plant trees in whose shade they know they shall never sit.

Apocryphal Greek proverb, but likely inspired by
'Serit arbores, quae alteri saeclo prosint.'
- Statius' *Synephebi* as quoted
in Cicero's *De Senectute* 24

To make the ancients speak, we must feed them with our own blood.

- von Wilamowitz-Moellendorff

ὅ τι μὲν ὑμεῖς, ὦ ἄνδρες Ἀθηναῖοι, πεπόνθατε ὑπὸ τῶν   17a
ἐμῶν κατηγόρων, οὐκ οἶδα· ἐγὼ δ' οὖν καὶ αὐτὸς ὑπ' αὐτῶν
ὀλίγου ἐμαυτοῦ ἐπελαθόμην, οὕτω πιθανῶς ἔλεγον. καίτοι
ἀληθές γε ὡς ἔπος εἰπεῖν οὐδὲν εἰρήκασιν. μάλιστα δὲ
αὐτῶν ἓν ἐθαύμασα τῶν πολλῶν ὧν ἐψεύσαντο, τοῦτο ἐν ᾧ   5
ἔλεγον ὡς χρῆν ὑμᾶς εὐλαβεῖσθαι μὴ ὑπ' ἐμοῦ ἐξαπατηθῆτε
ὡς δεινοῦ ὄντος λέγειν. τὸ γὰρ μὴ αἰσχυνθῆναι ὅτι αὐτίκα   b
ὑπ' ἐμοῦ ἐξελεγχθήσονται ἔργῳ, ἐπειδὰν μηδ' ὁπωστιοῦν
φαίνωμαι δεινὸς λέγειν, τοῦτό μοι ἔδοξεν αὐτῶν ἀναισχυν-
τότατον εἶναι, εἰ μὴ ἄρα δεινὸν καλοῦσιν οὗτοι λέγειν τὸν

αἰσχύνομαι: be ashamed, feel shame, 4
ἀν-αίσχυντος, -ον: shameless, impudent, 2
ἄρα: it turns out, it seems; then, therefore, 9
αὐτίκα: straightway, at once; presently, 3
ἐξ-απατάω: to deceive, beguile, trick, 2
ἐξ-ελέγχω: to refute; convict, 2
ἐπειδάν: whenever, 5
ἐπι-λανθάνομαι: to forget (gen), 2
ἔπος, -εος τό: word; pl. poetry, verses, lines 3
ἔργον, τό: deed, act; work; result, effect, 5

εὐλαβέομαι: to be cautious, beware
θαυμάζω: marvel at, amaze at, wonder, 4
καί-τοι: and yet, and indeed, and further, 7
καλέω: to call, summon, invite, 2
μη-δέ: not even, nor; but not, 8
ὁπωστιοῦν: in any way whatever, 2
πιθανῶς: persuasively, plausibly, 2
φαίνω: show; mid. appear, seem, 7
χρή: it is necessary, fitting; must, ought, 6
ψεύδομαι: to deceive with lies; mid. lie, 6

a1 ὅ τι...πεπόνθατε: whatever...; ὅτι, neut.
  acc. relative ὅστις and 2p pf. πάσχω
ὦ ἄνδρες Ἀθηναῖοι: voc. direct address;
  Socrates addresses the Athenian jurors
2 ὑπό: by..., because of...; ὑπό+ gen.
  expressing agency or cause
δ(ὲ) οὖν: but at any rate (S2959)
καὶ: also, even; adv.
αὐτός: intensive (-self) with 1s subject
ὑπ(ὸ): by...; + gen, expressing agency
3 ὀλίγου: almost; '(lacking) from a little,'
  adverbial (gen. of separation)
ἐπελαθόμην: 1s aor. mid.; often verbs of
  forgetting and remembering govern a gen.
ἔλεγον: 3p impf.
4 γε: intensive πάσχω
ὡς ἔπος εἰπεῖν: so to speak; 'to speak the
  word thus,' inf. abs.: idiom found 70+ times
  in Plato limiting the force of οὐδὲν or πᾶς
  and equiv. to 'almost' or 'nearly' (S2012)
εἰρήκασιν: 3p pf. λέγω (fut. ἐρέω)
5 αὐτῶν: from them; i.e from the accusers,
  gen. of source; or intensive adj. ('the very,'
  or -selves) modifying partitive gen. τῶν
  πόλλων (a neut. substantive: add 'things')
ἓν: neut. acc. sg. εἷς
ὧν: (about) which...; relative, neut. acc. pl.

ἃ attracted into gen. of the antecedent
τοῦτο: (namely) this one; appositive to ἓν
ἐν ᾧ...: relative
6 ὡς χρῆν...: that...; =χρή ἦν, ind. disc. with
  impersonal 3s impf. χρή
μὴ ὑπ' ἐμοῦ ἐξαπατηθῆτε: that...; fearing
  clause, 2p aor. pass. subj. with ὑπό + gen.
  expressing agency
b1 ὡς...ὄντος: on the grounds of...in the
  belief that; 'since,' ὡς + pple (here, εἰμί
  modifying ἐμοῦ) expresses alleged cause
δεινοῦ: clever; i.e. skillful, but in a way that
  engenders mistrust; predicative adj. of pple
λέγειν: at...; explanatory (epexegetical) inf.
  qualifying δείνου: translate as gerund (-ing)
τὸ...μὴ αἰσχυνθῆναι: not to...; articular inf.
  aor. pass. dep. (mid. sense), subj of ἔδοξεν
ὅτι...ἐξελεγχθήσονται...: that...; ind. disc.
  with fut. pass. (aor. pass. stem + σ)
2 ἔργῳ: in...; dat. of manner
ἐπειδὰν...φαίνωμαι: when...; temporal
  equiv. to fut. more vivid condition (ἐὰν
  subj., fut.); pres. subj.; takes μή not οὐ
μηδὲ: not in the least; 'not even' with adv.
3 αὐτῶν: from them; accusers, gen. of source
4 εἰ μὴ: unless
καλοῦσιν: call (x) (y); double acc.

τἀληθῆ λέγοντα· εἰ μὲν γὰρ τοῦτο λέγουσιν, ὁμολογοίην ἂν 5
ἔγωγε οὐ κατὰ τούτους εἶναι ῥήτωρ. οὗτοι μὲν οὖν, ὥσπερ
ἐγὼ λέγω, ἤ τι ἢ οὐδὲν ἀληθὲς εἰρήκασιν, ὑμεῖς δέ μου ἀκού-
σεσθε πᾶσαν τὴν ἀλήθειαν—οὐ μέντοι μὰ Δία, ὦ ἄνδρες
Ἀθηναῖοι, κεκαλλιεπημένους γε λόγους, ὥσπερ οἱ τούτων,
ῥήμασί τε καὶ ὀνόμασιν οὐδὲ κεκοσμημένους, ἀλλ' ἀκού- c
σεσθε εἰκῇ λεγόμενα τοῖς ἐπιτυχοῦσιν ὀνόμασιν—πιστεύω
γὰρ δίκαια εἶναι ἃ λέγω—καὶ μηδεὶς ὑμῶν προσδοκησάτω
ἄλλως· οὐδὲ γὰρ ἂν δήπου πρέποι, ὦ ἄνδρες, τῇδε τῇ
ἡλικίᾳ ὥσπερ μειρακίῳ πλάττοντι λόγους εἰς ὑμᾶς εἰσιέναι. 5
καὶ μέντοι καὶ πάνυ, ὦ ἄνδρες Ἀθηναῖοι, τοῦτο ὑμῶν δέομαι

ἀλήθεια, ἡ: truth, 8
ἄλλως: otherwise, in another way, 3
δή-που: perhaps, I suppose, surely, 8
εἰκῇ: at random, without plan or purpose
εἰσ-έρχομαι: to go in, come to, enter, 3
ἐπι-τυγχάνω: chance upon, hit upon, attain
Ζεύς, Διός, ὁ: Zeus, 5
ἡλικία, ἡ: age, time of life, 3
καλλιεπέομαι: to embellish
κοσμέω: to arrange, order

μά: (no) by + acc. (in an oath), 3
μειράκιον, τό: young man, juvenile, 3
ὁμο-λογέω: to agree, 2
πιστεύω: to trust, believe (dat), 3
πλάττω: to fabricate, make up; form
πρέπω: be fitting, be suitable, 4
προσ-δοκάω: to expect; suppose, think
ῥῆμα, -ατος, τό: phrase, saying; word
ῥήτωρ, ὁ: orator, (public) speaker, 4

5 τὸν...λέγοντα: the one...; pres. pple
τἀληθῆ: τὰ ἀληθῆ (ἀληθέ-α); i.e. the truth
λέγουσιν: mean
ὁμολογοίην ἂν: would...; 1s potential opt.
6 κατὰ τούτους: in the fashion of these; 'in
the accordance with these,' i.e. the accusers
μὲν οὖν: certainly; 'at any rate,' μὲν οὖν
often expresses positive certainly (S2901)
7 ἤ...ἤ...: either...or...
τι: something; i.e. something important
εἰρήκασιν: 3p pf. λέγω (fut. ἐρέω)
μου: from...; gen. of source with ἀκούω
8 μὰ Δία: in exclamation; acc. sg. Ζεύς
κεκαλλιεπημένους... ῥήμασί τε καὶ
ὀνόμασιν: pf. pass. pple and dat. of means;
ὄνομα here refers to individual words;
ῥῆμα to sayings and expressions
γε: indeed; emphatic, often expressed just
by raising pitch of the previous word
9 οἱ τούτων (λόγοι): the (speeches)...;
τούτων refers to the accusers
c1 κεκοσμημένους: pf. pass. pple; i.e. artfully

λεγόμενα: (things) said...; substantive
τοῖς ἐπιτυχοῦσιν ὀνόμασιν: dat. means;
aor. pple
3 δίκαια εἶναι ἃ λέγω: that...; ind. disc.
ἃ...: what...; (ταῦτα) ἃ, '(these things)
which,' relative with missing antecedent,
which is acc. subject of the inf.
προσδοκησάτω: let...; 3rd pers. aor.
imperative
4 οὐδὲ...δήπου: Surely...not...; 'not even...I
suppose,' in incredulity or surprise
ἂν πρέποι: it would...; impers. potential
opt.
τῇδε τῇ ἡλικίᾳ: for...; dat. of interest, i.e. a
man at Socrates' age
5 μειρακίῳ: for...; dat. of interest
εἰσιέναι: inf. εἰσέρχομαι; i.e. before the
court
6 καὶ μέντοι καὶ: and certainly also; the first
καί is a conjunction, the second is an adv.
ὑμῶν: gen. of source
δέομαι: I ask; mid., 'I lack for myself'

To distinguish the conjunction ὅτι[74], "that/because," which begins ind. disc. from the neuter
pronoun ὅτι[10], "what," (ὅστις, ἥτις, ὅτι) which introduces ind. questions and relative clauses,
a space has been added to the relative pronoun (ὅτι → ὅ τι). Translate ὅ τι as neut. sg. ὅστις.

καὶ παρίεμαι· ἐὰν διὰ τῶν αὐτῶν λόγων ἀκούητέ μου ἀπο-
λογουμένου δι' ὧνπερ εἴωθα λέγειν καὶ ἐν ἀγορᾷ ἐπὶ τῶν
τραπεζῶν, ἵνα ὑμῶν πολλοὶ ἀκηκόασι, καὶ ἄλλοθι, μήτε
θαυμάζειν μήτε θορυβεῖν τούτου ἕνεκα. ἔχει γὰρ οὑτωσί. d
νῦν ἐγὼ πρῶτον ἐπὶ δικαστήριον ἀναβέβηκα, ἔτη γεγονὼς
ἑβδομήκοντα· ἀτεχνῶς οὖν ξένως ἔχω τῆς ἐνθάδε λέξεως.
ὥσπερ οὖν ἄν, εἰ τῷ ὄντι ξένος ἐτύγχανον ὤν, συνεγιγνώ-
σκετε δήπου ἄν μοι εἰ ἐν ἐκείνῃ τῇ φωνῇ τε καὶ τῷ τρόπῳ 5
ἔλεγον ἐν οἷσπερ ἐτεθράμμην, καὶ δὴ καὶ νῦν τοῦτο ὑμῶν 18
δέομαι δίκαιον, ὥς γέ μοι δοκῶ, τὸν μὲν τρόπον τῆς λέξεως

ἀγορά, ἡ: agora; market, assembly
Ἄλλο-θι: in another place, elsewhere
ἀνα-βαίνω: to come up, climb, mount, 5
ἀ-τεχνῶς: simply, absolutely, quite, 6
δή-που: perhaps, I suppose, surely, 8
δικαστήριον, τό: court, 3
ἑβδομήκοντα: seventy
εἴωθα: to be accustomed, 5
ἕνεκα: for the sake of, for (+gen.), 5
ἐνθάδε: hither, here; thither, there, 5
ἔτος, -εος, τό: a year, 4
θαυμάζω: marvel at, amaze at, wonder, 4
θορυβέω: to make an uproar, disturbance, 7

λέξις, -εως, ἡ: (type of) speaking, speech, 2
ξένος, ὁ: guest-friend, foreigner, stranger, 4
ξένως: strangely, in an unusual way
οὑτωσί: in this here way, thus, so, 4
παρ-ίημι: to pass over; mid. beg, entreat
πρῶτος, -η, -ον: first, earliest, 8
συγ-γιγνώσκω: agree/sympathize with (dat)
τράπεζα, ἡ: table; (banker's) table, bank
τρέφω: to rear, foster, nuture
τρόπος, ὁ: manner, way; turn, direction, 5
τυγχάνω: to chance upon, happen; attain; 9
φωνή, ἡ: voice, dialect, speech, 3

---

7 παρίεμαι: pres. mid. παρ-ίημι
ἐὰν...ἀκούητέ...μήτε θαυμάζειν μήτε
θορυβεῖν: (namely) that if you listen to...,
not to... nor to...; a variation of fut. more
vivid (ἐάν subj., fut.) with infs. in the
apodosis expressing ind. command (object
infs., S1991) the infs. are in apposition to
τοῦτο in c6 and are therefore governed by
δέομαι and παρίεμαι; note that infs. in
wishes govern μή not οὐ (S2719)
διὰ τῶν αὐτῶν λόγων: in the attributive
position, αὐτός means 'same'
μου ἀπολογουμένου...: me...; gen. of
source with ἀκούω and complementary
pple (equiv. to ind. disc.)
8 δι(ὰ) ὧνπερ (λόγων): through...; relative
clause with ὅσπερ; εἴωθα is 1s pf.
ἐπὶ τῶν τραπεζῶν: at..., in the presence
of...; the tables are where banking was done
in Athens
ἵνα...ἀκηκόασι: where...; relative clause,
3p pf. with gen. of source
μήτε θαυμάζειν μήτε θορυβεῖν: not to...;
in apposition to τοῦτο in c6 (see note c7)
d1 ἔχει γὰρ οὑτωσί: for it...; ἔχω ('holds' or

'is disposed') + adv. is equiv. to εἰμί + pred.
adj.; the deictic iota on the adv. οὕτως adds
emphasis: 'just so' or 'in just this way'
2 πρῶτον: adverbial acc.
ἐπὶ: to...; acc. place to which
ἀναβέβηκα: 1s pf.
γεγονὼς: pf. pple γίγνομαι, 'be born'
ἔτη ἑβδομήκοντα: ἔτε-α, acc. of extent
3 οὖν: then, accordingly; inferential, as often
ξένως ἔχω: see note for d1
τῆς ἐνθάδε λέξεως: (concerning) this type
of speaking here; objective gen. with ξένως
4 ἄν εἰ...ἐτύγχανον ὤν, συνεγιγνώσκετε
ἄν: if I happened to...you would...; contrary
to fact condition (εἰ impf., impf.) with
duplicated ἄν added for emphasis
τῷ ὄντι: in reality; (pple εἰμί), dat. manner
ἐτύγχανον: happened to + pple (nom. εἰμί)
a1 ἔλεγον: 1s impf.
ἐτεθράμμην: 1s plpf. pass. τρέφω
καὶ δὴ καὶ νῦν: and in particular now; 'and
indeed also now,' καί is conjunction & adv.
2 δίκαιον: as just; predicative acc.
ὥς γέ...: as at least; clause of comparison

3

ἐᾶν—ἴσως μὲν γὰρ χείρων, ἴσως δὲ βελτίων ἂν εἴη—αὐτὸ
δὲ τοῦτο σκοπεῖν καὶ τούτῳ τὸν νοῦν προσέχειν, εἰ δίκαια
λέγω ἢ μή· δικαστοῦ μὲν γὰρ αὕτη ἀρετή, ῥήτορος δὲ   5
τἀληθῆ λέγειν.

πρῶτον μὲν οὖν δίκαιός εἰμι ἀπολογήσασθαι, ὦ ἄνδρες
Ἀθηναῖοι, πρὸς τὰ πρῶτά μου ψευδῆ κατηγορημένα καὶ τοὺς
πρώτους κατηγόρους, ἔπειτα δὲ πρὸς τὰ ὕστερον καὶ τοὺς
ὑστέρους. ἐμοῦ γὰρ πολλοὶ κατήγοροι γεγόνασι πρὸς ὑμᾶς   b
καὶ πάλαι πολλὰ ἤδη ἔτη καὶ οὐδὲν ἀληθὲς λέγοντες, οὓς
ἐγὼ μᾶλλον φοβοῦμαι ἢ τοὺς ἀμφὶ Ἄνυτον, καίπερ ὄντας

ἀμφί: around, about, regarding, (acc)
βελτίων, -ον (-ονος): better, 8
ἐάω: to permit, allow, let be
ἔπειτα: then, next, secondly, 7
ἔτος, -εος, τό: a year, 4
καί-περ: although
κατ-ηγορέω: accuse, charge, speak against
(gen), 4
νοῦς, ὁ: mind, sense, attention, 3

πάλαι: long ago, for a long time, 5
προσ-έχω: to offer, provide; direct
πρῶτος, -η, -ον: first, earliest, 8
ῥήτωρ, ὁ: orator, (public) speaker, 4
σκοπέω: to examine, consider, look at, 4
ὕστερος, -α, -ον: later, last; adv. later, 5
φοβέω: frighten; mid. fear, be afraid, 4
χείρων, -ον, (-οντος): worse, inferior, 2
ψευδής, -ές: false, lying

3 τὸν μὲν...ἐᾶν: (that you)...; a lengthy obj.
inf. for α-contract ἐάω as ind. command in
apposition to τοῦτο, governed by δέομαι
ἂν εἴη: would...; 3s potential opt. εἰμί
αὐτὸ δὲ τοῦτο σκοπεῖν...προσέχειν: and
(that you)...; parallel to ἐᾶν, obj. of δέομαι
αὐτὸ τοῦτο: this very thing; i.e. the
following thing; intensive
4 τούτῳ: to...; i.e. what follows, dat. of
compound verb
τὸν νοῦν προσέχειν: i.e. pay attention
5 αὕτη (ἐστίν): this (is); ellipsis
(ἡ ἀρετή) ῥήτορος (ἐστίν):: ellipsis
6 τἀληθῆ: τὰ ἀληθῆ (ἀληθέ-α); i.e. the truth
7 πρῶτον...ἔπειτα: first...next...; Socrates
will address the first group of accusations
and accusers and then the second group
δίκαιός: justified, right; + explanatory
(epexegetical) aor. mid. inf.
8 πρός: against...
τὰ...ψευδῆ: falsehoods; ψευδέ-α, neut. pl.

substantive
μου: against...; obj. of pple κατηγορημένα
9 τὰ ὕστερον (ψευδῆ κατηγορημένα):
those...; i.e. second group of accusations;
adverbial acc. in the attributive position
τοὺς ὑστέρους (κατηγόρους): those...
b1 ἐμοῦ: objective gen. with κατήγοροι
γεγόνασι: 3p pf. γίγνομαι
2 καὶ...καὶ...: both...and...; governed by
nom. pple λέγοντες
πάλαι πολλὰ ἤδη ἔτη: for...; ἔτεα, acc. of
duration
οὓς: relative, the antecedent is κατήγοροι
3 ἢ: than...; clause of comparison
τοὺς ἀμφὶ Ἄνυτον: those...; i.e. accusers,
ἀμφὶ Ἄνυτον is a prepositional phrase in
the attributive position; Anytus is the leader
of one group of accusers as well as an
interlocutor in Plato's Meno
καίπερ ὄντας: although...; pple εἰμί is
concessive in sense

ἂν + main verb – would: While there are many nuanced translations (see the glossary), when
in doubt, translate ἂν + verb in a main clause (including in an apodosis) as 'would.'

1. Potential opt. (ἂν + opt.) [56+12]   ἂν ποιοῖς   you **would** do
2. Contrary to Fact. (ἂν + ind.) [16]   ἂν ἐποίεις (ἐποίησας) you **would** do (**would have done**)
3. Customary Past. (ἂν + ind.) [1]   ἂν ἐποίεις (ἐποίησας) you **would** do (i.e. used to do)

καὶ τούτους δεινούς· ἀλλ' ἐκεῖνοι δεινότεροι, ὦ ἄνδρες, οἳ
ὑμῶν τοὺς πολλοὺς ἐκ παίδων παραλαμβάνοντες ἔπειθόν 5
τε καὶ κατηγόρουν ἐμοῦ μᾶλλον οὐδὲν ἀληθές, ὡς ἔστιν τις
Σωκράτης σοφὸς ἀνήρ, τά τε μετέωρα φροντιστὴς καὶ τὰ
ὑπὸ γῆς πάντα ἀνεζητηκὼς καὶ τὸν ἥττω λόγον κρείττω
ποιῶν. οὗτοι, ὦ ἄνδρες Ἀθηναῖοι, <οἳ> ταύτην τὴν φήμην c
κατασκεδάσαντες, οἱ δεινοί εἰσίν μου κατήγοροι· οἱ γὰρ
ἀκούοντες ἡγοῦνται τοὺς ταῦτα ζητοῦντας οὐδὲ θεοὺς νομίζειν.
ἔπειτά εἰσιν οὗτοι οἱ κατήγοροι πολλοὶ καὶ πολὺν χρόνον

ἀνα-ζητέω: to investigate, search out
γῆ, γῆς ἡ: earth, land, ground, 4
ἔπειτα: then, next, secondly, 7
ζητέω: to seek, look for, investigate, 6
ἥττων, -ον: weaker, less, inferior, 4
κατα-σκεδάννυμι: to scatter, spread

κρείττων, -ον: stronger, better, superior, 3
μετέωρον, τό: things in the air, 2
παῖς, παιδός, ὁ, ἡ: child, boy, girl; slave, 8
παρα-λαμβάνω: to take aside or to oneself
φήμη, ἡ: rumor, report; divine utterance, 2
φροντιστής, ὁ: thinker, ponderer

4 **καί**: *also*; adv.
  τούτους δεινούς: subj. and pred. of ὄντας
  ἐκεῖνοι (εἰσίν): supply 3p linking εἰμί
  οἵ...: relative
5 **ὑμῶν**: partitive gen. with τοὺς πολλοὺς
  ἐκ παίδων: *from childhood*
  παραλαβάντοντες: i.e. as if pulling
  someone aside for a private conversation
  ἔπειθόν: *tried to*...; 3p conative impf.;
  πείθω
6 **κατηγόρουν**: *kept*...; κατηγόρε-ον, 3p
  customary impf. with gen. obj.
  μᾶλλον οὐδὲν ἀληθές: *not at all more true*;
  i.e. false; οὐδὲν, 'not at all,' is a common
  adverbial acc. (acc. of extent in degree, i.e.
  'more by nothing') modifying μᾶλλον
  ὡς ἔστιν: *(namely) that there is*...; ind.disc.
  τις: *a certain*...; Socrates distances himself
  from this image
7 **τά τε μετέωρα**: *(about)*...; 'in respect to'
  acc. of respect; i.e. heavenly bodies
  τὰ ὑπὸ γῆς: *things*...; prepositional phrase
  in the attributive position

8 **ἀνεζητηκὼς**: nom. sg. pf. pple ἀνα-ζητέω
  τὸν ἥττο(ν)α λόγον: *the lesser argument*;
  ἥττο(ν)α is acc. sg. comparative
  κρείττω: κρείττο(ν)α; predicative
9 **ποιῶν**: pple governing a double acc. (obj.
  and pred.)
c1 **οὗτοι <οἳ>...κατασκεδάσαντες**: *these
  (ones)*...; diamond brackets indicate that the
  text is not in the manuscripts but suggested
  by the editor
2 **οἱ δεινοί...κατήγοροι**: nom. pred.; again,
  δεινός means 'clever or 'skillful but often
  engenders mistrust: 'terrible' or 'dangerous'
  μου: objective gen. with κατήγοροι
  οἱ ἀκούοντες: *those*...
3 **τοὺς...νομίζειν**: *that those*...; ind. disc.;
  ταῦτα refers to b7-c1 above
  οὐδὲ: *not even*; adv. modifying the inf.
  νομίζειν: a challenging word to interpret
  without more context: perhaps not 'believe'
  but 'acknowledge,' 'honor,' or 'esteem'
4 **εἰσιν**: *there are*
  πολὺν χρόνον: *for*...; acc. duration

ἄν + subordinate verb – *ever*: When in doubt, translate the generalizing ἄν in subordinate
clauses as 'ever.' In a fut. more vivid condition (ἐάν subj., fut.), however, translate ἄν + subj.
as present with future sense.

1. General Temporal Clause[10]   ὅταν ἄν ποιῇς   *whenever you do...*
2. General Relative Clause[10]   ἅ ἄν ποιῇς   *whatever you do...*
3. Pres. General Condition[5]   ἐάν ποιῇς, εὖ ποιεῖς, *if ever you do, you are doing well.*
but 4. Future More Vivid[17]   ἐάν ποιῇς, εὖ ποιήσεις *if you do, you will do well*

ἤδη κατηγορηκότες, ἔτι δὲ καὶ ἐν ταύτῃ τῇ ἡλικίᾳ λέγοντες   5
πρὸς ὑμᾶς ἐν ᾗ ἂν μάλιστα ἐπιστεύσατε, παῖδες ὄντες ἔνιοι
ὑμῶν καὶ μειράκια, ἀτεχνῶς ἐρήμην κατηγοροῦντες ἀπολο-
γουμένου οὐδενός. ὃ δὲ πάντων ἀλογώτατον, ὅτι οὐδὲ τὰ
ὀνόματα οἷόν τε αὐτῶν εἰδέναι καὶ εἰπεῖν, πλὴν εἴ τις   d
κωμῳδοποιὸς τυγχάνει ὤν. ὅσοι δὲ φθόνῳ καὶ διαβολῇ
χρώμενοι ὑμᾶς ἀνέπειθον—οἱ δὲ καὶ αὐτοὶ πεπεισμένοι
ἄλλους πείθοντες—οὗτοι πάντες ἀπορώτατοί εἰσιν· οὐδὲ γὰρ
ἀναβιβάσασθαι οἷόν τ᾽ ἐστὶν αὐτῶν ἐνταυθοῖ οὐδ᾽ ἐλέγξαι   5
οὐδένα, ἀλλ᾽ ἀνάγκη ἀτεχνῶς ὥσπερ σκιαμαχεῖν ἀπολογού-

ἄ-λογος, -ον: unreasonable, without reason
ἀνα-βιβάζω: to bring forward, bring up, 3
ἀνα-πείθω: persuade, convince
ἀνάγκη, ἡ: necessity, force, 2
ἄ-πορος, -ον: difficult, unmanageable
ἀ-τεχνῶς: simply, absolutely, quite, 6
ἐλέγχω: cross-examine, question; refute, 6
ἔνιοι, -αι, -α: some
ἐνταυθοῖ: here, to here, hither, 3
ἔρημος, -ον: alone, desolate, bereft of (gen)
ἔτι: still, besides, further; in addition, 8
ἡλικία, ἡ: age, time of life, 3

κατ-ηγορέω: accuse, charge, speak against (gen), 4
κωμῳδο-ποιός, ὁ: comic playwright
μειράκιον, τό: young man, juvenile, 3
παῖς, παιδός, ὁ, ἡ: child, boy, girl; slave, 8
πιστεύω: to trust, believe (dat), 3
πλήν: except, but (gen.), 3
σκια-μαχέω: fight with shadows/in the dark
τυγχάνω: to chance upon, happen; attain; 9
φθόνος, ὁ: envy, ill-will, 2
χράομαι: to use, employ, experience (dat.), 2

---

5 κατηγορηκότες…λέγοντες… κατηγορ-
οῦντες: participial phrases all modifying
κατήγοροι; pf. act. pple
ἔτι δὲ: and in addition; 2nd participial phrase
ἐν ταύτῃ τῇ ἡλικίᾳ: i.e. at the age of the
jurors; Socrates suggests that they were
approached at an age easy to manipulate
6 ἐν ᾗ (ἡλικίᾳ): in…; relative
ἄν…ἐπιστεύσατε: you would (be likely
to)…; ἄν + aor. ind. is either (a) contrary to
fact (past potential) or, as here,
(b) customary past (S1790); πιστεύω
ὄντες ἔνιοι ὑμῶν: (since) some…; pple εἰμί
is causal in sense, in apposition to the
subject of ἐπιστεύσατε; παῖδες…καὶ
μειράκια is the predicate
7 ἐρήμην (δίκην) κατηγοροῦντες:
prosecuting (the case) in absentia; a ἐρήρη
δική is a legal term for a case where the
accused is not present to defend himself
ἀπολογουμένου οὐδενός: gen. abs.
8 (τοῦτό ἐστιν) ὃ δὲ (ἐστίν): (this is) what
is…; '(this is that) which (is)…; ellipsis;
relative clause with missing antecedent;
either add τοῦτό ἐστιν or make assume

acc. of respect: 'as for what is…'
ὅτι: (namely) that…; in apposition to τοῦτο
οὐδὲ: not even; adv.
d1 οἷόν τε (ἐστίν): (it is) possible; οἷός τε εἰμί
'be to sort to' is a common idiom for 'be
able' or 'be possible'
αὐτῶν: i.e. accusers'; modifies ὀνόματα
εἰδέναι καὶ εἰπεῖν: inf. οἶδα and aor. λέγω
τις κωμῳδοποιός: i.e. Aristophanes, who
satirized Socrates in the Clouds (424 BC)
among other playwrights
2 τυγχάνει ὤν: happens to + pple (nom. εἰμί)
ὅσοι δὲ…ἀνέπειθον: as many as tried to…;
or 'all who…' relative cl.; conative impf.
3 οἱ δὲ καὶ αὐτοὶ: and these themselves also…
i.e. the persuaded in turn persuade others
πεπεισμένοι: pf. pass. πείθω
4 οὗτοι πάντες: all three groups of first
accusers: (a) ὅσοι δὲ, (b) οἱ δὲ, (c) ἄλλους
οὐδὲ…οὐδὲ: not even…nor…; adv. and conj.
5 ἀναβιβάσασθαι: i.e. to the court
οἷόν τ᾽ ἐστὶν: see d1 above
αὐτῶν: (any) of them; partitive
6 ἀνάγκη (ἐστίν): it is…; impersonal

μενόν τε καὶ ἐλέγχειν μηδενὸς ἀποκρινομένου. ἀξιώσατε
οὖν καὶ ὑμεῖς, ὥσπερ ἐγὼ λέγω, διττούς μου τοὺς κατηγόρους
γεγονέναι, ἑτέρους μὲν τοὺς ἄρτι κατηγορήσαντας, ἑτέρους δὲ
τοὺς πάλαι οὓς ἐγὼ λέγω, καὶ οἰήθητε δεῖν πρὸς ἐκείνους   e
πρῶτόν με ἀπολογήσασθαι· καὶ γὰρ ὑμεῖς ἐκείνων πρότερον
ἠκούσατε κατηγορούντων καὶ πολὺ μᾶλλον ἢ τῶνδε τῶν
ὕστερον.

εἶεν· ἀπολογητέον δή, ὦ ἄνδρες Ἀθηναῖοι, καὶ ἐπιχειρη-
τέον ὑμῶν ἐξελέσθαι τὴν διαβολὴν ἣν ὑμεῖς ἐν πολλῷ χρόνῳ   19
ἔσχετε ταύτην ἐν οὕτως ὀλίγῳ χρόνῳ. βουλοίμην μὲν οὖν

ἀξιόω: deem right, think worthy of (gen), 6
ἀπο-λογητέος, -ον: to be defended, 2
ἄρτι: just, exactly; just now, 2
διττός, -ή, -όν: two; twofold; double
εἶεν: well then! (opt. εἰμί 'let them be so'), 4
ἐλέγχω: cross-examine, question; refute, 6
ἐξ-αιρέω: to take out, pick out; mid. choose, 2

ἐπιχειρητέος, -όν: to be attempted or tried
ἕτερος, -α, -ον: other, one…other, different, 8
πάλαι: long ago, for a long time, 5
πρότερος, -α, -ον: previous, earlier, 4
πρῶτος, -η, -ον: first, earliest, 8
ὕστερος, -α, -ον: later, last; adv. later, 5

d7 τε καὶ: joining the two infs.
  μηδενὸς ἀποκρινομένου: gen. abs.
  ἀξιώσατε: aor. imperative
8 οὖν: inferential
  καὶ: also, too
  διττούς…γεγονέναι: that there…; ind.
  disc. with pf. act. inf. γίγνομαι
  μου: objective gen. with κατηγόρους
9 ἑτέρους μὲν…ἑτέρους δὲ: some…others…
  τοὺς…κατηγορήσαντας: those…
e1 τοὺς πάλαι (κατηγορήσαντας): those…
  οὓς ἐγὼ λέγω: (about) whom…; relative
  οἰήθητε: 2p aor. pass. dep. imperative
  οἴομαι
  δεῖν…με ἀπολογήσασθαι: that it…; ind.
  disc.; impersonal δεῖ
  πρὸς: against…
2 πρῶτον: adverbial acc.
  καὶ γὰρ: for in fact; καί is adv.
  ἐκείνων…κατηγορούντων: from…; gen.
  of source as obj. + pple
  πρότερον: comparative adv.
  πολὺ: far; 'much,'; adv. acc. (acc. of extent
  in degree: 'more by much')
  ἢ: than
  τῶνδε τῶν ὕστερον (κατηγορούντων):

from…; gen. of source, comparative adv. in
attributive position; i.e. 2nd set of accusers
5 εἶεν: well then!; an exclamation originally
  3p pres. opt. of wish, εἰμί: 'let them be so!'
  ἀπολογητέον (ἐστίν)…ἐπιχειρητέον
  (ἐστίν)…: it must…it must …; '(it is) to…
  and (it is) to…(by me)' impersonal verbal
  adj. + missing ἐστίν express necessity;
  often, these forms are translated actively:
  '(I) must…'
  δή: now; 'already,' temporal or resumptive
  use (S2845)
19a1 ὑμῶν: from…; gen. separation
  ἐξελέσθαι: aor. mid. inf. ἐξ-αιρέω (aor.
  stem ἐλ-), i.e. remove
  ἣν ὑμεῖς…ἔσχετε: which you have acquired
  relative clause; 2s aorist ἔχω where English
  expects a pf. (S1940)
  ἐν πολλῷ χρόνῳ: over…
2 ταύτην ἐν οὕτως ὀλίγῳ χρόνῳ: (but)
  this…; demonstrative modifies διαβολὴν
  but placed at the end to emphasize the
  contrast with the relative clause
  βουλοίμην…ἄν: would…; 1s potential opt.
  μὲν οὖν: certainly; μὲν οὖν often expresses
  positive certainly (S2901)

τοῦτο…ὅτι[13] 'this…(namely) that…' At least 24 times indirect discourse is in apposition to
a pronoun or noun (ὅτι[16], ὡς[3], acc. + inf.[5]), and a ὅτι clause is in apposition to τοῦτο in 13
of those instances. Add the adverb 'namely' in English to make the apposition clear.

ἂν τοῦτο οὕτως γενέσθαι, εἴ τι ἄμεινον καὶ ὑμῖν καὶ ἐμοί,
καὶ πλέον τί με ποιῆσαι ἀπολογούμενον· οἶμαι δὲ αὐτὸ
χαλεπὸν εἶναι, καὶ οὐ πάνυ με λανθάνει οἷόν ἐστιν. ὅμως   5
τοῦτο μὲν ἴτω ὅπῃ τῷ θεῷ φίλον, τῷ δὲ νόμῳ πειστέον καὶ
ἀπολογητέον.

ἀναλάβωμεν οὖν ἐξ ἀρχῆς τίς ἡ κατηγορία ἐστὶν ἐξ ἧς
ἡ ἐμὴ διαβολὴ γέγονεν, ᾗ δὴ καὶ πιστεύων Μέλητός με ἐγρά-   b
ψατο τὴν γραφὴν ταύτην. εἶεν· τί δὴ λέγοντες διέβαλλον
οἱ διαβάλλοντες; ὥσπερ οὖν κατηγόρων τὴν ἀντωμοσίαν
δεῖ ἀναγνῶναι αὐτῶν· "Σωκράτης ἀδικεῖ καὶ περιεργάζεται
ζητῶν τά τε ὑπὸ γῆς καὶ οὐράνια καὶ τὸν ἥττω λόγον κρείττω   5

ἀμείνων, -ον (-ονος): better, 6
ἀνα-γιγνώσκω: read; recognize, persuade
ἀνα-λαμβάνω: to take up or back, restore, 2
ἀντ-ωμοσία, ἡ: affidavit, sworn statement,
(made against another in court), 2
ἀπο-λογητέος, -ον: to be defended, 2
ἀρχή, ἡ: beginning; rule, office, 9
γῆ, γῆς ἡ: earth, land, ground, 4
γραφή, ἡ: indictment, prosecution, 7
γράφομαι: indict, charge (acc.) with (acc), 5
δια-βάλλω: to slander; pass over, 4
εἶεν: well then! (opt. εἰμί 'let them be so'), 4
ζητέω: to seek, look for, investigate, 6

ἥττων, -ον: weaker, less, inferior, 4
κατ-ηγορία, ἡ: accusation, charge
κρείττων, -ον: stronger, better, superior, 3
λανθάνω: to escape notice of (acc)
ὅμως: nevertheless, however, yet, 5
ὅπῃ: in which way or manner, how, 2
οὐράνιος, -α, -ον: in the sky, heavenly
πειστέος, -ον: to be persuaded
περι-εργάζομαι: to be a busybody; overdo
πιστεύω: to trust, believe (dat), 3
πλείων, πλέων (-ονος) ὁ, ἡ: more, 5
φίλος -η -ον: dear, friendly; friend, kin 5
χαλεπός, -ά, -όν: difficult, hard, harsh, 8

---

3 τοῦτο οὕτως γενέσθαι: that...; ind. disc.
aor. inf. γίγνομαι, 'turn out' i.e. to remove
the διαβολή
εἴ (ἐστίν)...ἄμεινον: if (it is)...; impersonal
τι: at all; or 'somewhat'; adv. acc. (acc. of
extent in degree: 'better by something')
καὶ...καὶ...: both for...and...; dat. of interest
4 πλέον τί με ποιῆσαι: (that) I succeed...;
'that I do something more,'an idiom with
neut. comparative πολύ and aor. inf.
οἶμαι: οἴομαι
αὐτὸ χαλεπὸν εἶναι: that it...; ind. disc.
5 με λανθάνει: it...; impers., οἷόν ἐστιν is the
logical subject
οἷόν ἐστιν: how it is; 'what sort it is'
6 ἴτω: let...; 3s pres. imperative ἔρχομαι
ὅπῃ τῷ θεῷ φίλον (ἐστίν): in what way (it
is)...; relative clause, add verb
τῷ δὲ νόμῳ πειστέον (ἐστίν): it must be
obeyed to the law; 'it is to be...' impersonal
verbal adj. + missing ἐστίν expressing
necessity with dat. ind. obj.; translate as

active: '(I) must obey the law'
ἀπολογητέον (ἐστίν)...: see above
8 ἀναλάβωμεν: let...; 1p hortatory subj.
τίς ἡ κατηγορία...: what...; ind. quesion
b1 ἐμὴ: i.e. against me; equiv. to obj. gen.
γέγονεν: pf. γίγνομαι
ᾗ δὴ: the very thing which; 'which indeed,'
intensive δή; διαβολή is the antecedent;
dat. ind. obj. of πιστεύως
καὶ: in fact, actually; adv.
ἐγράψατο τὴν γραφὴν: brought this
indictment against me; cognate acc.; the
verb governs two accusatives
εἶεν: well then!; an exclamation originally
3p pres. opt. of wish, εἰμί: 'let them be so!'
2 τί δὴ: just what...?; 'what precisely...?'
3 ὥσπερ οὖν κατηγόρων τὴν ἀντωμοσίαν
δεῖ ἀναγνῶναι (τὴν γραφὴν) αὐτῶν: and
so just as we must read the affidavit of the
accusers, (we must read) their (indictment)
5 τά τε ὑπὸ γῆς καὶ οὐράνια: matters...
τὸν ἥττο(ν)α λόγον...: see note 18b8

ποιῶν καὶ ἄλλους ταὐτὰ ταῦτα διδάσκων." τοιαύτη τίς ἐστιν· c

ταῦτα γὰρ ἑωρᾶτε καὶ αὐτοὶ ἐν τῇ Ἀριστοφάνους κωμῳδίᾳ,

Σωκράτη τινὰ ἐκεῖ περιφερόμενον, φάσκοντά τε ἀεροβατεῖν

καὶ ἄλλην πολλὴν φλυαρίαν φλυαροῦντα, ὧν ἐγὼ οὐδὲν οὔτε

μέγα οὔτε μικρὸν πέρι ἐπαΐω. καὶ οὐχ ὡς ἀτιμάζων λέγω 5

τὴν τοιαύτην ἐπιστήμην, εἴ τις περὶ τῶν τοιούτων σοφός

ἐστιν—μή πως ἐγὼ ὑπὸ Μελήτου τοσαύτας δίκας φεύγοιμι—

ἀλλὰ γὰρ ἐμοὶ τούτων, ὦ ἄνδρες Ἀθηναῖοι, οὐδὲν μέτεστιν.

μάρτυρας δὲ αὖ ὑμῶν τοὺς πολλοὺς παρέχομαι, καὶ ἀξιῶ d

ὑμᾶς ἀλλήλους διδάσκειν τε καὶ φράζειν, ὅσοι ἐμοῦ πώποτε

ἀερο-βατέω: to walk on air
ἀλλήλων: one another, 4
ἀξιόω: deem right, think worthy of (gen), 6
Ἀριστοφάνης, -εος, ὁ: Aristophanes
ἀ-τιμάζω: to dishonor, insult, slight, 2
δίκη, ἡ: charge, case, trial; penalty; justice, 5
ἐκεῖ: there, in that place, 7
ἐπαΐω: to have knowledge, be an expert in
ἐπιστήμη, ἡ: knowledge, understanding
κωμῳδία, ἡ: comedy
μάρτυς, μάρτυρος. ὁ, ἡ: a witness, 6

μέτ-εστιν: there is a share of (gen) for (dat)
μικρός, -ά, -όν: small, little, insignificant, 4
ὁράω: to see, look, behold, 9
παρ-έχω: to provide, furnish, supply, 8
περι-φέρω: to carry around, bring about
πως: somehow, in any way, 3
φάσκω: to claim, say, affirm, 3
φεύγω: to flee, avoid; defend in court, 4
φλυαρέω: to talk nonsense, play the fool
φλυαρία, ἡ: nonsense, silly talk
φράζω: to point out, tell, indicate, 2

c1 ποιῶν: pple governing a double acc. (obj. and pred.)
  ταὐτὰ ταῦτα: τὰ (α)ὐτὰ ταῦτα; crasis, αὐτός in the attributive position is 'same'
  διδάσκων: with double acc. (person, obj.)
  τοιαύτη τίς ἐστιν: it is something...; τις is indefinite; i.e. fem. sg. γραφή
2 ἑωρᾶτε: ἑωράετε, 2p. impf. ὁράω
  καὶ αὐτοὶ: (you) yourselves also; intensive
  Ἀριστοφάνους: Ἀριστοφάνε-ος, gen. sg.
  Σωκράτη τινὰ ἐκεῖ περιφερόμενον: (namely) a certain...; i.e. in a basket in the clouds (Aristophanes' Clouds 424 BC); in apposition to ταῦτα; Σωκράτε-α is acc.
4 ὧν...πέρι: about which...; περὶ ὧν relative; the position of the accent on the 1st syllable indicates anastrophe (inverted word order), περὶ is far removed because the preceding adverbial acc. is considered as a single unit
  οὔτε μέγα οὔτε μικρὸν: either much or little; adverbial acc. (inner acc., 'much/little knowledge')

5 οὐχ ὡς ἀτιμάζων...τὴν τοιαύτην ἐπιστήμην: not on the grounds of...; 'since,' ὡς + pple (here εἰμί) expresses alleged cause; the acc. is obj. of the pple
  λέγω: I say (this)
7 μή...φεύγοιμι: may I not have to defend myself from...; neg. opt. of wish, 1s pres. mid.; φεύγω means 'defend' in this context
  ὑπὸ...: by..., at the hands of...; expressing agency or cause
  δίκας: suits
8 ἀλλὰ γὰρ: but in fact; 'for on the contrary' γάρ explains the adversative: 'but (it is not the case) for...'
  οὐδὲν: not at all; adv. acc. (inner acc.: 'no share')
d1 μάρτυρας: as...; predicative acc.: 'τοὺς πολλοὺς (to be) μάρτυρας'
  δὲ αὖ: but...once again; adversative
2 ὑμᾶς ἀλλήλους διδάσκειν...φράζειν: that...; ind. disc., ὑμᾶς is acc. subject
  ἐμοῦ: gen. of source and obj. of main verb

οὔτε μέγα οὔτε μικρὸν⁵ 'neither much/a lot nor a little': These adjectives are not typical substantives (i.e. 'a big thing' or 'a little thing') but adverbial acc. (inner acc.: 'much knowledge,' or 'a little knowledge') found with both transitive and intransitive verbs.

ἀκηκόατε διαλεγομένου—πολλοὶ δὲ ὑμῶν οἱ τοιοῦτοί εἰσιν—
φράζετε οὖν ἀλλήλοις εἰ πώποτε ἢ μικρὸν ἢ μέγα ἤκουσέ
τις ὑμῶν ἐμοῦ περὶ τῶν τοιούτων διαλεγομένου, καὶ ἐκ   5
τούτου γνώσεσθε ὅτι τοιαῦτ' ἐστὶ καὶ τἆλλα περὶ ἐμοῦ ἃ οἱ
πολλοὶ λέγουσιν.

ἀλλὰ γὰρ οὔτε τούτων οὐδέν ἐστιν, οὐδέ γ' εἴ τινος
ἀκηκόατε ὡς ἐγὼ παιδεύειν ἐπιχειρῶ ἀνθρώπους καὶ χρήματα
πράττομαι, οὐδὲ τοῦτο ἀληθές. ἐπεὶ καὶ τοῦτό γέ μοι δοκεῖ   e
καλὸν εἶναι, εἴ τις οἷός τ' εἴη παιδεύειν ἀνθρώπους ὥσπερ
Γοργίας τε ὁ Λεοντῖνος καὶ Πρόδικος ὁ Κεῖος καὶ Ἱππίας ὁ

ἀλλήλων: one another, 4
γιγνώσκω: to learn, realize; know, 6
Γοργίας, ὁ: Gorgias (ca. 483-375)
δια-λέγομαι: to converse with, discuss, 8
ἐπεί: when, after; since, because, 5
ἐπι-χειρέω: to attempt, try, put a hand on, 5
Ἱππίας, ὁ: Hippias (~ late 5th c.)

Κεῖος, -α, -ον: of Ceos
Λεοντῖνος, -η, -ον: of Leontini (Sicily)
μικρός, -ά, -όν: small, little, insignificant, 4
παιδεύω: to educate, teach, 3
Πρόδικος, ὁ: Prodicus (ca. 465-395)
φράζω: to point out, tell, indicate, 2

3 ἀκηκόατε: 2p pf. ἀκούω
  διαλεγομένου: mid. pple modifying ἐμοῦ
4 φράζετε: 2p imperative
  οὖν: and so; resumptive
  ἀλλήλοις: dat. ind. obj.
  ἢ μικρὸν ἢ μέγα: either little or a lot;
  adverbial acc. (inner acc.)
5 ἐμοῦ...διαλεγομένου: from...; gen. of
  source and pple with ἤκουσέ
  ἐκ τούτου: i.e. from what others have heard
6 γνώσεσθε: 2p fut. γιγνώσκω
  ὅτι τοιαῦτ(α): that...; i.e. equally baseless;
  ind. disc., neut. pl. subject with 3s verb
  καὶ: also
  τὰ (ἄ)λλα: neut. substantive (add 'things')
  ἃ...λέγουσιν: which...; relative, neut. acc.
8 ἀλλὰ γὰρ: but in fact; 'for on the contrary'
  γάρ explains the adversative: 'but (it is not
  the case) for...'
  οὔτε...οὐδέν...οὐδέ γ(ε): neither...any...
  not even indeed...; οὐδέ adds emphasis to
  the alternative, and γε adds still more

emphasis (S2949); ἐστίν here means 'are
the case' or 'are true'
τινος: from...; gen. of source, indefinite τις
9 ἀκηκόατε: 2p pf. ἀκούω
  ὡς ἐγὼ...ἐπιχειρῶ: that...; ind. disc.
e1 χρήματα: money; obj. of pres. mid.
  πράττω—mid. because Socrates allegedly
  benefits himself from the teaching
  τοῦτο (ἐστίν) ἀληθές: supply verb
  ἐπεί: (I say this) since; Socrates explains
  why he just said that he is not paid
  καὶ τοῦτό γέ: this indeed; καὶ...γέ often
  emphasize the intervening word (i.e. 'and
  ...indeed'); here, καὶ is adverbial
2 εἴ τις οἷός τ' εἴη: (namely) if...should...; in
  apposition to τοῦτό in ind. disc.; 3s opt.
  εἰμί in a mixed condition; οἷός τε εἰμί 'be to
  sort to' is a common idiom for 'be able'
3 Γοργίας τε ὁ Λεοντῖνος: Gorgias of
  Leotini; i.e. sophists of the late 5th century
  Πρόδικος ὁ Κεῖος: Prodicus of Ceos
  Ἱππίας ὁ Ἡλεῖος: Hippias of Elis

Gorgias of Leontini, Sicily (483-375) was a prominent sophist and itinerant teacher of
rhetoric, depicted in great detail in Plato's lengthy dialogue *Gorgias*. **Prodicus of Ceos (465-495)** came to Athens as an ambassador from Ceos and taught philosophy and linguistics as
well as rhetoric. Plato often depicts him favorably and even claims that Prodicus instructed
Socrates. **Hippias of Elis** (late 5th c.), a polymath who taught 'arithmetic, astronomy,
geometry, mustic, and poetry' (Prt. 318e), is satirized by Plato in the *Protagoras*.

Ἠλεῖος. τούτων γὰρ ἕκαστος, ὦ ἄνδρες, οἷός τ᾽ ἐστὶν ἰὼν
εἰς ἑκάστην τῶν πόλεων τοὺς νέους—οἷς ἔξεστι τῶν ἑαυτῶν 5
πολιτῶν προῖκα συνεῖναι ᾧ ἂν βούλωνται—τούτους πείθουσι
τὰς ἐκείνων συνουσίας ἀπολιπόντας σφίσιν συνεῖναι χρή- 20
ματα διδόντας καὶ χάριν προσειδέναι. ἐπεὶ καὶ ἄλλος ἀνήρ
ἐστι Πάριος ἐνθάδε σοφὸς ὃν ἐγὼ ᾐσθόμην ἐπιδημοῦντα·
ἔτυχον γὰρ προσελθὼν ἀνδρὶ ὃς τετέλεκε χρήματα σοφισταῖς

αἰσθάνομαι: to perceive, feel, learn, realize, 3
ἀπο-λείπω: to leave, quit, abandon, fail
δίδωμι: to give, offer, grant, provide, 3
Ἐλεῖος, -α, -ον: of Elis (place)
ἐνθάδε: hither, here; thither, there, 5
ἔξ-εστι: it is allowed, is possible, 3
ἐπεί: when, after; since, because, 5
ἐπι-δημέω: to be in town, live at home
Πάριος, -α, -ον: of Paros, 2
πολίτης, ὁ: citizen, 3
προῖκα: freely

προσ-έρχομαι: to come or go to, approach, 2
πρόσ-οιδα: to know, acknowledge in addition; + χάριν, be grateful
σοφιστής, ὁ: sophist
σύν-ειμι: to be with, associate with (dat.), 6
συν-ουσία, ἡ: association, company
σφεῖς: they
τελέω: to pay; complete, accomplish
τυγχάνω: to chance upon, attain; happen, 9
χάρις, χάριτος, ἡ: gratitude, thanks, favor

4 οἷός τ᾽ ἐστὶν (πείθειν): add the inf. with τοὺς νέους as object; the construction changes abruptly mid-sentence; for οἷός τε εἰμί, see note for e2
ἰὼν: pres. pple ἔρχομαι
5 πόλεων: gen. pl. πόλις
οἷς: for whom...; relative, dat. of interest
τῶν...πολιτῶν: among...; partitive gen. best translated following the relative ᾧ below; ἑαυτῶν is gen. possession modifying τῶν πολιτῶν
ᾧ ἂν βούλωνται (συνεῖναι): with whomever...; (τουτῷ) ᾧ, 'with (this one) with whomever,' a general relative clause with ἄν + subj. and dat. of compound verb; the missing antecedent would be dat. of compound verb συνεῖναι
6 τούτους: i.e. τοὺς νέους; the sentence resumes with a new construction
πείθουσι... συνεῖναι...καὶ...προσειδέναι:

main verb; Gorgias and the other sophists are the subject
a1 ἀπολιπόντας: aor. pple with τούτους
σφίσιν: with themselves; i.e. the sophists dat. pl of compound verb; σφεῖς is an ind. reflexive: used to refer to the subject within ind. disc. (used only once in this speech)
χρήματα: money
2 προσειδέναι: inf. + χάριν is an idiom for 'be grateful'
ἐπεί: (I say this) since; Socrates explains why he just said what he said
καί: also; adv.
ἐστι: there is
3 ὃν: whom...; relative
ᾐσθόμην: 1s aor. mid.
4 ἔτυχον: happened to + complementary pple; 3p aor. τυγχάνω
ἀνδρὶ: to...; dat. of compound verb
ὃς τετέλεκε: relative clause with pf. τελέω

φημί, φήσω[1], ἔφησα: to claim, 39

ἠμί: to say, 3 (used on pp. 12-13)

	Present		Imperfect		Present		Imperfect	
1st	φημί [9]	φαμέν	ἔφην [1]	ἔφαμεν	ἠμί	--	ἦν [2]	--
2nd	φῇς [7]	φατέ	ἔφησθα [1]	ἔφατε	--	--	--	--
3rd	φῆσιν [9]	φασί(ν) [2]	ἔφη [2]	ἔφασαν	ἠσί	--	ἦ [1]	--

	Pres Subj.		Pres. Opt.		Pres. inf.	
1st	--	--	φαίην [2]	--	φάναι [2]	ἠμί is inserted in the middle of a clause
2nd	--	φητέ [2]	--	--		to indicate direct speech. Note that φημί
3rd	φῇ [1]	--	--	--		is used in the impf. but not in the aorist.

πλείω ἢ σύμπαντες οἱ ἄλλοι, Καλλίᾳ τῷ Ἱππονίκου· τοῦτον 5
οὖν ἀνηρόμην—ἐστὸν γὰρ αὐτῷ δύο ὑεῖ—"ὦ Καλλία," ἦν
δ᾽ ἐγώ, "εἰ μέν σου τὼ ὑεῖ πώλω ἢ μόσχω ἐγενέσθην,
εἴχομεν ἂν αὐτοῖν ἐπιστάτην λαβεῖν καὶ μισθώσασθαι ὃς
ἔμελλεν αὐτὼ καλώ τε κἀγαθὼ ποιήσειν τὴν προσήκουσαν   b
ἀρετήν, ἦν δ᾽ ἂν οὗτος ἢ τῶν ἱππικῶν τις ἢ τῶν γεωργικῶν·
νῦν δ᾽ ἐπειδὴ ἀνθρώπω ἐστόν, τίνα αὐτοῖν ἐν νῷ ἔχεις
ἐπιστάτην λαβεῖν; τίς τῆς τοιαύτης ἀρετῆς, τῆς ἀνθρωπίνης
τε καὶ πολιτικῆς, ἐπιστήμων ἐστίν; οἶμαι γάρ σε ἐσκέφθαι 5
διὰ τὴν τῶν ὑέων κτῆσιν. ἔστιν τις," ἔφην ἐγώ, "ἢ οὔ;"

ἀν-έρομαι: to ask, inquire
ἀνθρώπινος, -η, -ον: of a human, human, 4
γεωργικός, -ή, -όν: of farming; *noun* farmer
δύο: two, 3
ἐπει-δή: since, because, when, after, 7
ἐπιστάτης, ὁ: overseer (one standing over), 2
ἐπιστήμων, -οντος: knowing, skilled in +gen
ἠμί: to say, 3
ἱππικός, -ή, -όν: of a horse; *noun* horseman, 3
Ἱππόνικος, ὁ: Hipponicus
Καλλίας, ὁ: Callias, 2

κτῆσις, -εως, ἡ: possession, acquisition, 2
λαμβάνω: to take, receive, catch, grasp, 9
μισθόω, ὁ: to hire
μόσχος, ὁ: young bull, calf
νοῦς, ὁ: mind, sense, attention, 3
πλείων, πλέων (-ονος) ὁ, ἡ: more, 5
πολιτικός -ή -όν: of a citizen; political, 7
προσ-ήκω: be fitting, be proper
πῶλος, ὁ, ἡ: foal, young horse; colt, filly
σκέπτομαι: to examine, consider, look at, 3
συμ-πᾶς, -πᾶσα, -πᾶν: all together, whole

5 πλείω: πλείο(ν)α, modifies χρήματα
   Καλλίᾳ τῷ Ἱππονίκου: *Callias, son of
   Hipponicus*; a wealthy Athenian; dat. in
   apposition to ἀνδρὶ
6 ἀνηρόμην: 1s aor.
   ἐστὸν: *there are*; dual 3p. pres. εἰμί
   αὐτῷ: dat. of possession, translate as a
   simple dative or with the verb: 'X has'
   ὦ Καλλία: vocative, dir. address
   ἦν: 1s impf. ἠμί
7 εἰ...ἐγενέσθην, εἴχομεν ἄν: *if...had been...,
   would...*; a mixed contrary to fact condition
   (εἰ aor., impf.); dual 3p aor. γίγνομαι, 'be
   born,' the dual ending is -σθην; ἔχω + inf.
   often means 'is able'
   τὼ ὑεῖ: ὑέ-ε, dual nom. 3rd decl.
   πώλω ἢ μόσχω: dual nom. pred. 2nd decl.
8 αὐτοῖν: *over...*; dual dat. of compound adj.
   or substantive: 'the two' or 'them two'
   ὃς ἔμελλεν ποιήσειν: *who...*; μέλλω + fut.
   inf. expressing purpose; fut. ποιήσειν
   should be translated as a pres. inf. and
   governs a double acc.
b1 αὐτὼ: dual acc. obj.; see a8 for translation
   καλώ τε κα(ὶ) ἀγαθὼ: dual acc. predicate;

καλὸς κἀγαθός, 'the fine and the good,' is
a common expression used to describe the
aristocratic ideal
τὴν προσήκουσαν ἀρετήν: *in respect to...*;
acc. of respect; pres. pple which often
means 'fitting,' 'becoming,' 'appropriate'
2 ἦν δ᾽ ἂν οὗτος: *and this one would be...*;
second verb in the apodosis of the contrary
to fact starting in a7; 3s impf. εἰμί
ἢ τῶν ἱππικῶν τις ἢ τῶν γεωργικῶν
(τις): *either...or...*; both partitive gen.
3 νῦν δ(ὲ): *but, as it is*; a common adversative
following a contrary to fact condition
ἀνθρώπω ἐστόν: *(the two)...*; dual nom.
pred. and dual 3p εἰμί
τίνα: *which...?*; interrogative, acc. τίς
αὐτοῖν: *over...*; dual dat. of compound
ἐπιστάτην or dat. of interest (for...)
ἐν νῷ: dat. place where, νοῦς
4 τῆς ἀνθρωπίνης...πολιτικῆς: in the
attributive position modifying ἀρετῆς
5 σε ἐσκέφθαι: *that...*; ind. disc., pf. mid. inf.
   διὰ: *on account of...*
6 ἔφην: 1s impf. φημί

12

"πάνυ γε," ἦ δ' ὅς. "τίς," ἦν δ' ἐγώ, "καὶ ποδαπός, καὶ
πόσου διδάσκει;" "Εὔηνος," ἔφη, "ὦ Σώκρατες, Πάριος,
πέντε μνῶν." καὶ ἐγὼ τὸν Εὔηνον ἐμακάρισα εἰ ὡς ἀληθῶς
ἔχοι ταύτην τὴν τέχνην καὶ οὕτως ἐμμελῶς διδάσκει. ἐγὼ   c
γοῦν καὶ αὐτὸς ἐκαλλυνόμην τε καὶ ἡβρυνόμην ἂν εἰ ἠπιστάμην
ταῦτα· ἀλλ' οὐ γὰρ ἐπίσταμαι, ὦ ἄνδρες Ἀθηναῖοι.

ὑπολάβοι ἂν οὖν τις ὑμῶν ἴσως· "ἀλλ', ὦ Σώκρατες,
τὸ σὸν τί ἐστι πρᾶγμα; πόθεν αἱ διαβολαί σοι αὗται γεγό-   5
νασιν; οὐ γὰρ δήπου σοῦ γε οὐδὲν τῶν ἄλλων περιττότερον
πραγματευομένου ἔπειτα τοσαύτη φήμη τε καὶ λόγος γέγονεν,

ἀβρύνομαι: to live luxuriously, put on airs
ἀληθῶς: truly, 3
γοῦν (γε οὖν): at any rate; *reply*: yes, well, 3
δή-που: perhaps, I suppose, surely, 8
ἐμμελῶς: reasonably (priced), in tune
ἔπειτα: then, next, secondly, 7
ἐπίσταμαι: to know (how), understand. 7
Εὔηνος, ὁ: Evenus, 2
ἠμί: to say, 3
καλλύνω: to beautify; *mid.* pride oneself (in)
μακαρίζω: to deem blessed or happy
μνᾶ, μνᾶς, ἡ: mina (=100 drachmae), 3

7 **πάνυ γε**: *quite so*; very common reply
ἦ δ' ὅς: 3s impf. ἠμί; ὅς is a demonstrative: 'this/that one' or just 'he' as it is in epic
ἦν: 1s impf. ἠμί
τίς...καὶ ποδαπός (ἐστίν): add verb
8 **πόσου**: *for...*; interrogative, gen. of price
ἔφην: 1s impf. φημί
9 **πέντε μνῶν**: *for...*; gen. of price
εἰ...ἔχοι: *if he had...*; pres. opt.; the verb ἐμακάρισα implies ind. disc. (i.g. 'deemed that he was happy') and a subordinate verb in ind. disc. can become opt. in secondary seq. (ἔχοι) or remain indicative (διδάσκει); one expects both to be opt. or both to be indicative but there is no parallelism here
ὡς ἀληθῶς: *truly*; lit. 'thus truly'
καὶ αὐτὸς: adv. and 1s intensive
c2 **ἐκαλλυνόμην...ἡβρυνόμην ἂν εἰ**
ἠπιστάμην: *I would...would...if I knew...*; contrary to fact (εἰ impf mid., ἂν impf mid.)

Πάριος, -α, -ον: of Paros, 2
πέντε: five
περιττός -ή -όν: extraordinary, remarkable
πο-δαπός: from what country?, whence?
πό-θεν: from where, whence
πόσος, -α, -ον: how much, many or great, 4
πραγματεύομαι: to exert oneself at, *pf.* be labored at, worked out, 2
σός, -ή, -όν: your, yours, 3
τέχνη, ἡ: art, skill, craft, 2
ὑπο-λαμβάνω: to take up, reply; suppose, 5
φήμη, ἡ: rumor; divine utterance, 2

3 **ἀλλ(ὰ)...γὰρ**: *but in fact*; γάρ explains the adversative: 'but (it is not the case) for...'
4 **ὑπολάβοι ἂν**: *would...*; potential aor. opt.; i.e. 'reply' or 'take up' in a conversation
ἀλλὰ: *well*; often used at the beginning of speeches in opposition to what was said
5 **τί ἐστι (τὸ σὸν) πρᾶγμα**: *what...*; τὸ σὸν is placed at the beginning for emphasis
σοι: *against...*; ; dat. of compound noun or simple dat. of interest (for...)
αὗται: intensive
γεγόνασιν: 3p pf. γίγνομαι
6 **οὐ...δήπου**: *surely...not*; 'not... I suppose,' in incredulity or surprise, as in 17c4
σοῦ γε...πραγματευομένου: gen. abs.; γε is intensive emphasizing the entire abs.
οὐδὲν...περιττότερον: acc. obj. and comparative adj.; τῶν ἄλλων is masc. gen. of comparison (i.e. people, not things)
7 **γέγονεν**: pf. γίγνομαι

---

3 Idioms	1. ἔχω + adv.[14]	→	*to be* + adj.	οὕτως ἔχει	*it is so*
	2. ἔχω + inf.[5]	→	*to be able*	ἔχω εἰπεῖν	*I am able to say*
	3. ἔχω +obj./inf.[1]	→	*to know*	ἔχω τὶ λέγω	*I know what I am saying*

εἰ μή τι ἔπραττες ἀλλοῖον ἢ οἱ πολλοί. λέγε οὖν ἡμῖν τί
ἐστιν, ἵνα μὴ ἡμεῖς περὶ σοῦ αὐτοσχεδιάζωμεν". ταυτί μοι   d
δοκεῖ δίκαια λέγειν ὁ λέγων, κἀγὼ ὑμῖν πειράσομαι ἀπο-
δεῖξαι τί ποτ' ἐστὶν τοῦτο ὃ ἐμοὶ πεποίηκεν τό τε ὄνομα
καὶ τὴν διαβολήν. ἀκούετε δή. καὶ ἴσως μὲν δόξω τισὶν
ὑμῶν παίζειν· εὖ μέντοι ἴστε, πᾶσαν ὑμῖν τὴν ἀλήθειαν   5
ἐρῶ. ἐγὼ γάρ, ὦ ἄνδρες Ἀθηναῖοι, δι' οὐδὲν ἀλλ' ἢ διὰ
σοφίαν τινὰ τοῦτο τὸ ὄνομα ἔσχηκα. ποίαν δὴ σοφίαν
ταύτην; ἥπερ ἐστὶν ἴσως ἀνθρωπίνη σοφία· τῷ ὄντι γὰρ
κινδυνεύω ταύτην εἶναι σοφός. οὗτοι δὲ τάχ' ἄν, οὓς ἄρτι

ἀλήθεια, ἡ: truth, 8
ἀλλοῖος, -α, -ον: of another kind, different
ἀνθρώπινος, -η, -ον: of a human, human, 4
ἀπο-δείκνυμι: to point out, demonstrate
ἄρτι: just, exactly; just now, 2
αὐτο-σχεδιάζω: to act or speak off-hand

κινδυνεύω: run the risk of, be likely to (inf), 9
παίζω: to be playing, play, jest, 2
πειράω: to try, attempt, endeavor, 4
ποῖος, -α, -ον: of a some sort or kind
τάχα: perhaps; quickly, 5

8 εἰ μή τι ἔπραττες: *unless you were...*;
protasis of a pres. contrary to fact (εἰ impf.)
ἢ: clause of comparison as often follow
forms of ἀλλός
λέγε: *keep..., continue...*; pres. imperative
of continuous action
τί ἐστιν: ind. question

d1 ἵνα μή...αὐτοσχεδιάζωμεν: *so that we
may...*; neg. purpose with 1p pres. subj.
ταυτί: *these here things*; ταῦτα-ι, the
deictic iota adds emphasis to the pronoun

2 ὁ λέγων: *the one...*; pple
κἀγὼ: κα(ὶ) ἐγώ, crasis
ἀποδεῖξαι: complementary aor. inf.
πειράσομαι: fut. mid.

3 τί ποτ(έ): *what in the world...?*; a common
idiom expressing impatience, incredulity, or
surprise
ἐμοὶ: *for...*; dat. interest
πεποίηκεν: 3s pf. ποιέω
τὸ ὄνομα: *(this) reputation*; 'name'

4 δή: *just*; typical emphatic with imperatives
or possibly resumptive: 'now'
τισὶν: dat. pl. of reference (point of view);
indefinite τις, 'some'

5 ἴστε: pl. imperative οἶδα

6 ἐρῶ: ἐρέω, fut. λέγω
δι(ὰ) οὐδὲν ἀλλ(ὸ): *on account of...*
ἢ: clause of comparison as often follow
forms of ἀλλός
τοῦτο τὸ ὄνομα: as in l. 3 above

7 ἔσχηκα: 1s pf. ἔχω, 'acquire'
δή: *just, precisely*; as often with pronouns
ποίαν δὴ σοφίαν ταύτην;: nom. attracted
into the acc. of the preceding σοφίαν; in
translation add a linking verb ἐστίν

8 ἥπερ: *the very thing which....*; in reply
τῷ ὄντι: *in reality*; dat. of manner

9 ταύτην: *in...*; acc. of respect
οὗτοι: teachers such as Evenus mentioned
in 20b7-c3
οὓς...: relative, acc. pl.

Irregular forms: Note in particular the aspirated accent on εἷς, the dual gen. δυοῖν, the masc.
acc. sg. Σωκράτη, and neut. pl. ἀληθῆ.

	3-1-3 adj.			dual forms	3rd decl. εσ-stem	3rd decl. εσ-stem neuter adj.	
Nom.	εἷς[4]	μία[1]	ἕν	δύο[2]	Σωκράτης[6]	ἀληθές[2]	ἀληθῆ[5] (ε-α)
Gen.	ἑνός	μιᾶς	ἑνός	δυοῖν[1]	Σωκράτους[1] (ε-ος)	ἀληθοῦς (ε-ος)	ἀληθῶν
Dat.	ἑνί[1]	μιᾷ	ἑνί	δυοῖν	Σωκράτει (ε-ι)	ἀληθεῖ (ε-ι)	ἀληθέσι(ν)
Acc.	ἕνα[1]	μίαν[1]	ἕν[3]	δύο	Σωκράτη[5] (ε-α)	ἀληθές[7]	ἀληθῆ[10] (ε-α)
Voc.					Σώκρατες[6]		

ἔλεγον, μείζω τινὰ ἢ κατ' ἄνθρωπον σοφίαν σοφοὶ εἶεν, ἢ   e
οὐκ ἔχω τί λέγω· οὐ γὰρ δὴ ἔγωγε αὐτὴν ἐπίσταμαι, ἀλλ'
ὅστις φησὶ ψεύδεταί τε καὶ ἐπὶ διαβολῇ τῇ ἐμῇ λέγει. καί
μοι, ὦ ἄνδρες Ἀθηναῖοι, μὴ θορυβήσητε, μηδ' ἐὰν δόξω τι
ὑμῖν μέγα λέγειν· οὐ γὰρ ἐμὸν ἐρῶ τὸν λόγον ὃν ἂν λέγω,   5
ἀλλ' εἰς ἀξιόχρεων ὑμῖν τὸν λέγοντα ἀνοίσω. τῆς γὰρ
ἐμῆς, εἰ δή τίς ἐστιν σοφία καὶ οἵα, μάρτυρα ὑμῖν παρέξομαι
τὸν θεὸν τὸν ἐν Δελφοῖς. Χαιρεφῶντα γὰρ ἴστε που. οὗτος
ἐμός τε ἑταῖρος ἦν ἐκ νέου καὶ ὑμῶν τῷ πλήθει ἑταῖρός τε   21
καὶ συνέφυγε τὴν φυγὴν ταύτην καὶ μεθ' ὑμῶν κατῆλθε.

ἀνα-φέρω: to refer, attribute, report
ἀξιό-χρεως, -εων: trustworthy, credible, 2
Δελφοῖ, οἱ: Delphi, 2
ἐπίσταμαι: to know (how), understand. 7
ἑταῖρος, ὁ: comrade, companion, mate, 3
θορυβέω: to make an uproar, disturbance, 7
κατ-έρχομαι: come back or down, return
μάρτυς, μάρτυρος. ὁ, ἡ: a witness, 6
μείζων, μεῖζον: larger, greater, 4

μη-δέ: not even, nor; but not, 8
παρ-έχω: to provide, furnish, supply, 8
πλῆθος, -εος, τό: multitude; majority, 3
που: anywhere, somewhere; I suppose, 7
συν-φεύγω: to flee together or along with
φυγή, ἡ: flight, escape, exile, 2
Χαιρεφῶν, Χαιρεφῶτος, ὁ: Chaerephon, 2
ψεύδομαι: to deceive with lies; *mid.* lie, 6

e1 ἔλεγον: 1s
μείζο(ν)α τινὰ (σοφίαν): *in some…*;
acc. of respect with acc. sg. comparative
ἤ (1): *than…*
κατ' ἄνθρωπον: *in a human*; 'in
accordance with a human'
(ἄν)…εἶεν: *would…*; 3p potential opt. εἰμί
the ἄν occurs at the beginning of the clause
ἤ (2): *or*
2 ἔχω: *know*; 'grasp'
τί λέγω: ind. deliberative question with 1s
pres. subj.; deliberatives are often translated
'I am to X' or 'I should X'
δή: *certainly*; emphatic with οὐ
ἔγω-γε: *I for my part, I at least*
3 φησὶ: *claims (that I do)*; 3s pres. φημί
ἐπὶ διαβολῇ τῇ ἐμῇ: *for…*; purpose
4 μοι: *for…*; dat. of interest or ethical dat.
to elicit the audience's interest: 'please'
μὴ θορυβήσητε: *Don't…*; prohibitive subj.
(μή + aor. subj.)
μηδ(έ): *not even*; adv.
ἐὰν δόξω: *if…* ; 1s aor. subj.; a fut. more
vivid condition (ἐάν subj., fut.) where the
fut. apodosis has been replaced with an
verb that is fut. in sense (prohibitive subj.)
τι μέγα: *something boastful*

5 ἐρῶ: ἐρέω, fut. λέγω
ἐμὸν (εἶναι) τὸν λόγον ὃν ἂν λέγω: *that
the account…*; ind. disc., ἐμὸν is a pred.
ὃν ἂν λέγω: *whatever…*; general relative
clause with ἄν + 1s pres. subj.
6 εἰς ἀξιόχρεων ὑμῖν τὸν λέγοντα ἀνοίσω
(τὸν λόγον): *I will refer (the account) to
a speaker (being) trustworthy to you*;
ἀξιόχρεων is predicative acc.
τῆς ἐμῆς (σοφίας): *of…*; object gen. with
μάρτυρα
7 εἰ δή τίς ἐστιν σοφία καὶ οἵα: *whether
indeed there is any wisdom and what sort (it
is)*; ind. question governed by μάρτυρα
μάρτυρα: *as…*; predicative
8 τὸν ἐν Δελφοῖς: prepositional phrase in the
attributive position modifying τὸν θεὸν; i.e.
Apollo; (note: the city is pl. in form)
ἴστε: 2s pf. οἶδα (pres. in sense)
a1 ἦν: 3s impf. εἰμί
ἐκ νέου: *from childhood*
ὑμῶν τῷ πλήθει ἑταῖρός: *supporter of the
democratic faction*; 'a companion to the
majority of you'
2 τὴν φυγὴν: i.e. in exile when Sparta set up
the rule of the 30 Tyrants in 404 BC
μετ(ὰ)
κατῆλθε: aor., i.e. from exile (403 BC)

καὶ ἴστε δὴ οἷος ἦν Χαιρεφῶν, ὡς σφοδρὸς ἐφ᾽ ὅ τι ὁρμήσειεν.

καὶ δή ποτε καὶ εἰς Δελφοὺς ἐλθὼν ἐτόλμησε τοῦτο μαντεύ-

σασθαι—καί, ὅπερ λέγω, μὴ θορυβεῖτε, ὦ ἄνδρες—ἤρετο γὰρ 5

δὴ εἴ τις ἐμοῦ εἴη σοφώτερος. ἀνεῖλεν οὖν ἡ Πυθία μηδένα

σοφώτερον εἶναι. καὶ τούτων πέρι ὁ ἀδελφὸς ὑμῖν αὐτοῦ

οὑτοσὶ μαρτυρήσει, ἐπειδὴ ἐκεῖνος τετελεύτηκεν.

σκέψασθε δὴ ὧν ἕνεκα ταῦτα λέγω· μέλλω γὰρ ὑμᾶς διδά- b

ξειν ὅθεν μοι ἡ διαβολὴ γέγονεν. ταῦτα γὰρ ἐγὼ ἀκούσας

ἐνεθυμούμην οὑτωσί· "τί ποτε λέγει ὁ θεός, καὶ τί ποτε

αἰνίττεται; ἐγὼ γὰρ δὴ οὔτε μέγα οὔτε σμικρὸν σύνοιδα

ἀδελφός, ὁ: brother, 8
ἀν-αιρέω: to take up, raise; destroy, 2
αἰνίττομαι: to pose a riddle/puzzle, hint at, 2
Δελφοί, οἱ: Delphi, 2
ἕνεκα: for the sake of, for (+gen.), 5
ἐν-θυμέομαι: to take to heart, ponder, 2
ἐπει-δή: since, because, when, after, 7
ἔρομαι: to ask, inquire, question, 2
θορυβέω: to make an uproar, disturbance, 7
μαντεύομαι: to prophesy, consult an oracle, 2
μαρτυρέω: to bear witness, give evidence

ὅ-θεν: from where, from which
ὁρμάω: to set in motion; set out, begin
οὑτωσί: in this here way, thus, so, 4
Πυθία, ἡ: Pythia (priestess of Apollo)
σκέπτομαι: to examine, consider, look at, 3
σμικρός, -ά, -όν: small, little, 5
σύν-οιδα: be conscious of, know with, 3
σφοδρός, -όν: impetuous, vehement, 2
τελευτάω: to end, complete, finish; die, 5
τολμάω: to dare, venture, endure, 3
Χαιρεφῶν, Χαιρεφῶντος, ὁ: Chaerephon, 2

a3 καὶ...δή: *and of course*; δή expresses what is natural and obvious (S2841)
ἴστε: 2s pf. οἶδα (pres. in sense)
ἦν: 3s impf. εἰμί
ὡς σφοδρός (ἦν): *how...*; ind. question (or perhaps ind. exclamatory sentence); ind. interrogative adv. ὡς, 'how,' modifies σφοδρός; add a linking verb
ἐφ᾽ ὅ τι ὁρμήσειεν: *for whatever...*; general relative with 3s aor. opt. in secondary seq.; neut acc. ὅστις; ἐπί acc
4 καὶ δή...καί: *in particular*; 'and indeed also'
ἐλθών: aor. pple ἔρχομαι
5 ὅπερ λέγω: *just as...*; 'in respect to the very thing which...' relative, acc. respect
μὴ θορυβεῖτε: neg. imperative
ἤρετο: aor. mid.; Chaerephon is subject
6 δή: *then, now*; resumptive
εἴ...εἴη σοφώτερος: *whether...was*; ind. question, opt. replacing pres. ind. in secondary seq.; here with gen. comparison
ἀνεῖλεν: aor. ἀν-αιρέω (ἑλ); i.e. in reply
μηδένα σοφώτερον εἶναι: *that...*; ind. disc. μή is used instead of οὐ in ind. disc. making an emphatic declaration

7 τούτων πέρι: περὶ τούτων, the position of the accent on the 1st syllable indicates anastrophe (inverted word order),
ὑμῖν: *for...*; dat. interest
αὐτοῦ: i.e. Chaerephon's
8 οὑτοσ-ί: *this here*; i.e. Chaerecrates; the deictic iota suggests that Socrates is pointing to this brother in the audience
ἐκεῖνος τετελεύτηκεν: i.e. Chaerephon; pf. act.
b1 σκέψασθε: aor. imper.
δή: *just*; typical emphatic with imperatives
2 μοι: *for...*; dat. of interest
γέγονεν: pf. γίγνομαι
οὑτωσ-ί: *in just this way*
τί ποτε: *what in the world...?*; a common idiom expressing impatience, incredulity, or surprise; λέγει, 'means'
3 δή: *indeed, of course*; emphatic with ἐγὼ
οὔτε μέγα οὔτε σμικρόν: *neither much nor a little*; adverbial acc.
σύνοιδα ἐμαυτῷ: *I am conscious that (I)*; 'know with myself' dat. of compound verb; οἶδα governs a complementary pple εἰμί (equiv. to ind. disc.)

ἐμαυτῷ σοφὸς ὤν· τί οὖν ποτε λέγει φάσκων ἐμὲ σοφώ- 5
τατον εἶναι; οὐ γὰρ δήπου ψεύδεταί γε· οὐ γὰρ θέμις
αὐτῷ." καὶ πολὺν μὲν χρόνον ἠπόρουν τί ποτε λέγει·
ἔπειτα μόγις πάνυ ἐπὶ ζήτησιν αὐτοῦ τοιαύτην τινὰ ἐτραπό-
μην. ἦλθον ἐπί τινα τῶν δοκούντων σοφῶν εἶναι, ὡς
ἐνταῦθα εἴπερ που ἐλέγξων τὸ μαντεῖον καὶ ἀποφανῶν τῷ c
χρησμῷ ὅτι "οὑτοσὶ ἐμοῦ σοφώτερός ἐστι, σὺ δ' ἐμὲ ἔφησθα."
διασκοπῶν οὖν τοῦτον—ὀνόματι γὰρ οὐδὲν δέομαι λέγειν,
ἦν δέ τις τῶν πολιτικῶν πρὸς ὃν ἐγὼ σκοπῶν τοιοῦτόν τι

ἀ-πορέω: to be at a loss; be perplexed, 3
ἀπο-φαίνω: to show, declare, present, 3
δή-που: perhaps, I suppose, surely, 8
δια-σκοπέω: to examine or consider well
ἐλέγχω: cross-examine, question; refute, 6
ἔπειτα: then, next, secondly, 7
ζήτησις, -εως, ἡ: inquiry, investigation, 2
θέμις, ἡ: right, righteous, custom
μαντεῖον, τό: oracle, 2

μόγις: with difficulty, scarcely, hardly, 2
πολιτικός -ή -όν: of a citizen; political, 7
που: anywhere, somewhere; I suppose, 7
σκοπέω: to examine, consider, look at, 4
τρέπω: to turn, 2
φάσκω: to claim, say, affirm, 3
χρησμός, -οῦ, ὁ: oracle, oracular reply, 5
ψεύδομαι: to deceive with lies; *mid.* lie, 6

5 τί...ποτε: *what in the world...?*; idiom,
  expressing impatience, incredulity, or
  surprise; once more, translate λέγει as
  'means'
  ἐμὲ σοφώτατον εἶναι: *that...*; ind. disc.
6 οὐ...δήπου: *surely...not*; 'not... I suppose,'
  in incredulity or surprise, as in 17c4, 20c6
  θέμις (ἐστίν): *(it is)...*; impersonal
7 αὐτῷ: *for...*; dat. interest, i.e. Apollo
  πολὺν...χρόνον: *for...*; acc. duration
  ἠπόρουν: 1s impf.
  τί ποτε λέγει: see l. 5 above; ind. question
8 πάνυ: modifying μόγις
  ἐπὶ: *to...*
  αὐτοῦ: i.e. Apollo, objective gen.
  ἐτραπόμην: aor. mid. τρέπω
9 ἦλθον: 1s aor. ἔρχομαι
  τῶν δοκούντων: *of (those)...*; pple
  ὡς...ἐλέγξων...ἀποφανῶν: *in order*

  to...; 'so as intending to...' ὡς + fut. pple
  (both nom. sg.) expressing purpose
c1 ἐνταῦθα εἴπερ που: *there, if anywhere*
2 οὑτοσὶ: *this here one*; i.e. the person he is
  examining
  ἐμοῦ: gen. of comparison
  δ(ὲ): *but*; adversative
  ἔφησθα: 2s impf. φημί
3 τοῦτον: *this one*; i.e. the τινα τῶν
  δοκούντων σοφῶν εἶναι above
  ὀνόματι: *by...*; abl. respect
  οὐδὲν: *not at all*; adv. acc. (inner acc. 'have
  no need or want')
  λέγειν: *to call (him)*
4 ἦν δέ: *but he was...*; impf.
  πρὸς ὃν: *to...*; relative clause
  τοιοῦτόν τι: *a certain sort of thing*; i.e. as
  follows

Translate an optative either (1) with a modal verb (would, should, may, might) or (2) in the past tense (secondary sequence, past general). Present and aorist differ in aspect, not in tense.

Potential opt. (ἄν opt.)[56]	ἄν ποιοῖς	*you **would/might/could** do*
Future less vivid (εἰ opt., ἄν opt.)[12]	εἰ ποιοῖς, εὖ ἄν ποιοῖς.	*If you **should** do, you **would** do well.*
Optative of wish[6]	τοῦτο ποιοῖς	***May** you do/**Would that** you do*
Purpose in secondary seq.[4]	ἵνα εὖ ποιοῖς	*so that you **might** do well*
but secondary seq.[10] & past general[5]	ἔφη ὅτι εὖ ποιοῖς	*she said that **he was doing** well*
clauses (condition, relative, etc.)	εἰ ποιοῖς, εὖ ἐποιεῖς	*If ever you **did** this, you did well.*

ἔπαθον, ὦ ἄνδρες Ἀθηναῖοι, καὶ διαλεγόμενος αὐτῷ—ἔδοξέ 5
μοι οὗτος ὁ ἀνὴρ δοκεῖν μὲν εἶναι σοφὸς ἄλλοις τε πολλοῖς
ἀνθρώποις καὶ μάλιστα ἑαυτῷ, εἶναι δ᾽ οὔ· κἄπειτα ἐπειρώ-
μην αὐτῷ δεικνύναι ὅτι οἴοιτο μὲν εἶναι σοφός, εἴη δ᾽ οὔ.

ἐντεῦθεν οὖν τούτῳ τε ἀπηχθόμην καὶ πολλοῖς τῶν παρόντων· d
πρὸς ἐμαυτὸν δ᾽ οὖν ἀπιὼν ἐλογιζόμην ὅτι τούτου μὲν τοῦ
ἀνθρώπου ἐγὼ σοφώτερός εἰμι· κινδυνεύει μὲν γὰρ ἡμῶν
οὐδέτερος οὐδὲν καλὸν κἀγαθὸν εἰδέναι, ἀλλ᾽ οὗτος μὲν
οἴεταί τι εἰδέναι οὐκ εἰδώς, ἐγὼ δέ, ὥσπερ οὖν οὐκ οἶδα, 5
οὐδὲ οἴομαι· ἔοικα γοῦν τούτου γε σμικρῷ τινι αὐτῷ τούτῳ

ἀπ-έρχομαι: to go away, depart, 5
ἀπ-έχθομαι: to become hateful to (dat), 2
γοῦν (γε οὖν): at any rate; *reply*: yes, well, 3
δείκνυμι: to point out, show
δια-λέγομαι: to converse with, discuss, 8
ἐντεῦθεν: from here, hence; as a result, 4
ἔοικα: to seem, seem likely, be like (dat.), 5

ἔπειτα: then, next, secondly, 7
κινδυνεύω: run the risk of, be likely to (inf), 9
λογίζομαι: to calculate, count, consider, 2
οὐδέτερος, -α, -ον: neither, not either, 2
πάρ-ειμι: to be near, be present, be at hand, 4
πειράω: to try, attempt, endeavor, 4
σμικρός, -ά, -όν: small, little, 5

5 ἔπαθον: 1s aor. πάσχω
   αὐτῷ: *with...*; dat. of association
6 δοκεῖν μὲν...εἶναι δ᾽: *to seem on the one hand...but to be on the other hand...*; μέν... δέ mark a strong contrast
   ἄλλοις τε πολλοῖς ἀνθρώποις...ἑαυτῷ: *to...*; dat. of reference (i.e. in the eyes of...)
7 εἶναι δ᾽ οὔ: ellipsis; understand ἔδοξέ σοφός
   κα(ὶ) ἔπειτα: crasis
   ἐπειρώμην: *would..., used to...*; customary impf. mid. α-contract verb + pres. inf.
8 ὅτι οἴοιτο μὲν...εἴη δ᾽: *that...*; ind. disc. with opt. in secondary seq., οἴομαι, εἰμί (translate as impf.); μέν...δέ mark the same strong contrast as in line 6 above
d1 ἐντεῦθεν: i.e. as a result
   τῶν παρόντων·: *of (those)...*; partitive gen. pple.
2 πρὸς ἐμαυτὸν: with ἐλογιζόμην
   δ(ὲ) οὖν: *but at any rate*; or 'but anyhow,' (S2959); οὖν is confirmatory in contrast to

what was expressed in the previous line
2 ἀπιὼν: *(while)...*; pres. pple ἀπέρχομαι
   τούτου μὲν τοῦ ἀνθρώπου: *than...*; gen. of comparison
4 οὐδὲν: *anything*; positive after οὐδέτερος
   καλὸν κα(ὶ) ἀγαθὸν: *fine and good*; a common expression used to describe the aristocratic ideal
   εἰδέναι: inf. οἶδα
5 οὐκ εἰδώς: *(although)...*; nom. sg. pple; οἶδα is concessive in sense
   ὥσπερ οὖν: *just as certainly...*; οὖν is confirmatory after the relative adv. (S2956)
6 οὐδὲ οἴομαι (εἰδέναι): *not even...*; adv., ellipsis (supply inf.)
   τούτου: gen. of comparison, i.e. the interlocutor whom Socrates just left
   γε: *at least*; restrictive (i.e. not wiser than all but wiser than this guy at least)
   σμικρῷ τινι αὐτῷ τούτῳ: *in this small thing itself*; dat. of respect; intensive

---

Articular infinitives[25] are substantives found only in the 2ⁿᵈ decl. neut. sg. and are translated as gerunds (verbal nouns) in English. The infinitive can be any tense, governs the negative μή, and can govern an acc. subject. If so, the subject of the gerund in English is possessive.

Nom.	τὸ λέγειν τὰ ἀληθῆ	*speaking the truth*	
Gen.	τοῦ λέγειν τὰ ἀληθῆ	*of speaking the truth*	τὸ ἐμὲ λέγειν τὰ ἀληθῆ
Dat.	τῷ λέγειν τὰ ἀληθῆ	*by speaking the truth*	*my speaking the truth*
Acc.	τὸ λέγειν τὰ ἀληθῆ	*speaking the truth*	

σοφώτερος εἶναι, ὅτι ἃ μὴ οἶδα οὐδὲ οἴομαι εἰδέναι. ἐντεῦθεν
ἐπ᾽ ἄλλον ᾖα τῶν ἐκείνου δοκούντων σοφωτέρων εἶναι καί
μοι ταὐτὰ ταῦτα ἔδοξε, καὶ ἐνταῦθα κἀκείνῳ καὶ ἄλλοις   e
πολλοῖς ἀπηχθόμην.

μετὰ ταῦτ᾽ οὖν ἤδη ἐφεξῆς ᾖα, αἰσθανόμενος μὲν [καὶ]
λυπούμενος καὶ δεδιὼς ὅτι ἀπηχθανόμην, ὅμως δὲ ἀναγκαῖον
ἐδόκει εἶναι τὸ τοῦ θεοῦ περὶ πλείστου ποιεῖσθαι—ἰτέον   5
οὖν, σκοποῦντι τὸν χρησμὸν τί λέγει, ἐπὶ ἅπαντας τούς τι
δοκοῦντας εἰδέναι. καὶ νὴ τὸν κύνα, ὦ ἄνδρες Ἀθηναῖοι—   22
δεῖ γὰρ πρὸς ὑμᾶς τἀληθῆ λέγειν—ἦ μὴν ἐγὼ ἔπαθόν τι

αἰσθάνομαι: to perceive, feel, learn, realize, 3
ἀναγκαῖος, -α, -ον: necessary, inevitable, 2
ἅπας, ἅπασα, ἅπαν: every, all, quite all, 8
ἀπ-εχθάνομαι: to become hateful to (dat), 2
ἀπ-έχθομαι: to become hateful to (dat), 2
δείδω: to fear; δέδια (pf. with pres. sense), 7
ἐντεῦθεν: from here, hence; as a result, 4
ἐφεξῆς: in succession, in a row, in order
ᾖ: in truth, truly (begins open question), 3

ἰτέος, -ον: to be advanced, to be gone
κύων, κυνός, ὁ: a dog
λυπέω: cause pain or grief; *mid.* grieve, 3
μήν: truly, indeed, surely
νή: (*yes*) *by* + acc. (in an oath), 4
ὅμως: nevertheless, however, yet, 5
πλεῖστος, -η, -ον: most/very many/greatest, 7
σκοπέω: to examine, consider, look at, 4
χρησμός, -οῦ, ὁ: oracle, oracular reply, 5

7 ὅτι: *(namely) that*...; in apposition to dat.
ἃ μὴ οἶδα: *what*...; '(the things) which...'
(ταῦτα) ἃ; the missing antecedent is obj.
of εἰδέναι; μή is used instead of οὐ when
the antecedent is indefinite (S2507)
οὐδέ: *not even*; adv., not a conjunction
εἰδέναι: inf. οἶδα
ἐντεῦθεν: i.e. as a result
8 ἐπ(ὶ): *to*...
ᾖα: 1s impf. ἔρχομαι
τῶν...δοκούντων σοφωτέρων εἶναι: *of
(those)*...; partitive, pple
ἐκείνου: gen. of comparison; i.e. the
interlocutor from whom he just left
e1 τ(ὰ) αὐτὰ ταῦτα: crasis; αὐτός in the
attributive position means 'same;' for a
neut. pl. substantive, supply 'things'
κα(ὶ) ἐκείνῳ καὶ: *both...and...*; crasis
2 μετὰ ταῦτ(α): *after*...
ᾖα: *would..., kept...*; 1s customary impf.
ἔρχομαι
[καὶ]: omit from translation; take the three
participles in a series
4 δεδιώς: pf. act. pple δείδω ; pf. denotes a

state rather than an activity: thus, 'being
X' rather than 'having Xed'
τὸ τοῦ θεοῦ: *that of*...; i.e. the oracle
περὶ πλείστου ποιεῖσθαι: *to consider of the
greatest (importance)*; idiom
ἰτέον (ἐστίν ἐμοί): *it must be*...; '(it is) to
be...' impers. verbal adj. + εἰμί expresses
necessity with a dat. of agent (add ἐμοί);
often we translate this construction in the
active: "(I) must..."
5 σκοποῦντι: *(by me)*...; dat. sg. pple agrees
with missing dat. of agent ἐμοί
6 τὸν χρησμὸν: proleptic (anticipatory) acc.
which is best translated as subject of the
ind. question τί λέγει
ἐπὶ: *to*...
τούς τι δοκοῦντας: *(those)*...; pple
a1 νὴ τὸν κύνα: as if invoking and swearing
an oath to a god; likely a euphemism similar
to 'by Jove' to avoid invoking an actual god
τἀληθῆ: τὰ ἀληθῆ (ἀληθέ-α); i.e. the truth
2 ἦ μὴν: *truly indeed*; a common formula
of affirmation in an oath
ἔπαθον: 1s aor. πάσχω

A **Cognate Accusative** occurs when the object has the same origin as the verb. Often the
translation is modified to avoid duplication in English: e.g. ἐγράψατο τὴν γραφήν, 'made an
indictment,' (19b1-2) and τι πάθος πεπονθότες 'suffering such an experience' (19c4, p. 21).

τοιοῦτον· οἱ μὲν μάλιστα εὐδοκιμοῦντες ἔδοξάν μοι ὀλίγου
δεῖν τοῦ πλείστου ἐνδεεῖς εἶναι ζητοῦντι κατὰ τὸν θεόν,
ἄλλοι δὲ δοκοῦντες φαυλότεροι ἐπιεικέστεροι εἶναι ἄνδρες   5
πρὸς τὸ φρονίμως ἔχειν. δεῖ δὴ ὑμῖν τὴν ἐμὴν πλάνην
ἐπιδεῖξαι ὥσπερ πόνους τινὰς πονοῦντος ἵνα μοι καὶ ἀν-
έλεγκτος ἡ μαντεία γένοιτο. μετὰ γὰρ τοὺς πολιτικοὺς ᾖα
ἐπὶ τοὺς ποιητὰς τούς τε τῶν τραγῳδιῶν καὶ τοὺς τῶν
διθυράμβων καὶ τοὺς ἄλλους, ὡς ἐνταῦθα ἐπ᾽ αὐτοφώρῳ   b
καταληψόμενος ἐμαυτὸν ἀμαθέστερον ἐκείνων ὄντα. ἀνα-
λαμβάνων οὖν αὐτῶν τὰ ποιήματα ἅ μοι ἐδόκει μάλιστα
πεπραγματεῦσθαι αὐτοῖς, διηρώτων ἂν αὐτοὺς τί λέγοιεν,

ἀ-μαθής, -ές: ignorant, foolish, unlearned, 2
ἀνα-λαμβάνω: to take up or back, restore, 2
ἀν-έλεγκτος, -ον: irrefutable
αὐτό-φωρος, -ον: red-handed, self-detected
δι-ερωτάω: cross-question, cross-examine, 2
διθύραμβος, ὁ: dithyramb
ἐν-δεής, -ές: in need of, lacking, deficient
ἐπι-δείκνυμι: show, demonstrate, point out 4
ἐπι-εικής, -ές: honorable, reasonable, fair, 3
εὐ-δοκιμέω: to be of good repute, honored, 1
ζητέω: to seek, look for, investigate, 6
κατα-λαμβάνω: to seize, lay hold of, find
μαντεία, ἡ: oracle, response of an oracle, 2

πλάνη, ἡ: wandering, 1
πλεῖστος, -η, -ον: most/very many/greatest, 7
ποίημα, -ατος, τό: poem, creation; deed, act
ποιητής, -οῦ ὁ: poet, creator, 5
πολιτικός -ή -όν: of a citizen; political, 7
πονέω: to work, toil
πόνος, ὁ: work, toil
πραγματεύομαι: to exert oneself, pf. be
labored at, worked out, 2
τραγῳδία, ἡ: tragedy
φαῦλος, -η, -ον: worthless, of low rank, 4
φρονίμως: sensibly, prudently

3 οἱ μὲν μάλιστα εὐδοκιμοῦντες: *those...*
ἔδοξάν: aor. δοκέω
ὀλίγου δεῖν: *almost*; 'to lack from a little'
inf. abs. (S2012d) (cf. ὡς ἔπος εἰπεῖν, 'so
to speak'); often δεῖν is omitted to produce
the common adv. ὀλίγου, 'almost' (17a3)
4 τοῦ πλείστου: *very much*; 'from the most,'
gen. of separation with ἐνδεεῖς
ζητοῦντι: dat. pple modifying μοι
κατὰ τὸν θεόν: *in accordance with...*
5 ἄλλοι δὲ δοκοῦντες (εἶναι) φαυλότεροι...:
but other men...; ellipsis, the comparative
adj. is the pred. of δοκοῦντες (εἶναι)
(ἔδοξάν) ἐπιεικέστεροι εἶναι: ellipsis, this
comparative adj. follows (ἔδοξάν) εἶναι
6 πρὸς τὸ φρονίμως ἔχειν: *in regard to...*;
articular inf.: translate as a gerund (-ing);
ἔχω ('holds' or 'is disposed') + adv. is
often equiv. to εἰμί + pred.
δεῖ δή: δή is temporal, 'now,' but the pair
of homonyms makes it intensive as well
7 ὥσπερ πόνους τινὰς πονοῦντος: *as it*

were...; Socrates likens himself to Hercules,
completing labors; a clause of comparison,
gen. πονοῦντος agrees with possessive
ἐμήν; πόνοι is the common word for labors
ἵνα...γένοιτο: *so that...*; purpose with aor.
opt. γίγνομαι in secondary seq.
καὶ: *also*; adv.
8 ᾖα: 3s impf. ἔρχομαι
ἐπὶ: *to...*
τούς τε...καὶ τοὺς: *both those...and those...*
in partitive apposition to ποιητὰς
ὡς...καταληψόμενος: *in order to...*; 'so as
intending...'ὡς + fut. pple indicates purpose
b1 ἐπ(ὶ) αὐτοφώρῳ: *red-handed, in the act*;
2 ἐμαυτὸν...ὄντα: obj. and complementary
acc. pple εἰμί, equiv. to ind. disc.
ἐκείνων: gen. of comparison
4 αὐτοῖς: dat of agent with pf. pass.
διηρώτων ἂν: *would/used to...*; ἂν + impf.
is here customary impf.; 1s α-contract verb
λέγοιεν: *mean*; ind. question with opt. in
secondary seq.

ἵν' ἅμα τι καὶ μανθάνοιμι παρ' αὐτῶν. αἰσχύνομαι οὖν 5
ὑμῖν εἰπεῖν, ὦ ἄνδρες, τἀληθῆ· ὅμως δὲ ῥητέον. ὡς ἔπος
γὰρ εἰπεῖν ὀλίγου αὐτῶν ἅπαντες οἱ παρόντες ἂν βέλτιον
ἔλεγον περὶ ὧν αὐτοὶ ἐπεποιήκεσαν. ἔγνων οὖν αὖ καὶ
περὶ τῶν ποιητῶν ἐν ὀλίγῳ τοῦτο, ὅτι οὐ σοφίᾳ ποιοῖεν
ἃ ποιοῖεν, ἀλλὰ φύσει τινὶ καὶ ἐνθουσιάζοντες ὥσπερ οἱ c
θεομάντεις καὶ οἱ χρησμῳδοί· καὶ γὰρ οὗτοι λέγουσι μὲν
πολλὰ καὶ καλά, ἴσασιν δὲ οὐδὲν ὧν λέγουσι. τοιοῦτόν
τί μοι ἐφάνησαν πάθος καὶ οἱ ποιηταὶ πεπονθότες, καὶ
ἅμα ᾐσθόμην αὐτῶν διὰ τὴν ποίησιν οἰομένων καὶ τἆλλα 5

αἰσθάνομαι: to perceive, feel, learn, realize, 3
αἰσχύνομαι: be ashamed, feel shame, 4
ἅμα: at the same time; along with (dat.), 3
ἅπας, ἅπασα, ἅπαν: every, all, quite all, 8
βελτίων, -ον (-ονος): better, 8
γιγνώσκω: to learn, realize; know, 6
ἐν-θουσιάζω: to be inspired; inspire
ἔπος, -εος τό: word; *pl.* poetry, verses, lines 3
θεόμαντις, -εως, ὁ: seer
μανθάνω: to learn, understand, 6

ὅμως: nevertheless, however, yet, 5
πάθος, -εος, τό: experience, suffering, 2
πάρ-ειμι: to be near, be present, be at hand, 4
ποίησις, -εως, ἡ: creation, creating, making
ποιητής, -οῦ ὁ: poet, creator, 5
ῥητέος, -ον: to be said or mentioned
φαίνω: show; *mid.* appear, seem, 7
φύσις, -εως ἡ: nature
χρησμῳδός, ὁ: soothe-sayer

5 ἵν(α)...μανθάνοιμι: *so that...might*;
purpose with 1s opt. in secondary seq.
καὶ: *also*
παρ(α): *from...*
6 εἰπεῖν: aor. inf.. λέγω
τἀληθῆ: τὰ ἀληθῆ (ἀληθέ-α); i.e. the truth
ῥητέον (ἐστίν ἐμοί): *it must be...*; '(it is) to
be...' impers. verbal adj. + εἰμί expresses
necessity with a dat. of agent (add ἐμοί);
Translate in the active voice: "(I) must..."
ὡς ἔπος εἰπεῖν: *so to speak*; 'to speak a
word,' inf. abs.; a common idiom limiting
the force of ὀλίγου and here equiv. to
'almost' or 'nearly' (S2012, cf. 17a4)
7 ὀλίγου: *almost*; '(to lack) from a little,'
adv. (gen. of separation) with ἅπαντες
αὐτῶν: *than...*; i.e. poets; gen. comparison
ἄν...ἔλεγον: *would...*; ἄν + impf. here
denotes customary action; 3p impf.
βέλτιον: comparative adv.
8 περὶ ὧν: *about which...*; περὶ (τούτων) ἃ,
acc. attracted into gen. of the antecedent
ἐπεποιήκεσαν: 3p plpf ποιέω
ἔγνων: 1s aor.
καὶ: *also*; i.e. both politicians and poets

9 ἐν ὀλίγῳ (χρόνῳ)
ὅτι...ποιοῖεν: *(namely) that...*; ind. disc. in
apposition to τοῦτο; 3s opt., secondary seq.
σοφίᾳ: *by...*dat. of cause or means
c1 ἃ ποιοῖεν: *whatever...*; (ταῦτα) ἃ, general
relative with opt. in secondary seq.
φύσει τινὶ: *by some nature*; dat. of cause;
τινὶ makes φύσει even more indefinite
καὶ ἐνθουσιάζοντες: *and by...*; pple is
causal in sense; καὶ joins the dat and pple
2 καὶ γὰρ: *for in fact*; καί is adv. or 'for...
also' where adv. καί modifies οὗτοι
3 πολλὰ καὶ καλά: two adjs. describing one
and the same substantive, add 'things'
ἴσασιν: 3p pf. οἶδα; translate as pres.
ὧν: *(of the things) which*; (τούτων) ἃ,
relative attracted into gen. of the antecedent
τοιοῦτόν τι...πάθος: *(the same) certain
sort of experience*; cognate acc.
4 ἐφάνησαν (παθεῖν): *were shown...*; ellipsis,
3p aor. pass. + dat. of reference; supply aor.
inf. πάσχω
πεπονθότες: pf. act. pple πάσχω
5 αὐτῶν οἰομένων...: gen. obj. of ᾐσθόμην
καὶ τὰ (ἄ)λλα: *in other things also*; respect

σοφωτάτων εἶναι ἀνθρώπων ἃ οὐκ ἦσαν. ἀπῇα οὖν καὶ
ἐντεῦθεν τῷ αὐτῷ οἰόμενος περιγεγονέναι ᾧπερ καὶ τῶν
πολιτικῶν.

τελευτῶν οὖν ἐπὶ τοὺς χειροτέχνας ᾖα· ἐμαυτῷ γὰρ
συνῄδη οὐδὲν ἐπισταμένῳ ὡς ἔπος εἰπεῖν, τούτους δέ γ᾽ ἤδη   d
ὅτι εὑρήσοιμι πολλὰ καὶ καλὰ ἐπισταμένους. καὶ τούτου
μὲν οὐκ ἐψεύσθην, ἀλλ᾽ ἠπίσταντο ἃ ἐγὼ οὐκ ἠπιστάμην
καί μου ταύτῃ σοφώτεροι ἦσαν. ἀλλ᾽, ὦ ἄνδρες Ἀθηναῖοι,
ταὐτόν μοι ἔδοξαν ἔχειν ἁμάρτημα ὅπερ καὶ οἱ ποιηταὶ καὶ   5
οἱ ἀγαθοὶ δημιουργοί—διὰ τὸ τὴν τέχνην καλῶς ἐξεργά-

ἁμάρτημα, -ατος, τό: failing, error, fault, 2
ἀπ-έρχομαι: to go away, depart, 5
δημιουργός, ὁ: craftsman, skilled worker, 2
ἐντεῦθεν: from here, hence; as a result, 4
ἐξ-εργάζομαι: perform, accomplish, work
ἐπίσταμαι: to know (how), understand. 7
ἔπος, -εος τό: word; pl. poetry, verses, lines 3
εὑρίσκω: to find, discover, devise, invent, 7
καλῶς: well, nobly, 3

περι-γίγνομαι: be superior, surpass; survive
ποιητής, -οῦ ὁ: poet, creator, 5
πολιτικός -ή -όν: of a citizen; political, 7
σύν-οιδα: be conscious of, know with, 3
τελευτάω: to end, complete, finish; die, 5
τέχνη, ἡ: art, skill, craft, 2
χειρο-τέχνης, -ου, ὁ: handcraftsman, artisan
ψεύδομαι: to deceive with lies; mid. lie, 6

6 σοφωτάτων...ἀνθρώπων: gen. pred. of
εἶναι and partitive gen. respective
  ἃ οὐκ ἦσαν.: in which...; relative and acc.
  of respect; antecedent τὰ ἄλλα; impf. εἰμί
  ἀπῇα: 1s impf.
  καὶ: also
7 τῷ αὐτῷ: in...; dat. of respect, αὐτός in
  the attributive position means 'same;' as a
  neut. substantive, supply the word 'thing'
  περιγεγονέναι: pf.
  ᾧπερ καὶ τῶν πολιτικῶν: in which very
  thing (I had surpassed)...; relative clause
  and dat. of respect; the missing verb
  governs a gen. of comparison obj.
9 τελευτῶν: a nom. pple which is often
  translated adverbially: 'at last' or 'finally'
  ἐπὶ: to
  ᾖα: 1s impf. ἔρχομαι
  ἐμαυτῷ συνῄδη: I was conscious that (I);
  'knew with myself,' dat. of compound verb;
  οἶδα governs a complementary pple in ind.
  disc.; 1s plpf., but simple past in sense
d1 ὡς ἔπος εἰπεῖν: so to speak; 'to speak a
  word,' inf. abs.; a common idiom limiting
  the force of οὐδὲν and here equiv. to

'almost' or 'nearly' (S2012, cf. 17a4, 22b6)
τούτους...γ᾽: these, at least; i.e. craftsmen;
  obj. of εὑρήσοιμι in emphatic position at
  the beginnning of the clause
  δέ: but...; adversative
  ἤδη: 1s plpf. οἶδα but simple past in sense
2 ὅτι εὑρήσοιμι: ind. disc. the 1s fut. opt.
  replaces a fut. ind. in secondary seq.; the
  verb governs a double acc. (obj. and pred.)
  πολλὰ καὶ καλά: two adjs. describing one
  and the same substantive, add 'things'
  τούτου: in this; 'from this,' separation
3 ἐψεύσθην: 1s aor. pass.
  ἀλλ(ὰ)
  ἃ...: what...; (ἐκεῖνα) ἃ, "(those things)
  which,' relative with missing antecedent
4 μου: gen. comparison
  ταύτῃ: in...; dat. of manner
  τ(ὸ) αὐτόν...ἁμάρτημα: acc. αὐτός in
  the attributive position means 'same;'
5 καὶ...καὶ...: both...and...
  διὰ τὸ...ἐξεργάζεσθαι: on account of...;
  articular inf.: translate as a gerund (-ing)
  καλῶς: well; common translation for adv.

ζεσθαι ἕκαστος ἠξίου καὶ τἆλλα τὰ μέγιστα σοφώτατος
εἶναι—καὶ αὐτῶν αὕτη ἡ πλημμέλεια ἐκείνην τὴν σοφίαν
ἀποκρύπτειν· ὥστε με ἐμαυτὸν ἀνερωτᾶν ὑπὲρ τοῦ χρησμοῦ   e
πότερα δεξαίμην ἂν οὕτως ὥσπερ ἔχω ἔχειν, μήτε τι σοφὸς
ὢν τὴν ἐκείνων σοφίαν μήτε ἀμαθὴς τὴν ἀμαθίαν, ἢ ἀμ-
φότερα ἃ ἐκεῖνοι ἔχουσιν ἔχειν. ἀπεκρινάμην οὖν ἐμαυτῷ
καὶ τῷ χρησμῷ ὅτι μοι λυσιτελοῖ ὥσπερ ἔχω ἔχειν.   5
    ἐκ ταυτησὶ δὴ τῆς ἐξετάσεως, ὦ ἄνδρες Ἀθηναῖοι,
πολλαὶ μὲν ἀπέχθειαί μοι γεγόνασι καὶ οἷαι χαλεπώταται   23

ἀ-μαθής, -ές: ignorant, foolish, unlearned, 2
ἀ-μαθία, ἡ: ignorance, folly, 3
ἀμφότερος, -α, -ον: both, each of two, 2
ἀν-ερωτάω: to ask, inquire
ἀξιόω: deem right, think worthy of (gen), 6
ἀπ-έχθεια, ἡ: hatred, enmity; *pl.* enmities, 2
ἀπο-κρύπτω: to hide, conceal (from), 2
δέχομαι: to accept, take, receive, 3

ἐξέτασις, -εως ἡ: examination, cross-examing
λυσιτελέω: profit; λυσιτελεῖ it profits (dat)
μέγιστος, -η, -ον: greatest, most important, 7
πλημμέλεια, ἡ: error, fault, out-of-tuneness
πότερος, -α, -ον: whether, which (of two)? 7
ὑπέρ: on behalf of, about (gen.); beyond, 8
χαλεπός, -ά, -όν: difficult, hard, harsh, 8
χρησμός, -οῦ, ὁ: oracle, oracular reply, 5

7 ἠξίου: ἠξίο-ε, 3s impf.
καὶ τὰ (ἄ)λλα τὰ μέγιστα: *also in respect to…*; acc. respect; neut. pl. substantive
σοφώτατος εἶναι: *that (he)…*; ind. disc.
8 αὕτη: demonstrative
ἡ πλημμέλεια (ἐστίν): add linking verb
e1 ὥστε με ἐμαυτὸν ἀνερωτᾶν: *so that I…*; result clause with ὥστε + inf. (α-contract inf.); με is acc. subject
2 πότερα δεξαίμην ἂν…ἢ…: *whether I would…or…*; ind. alternative question with 1s aor. potential opt.
οὕτως…ἔχειν: *that (I)…*; ἔχω ('holds' or 'is disposed')+ adv. is equiv. to εἰμί + pred.
ὥσπερ ἔχω: *as…*; relative clause; see above for translation; οὕτως and ὥσπερ are correlatives (demonstrative, relative)
μήτε…ὢν μήτε…: *(namely) neither…nor…*

in apposition οὕτως…ἔχειν ; pple εἰμί
τι: *at all*; 'somewhat,' adv. acc.
3 τὴν σοφίαν : *in…*; acc. of respect
ἀμαθὴς (ὤν): nom. pred,; supply pple εἰμί
τὴν ἀμαθίαν: acc. of respect
(με) ἀμφότερα…ἔχειν: *that (I)…*; ind. disc.
4 ἐμαυτῷ καὶ τῷ χρησμῷ: dat. ind. obj.
5 ὅτι λυσιτελοῖ: *that it…* ; ind. disc. with impersonal opt. in secondary seq.
(οὕτως) ὥσπερ ἔχω ἔχειν: *to…*; see line 2 for translation: οὕτως is understood
6 ταυτησ-ὶ: *this here*; deictic iota adds emphasis to the gen. sg. pronoun
δὴ: *just, precisely*; intensive with pronoun
a1 γεγόνασι: 3p pf. γίγνομαι + dat. interest
οἷαι (εἰσίν): *such as are…*; (τοιαῦται) οἷαι, relative with the demonstrative antecedent missing but understood

---

Impersonal Constructions other than δοκεῖ, ἐστίν, and impersonal verbal adjectives:

δεῖ [23]	*it is necessary*	ῥάδιόν ἐστιν [2]	*it is easier*
χρή [6]	*it is necessary, ought*	χαλεπόν ἐστιν [2]	*it is difficult*
μέλει [7]	*it is a concern*	ἄδηλόν ἐστιν [1]	*it is unclear*
δῆλόν ἐστιν [4]	*it is clear that*	ἀδύνατόν ἐστιν [1]	*it is impossible*
ἔοικε [4]	*it seems, it is like*	ἄξιόν ἐστιν [1]	*it is worthwhile*
ἔξεστι [3]	*it is allowed*	δεινόν ἐστιν [1]	*it is terrible*
ἄμεινόν ἐστιν [2]	*it is better*	δῆλον γίγνεται [1]	*it becomes clear that*
ἀναγκαῖόν ἐστιν [2]	*it is necessary*	θέμις ἐστιν [1]	*it is righteous/right*
ἀνάγκη ἐστιν [2]	*it is necessary*	λυσιτελεῖ [1]	*it profits*
ἄτοπόν ἐστιν [2]	*it is absurd/strange*	ὥρα ἐστίν [1]	*it is time*

23

καὶ βαρύταται, ὥστε πολλὰς διαβολὰς ἀπ' αὐτῶν γεγονέναι,
ὄνομα δὲ τοῦτο λέγεσθαι, σοφὸς εἶναι· οἴονται γάρ με
ἑκάστοτε οἱ παρόντες ταῦτα αὐτὸν εἶναι σοφὸν ἃ ἂν ἄλλον
ἐξελέγξω. τὸ δὲ κινδυνεύει, ὦ ἄνδρες, τῷ ὄντι ὁ θεὸς   5
σοφὸς εἶναι, καὶ ἐν τῷ χρησμῷ τούτῳ τοῦτο λέγειν, ὅτι ἡ
ἀνθρωπίνη σοφία ὀλίγου τινὸς ἀξία ἐστὶν καὶ οὐδενός. καὶ
φαίνεται τοῦτον λέγειν τὸν Σωκράτη, προσκεχρῆσθαι δὲ
τῷ ἐμῷ ὀνόματι, ἐμὲ παράδειγμα ποιούμενος, ὥσπερ ἂν   b
⟨εἰ⟩ εἴποι ὅτι "οὗτος ὑμῶν, ὦ ἄνθρωποι, σοφώτατός ἐστιν,
ὅστις ὥσπερ Σωκράτης ἔγνωκεν ὅτι οὐδενὸς ἄξιός ἐστι τῇ

ἀνθρώπινος, -η, -ον: of a human, human, 4
ἀπό: from, away from. (+ gen.), 6
βαρύς, -εῖα, -ύ: heavy; grievous, grim, dire, 2
γιγνώσκω: to learn, realize; know, 6
ἑκάστ-οτε: each time, on each occasion
ἐξ-ελέγχω: to refute; convict, 2

κινδυνεύω: run the risk of, be likely to (inf), 9
παράδειγμα, -ατος, τό: model, example
πάρ-ειμι: to be near, be present, be at hand, 4
προσ-χράομαι: to use in addition (+ dat.)
φαίνω: show; mid. appear, seem, 7
χρησμός, -οῦ, ὁ: oracle, oracular reply, 5

2 βαρύταται: superlative
  ὥστε...γεγονέναι...: so that... ; result
  clause; pf. inf. γίγνομαι
3 (με) ὄνομα δὲ τοῦτο λέγεσθαι: and that (I)
  am called...; still part of the result clause,
  ὄνομα τοῦτο is predicative
  σοφὸς εἶναι: (namely) that (I)...; ; ind. disc.
  in apposition to ὄνομα; σοφὸς is nom.
  where we expect an acc. pred.
  ταῦτα: in...; acc. respect with σοφὸν
  με...αὐτὸν εἶναι: that I myself...; ind. disc.,
  intensive pronoun
  ἃ ἂν...ἐξελέγξω: in whatever...; general
  relative clause with ἄν+ subj. (1s aor.); the
  relative pronoun is acc. of respect
  ἄλλον: i.e. another interlocutor
5 τὸ δὲ: but in this respect; or 'but in fact,' τὸ
  is a demonstrative, more commonly used in
  epic, and acc. of respect
  τῷ ὄντι: in reality; dat. of manner
6 λέγειν: means; also governed by κινδυνεύει
  ὅτι...: (namely) that...; in apposition to

τοῦτο
7 ὀλίγου τινὸς...(ἢ) καὶ οὐδενός: of little at
  all (or) even nothing; τινὸς makes ὀλίγου
  more indefinite; καί is adverbial
8 φαίνεται τοῦτον λέγειν (εἶναι)...
  ποιούμενος: (the god) appears to say that
  Socrates (is) this (i.e. wise) and to use my
  name, making me an example
  ὥσπερ ἂν ⟨εἰ⟩ εἴποι: just as (he would) if
  he should...; fut. less vivid (εἰ opt., ἄν +
  opt.) aor. opt. λέγω with a suppressed
  apodosis, which is represented only by ἄν
  (the apodosis is often omitted when it is the
  same verb as the protasis, S2351); diamond
  brackets indicate text not in the manuscript
  tradition but supplied by the editor
  ὅτι: do not translate; often used before a
  direct quotation and equiv. to punctuation
3 ὅστις: whoever...; οὗτος is antecedent
  ἔγνωκεν: pf.
  ὅτι: that (he)...; ind. disc.
  τῇ ἀληθείᾳ: dat. of respect as adverb

Coordinating Conjunctions

τε...καί[44] both...and...and καί ... καί (...καί)[17] both...and (...and) are common, occasionally
with a third καί. ἤ...ἤ[12] either...or and οὔτε...οὔτε[14] (μήτε... μήτε[10]) neither...nor are used
frequently, but οὔτε...τε both not...and and οὔτε...οὐδέ neither...nor even each occur once.
οὐδὲ... οὐδέ[3] (μηδέ... μηδέ[0]) not even...nor (1st is an adv., 2nd is conjunction) is seldom used,
but the single adverb οὐδέ[29] (μηδέ[8]), 'not even, 'is very common. εἴτε...εἴτε[4] (εἴτε...εἰ δὲ[2])
and ἐάντε... ἐάντε[3] whether...or...(both if...and if...) are protaseis in conditional sentences,
but πότερον...ἤ[3]: whether...or is an interrogative used in both direct and indirect questions.

ἀληθείᾳ πρὸς σοφίαν". ταῦτ᾽ οὖν ἐγὼ μὲν ἔτι καὶ νῦν
περιὼν ζητῶ καὶ ἐρευνῶ κατὰ τὸν θεὸν καὶ τῶν ἀστῶν καὶ 5
ξένων ἄν τινα οἴωμαι σοφὸν εἶναι· καὶ ἐπειδάν μοι μὴ
δοκῇ, τῷ θεῷ βοηθῶν ἐνδείκνυμαι ὅτι οὐκ ἔστι σοφός. καὶ
ὑπὸ ταύτης τῆς ἀσχολίας οὔτε τι τῶν τῆς πόλεως πρᾶξαί
μοι σχολὴ γέγονεν ἄξιον λόγου οὔτε τῶν οἰκείων, ἀλλ᾽ ἐν
πενίᾳ μυρίᾳ εἰμὶ διὰ τὴν τοῦ θεοῦ λατρείαν.　　　　　　c

πρὸς δὲ τούτοις οἱ νέοι μοι ἐπακολουθοῦντες—οἷς μά-
λιστα σχολή ἐστιν, οἱ τῶν πλουσιωτάτων—αὐτόματοι,
χαίρουσιν ἀκούοντες ἐξεταζομένων τῶν ἀνθρώπων, καὶ αὐτοὶ

ἀλήθεια, ἡ: truth, 8
ἀστός, ὁ: townsman, citizen, 3
ἀ-σχολία, ἡ: business, occupation, 2
αὐτόματος, -η, -ον: of one's own will
βοηθέω: to help, come to aid, assist (dat), 5
ἐν-δείκνυμι: point out, show; inform against, 5
ἐπ-ακολουθέω: to follow after (dat.)
ἐπειδάν: whenever, 5
ἐρευνάω: to seek for, search for, track, 2
ἔτι: still, besides, further; in addition, 8

ζητέω: to seek, look for, investigate, 6
λατρεία, ἡ: service
μυρίος, -η, -ον: countless, infinite, vast, 2
ξένος, ὁ: guest-friend, foreigner, stranger, 4
οἰκεῖος, -α, -ον: one's own; kin, related, 9
πενία, ἡ: poverty, need, 2
περι-έρχομαι: to go around, 3
πλούσιος, -η, -ον: wealthy, rich, 2
σχολή, ἡ: leisure, spare time, 3
χαίρω: to rejoice in, delight in (dat); greet, 3

4 πρὸς: *in regard to...*
　ταῦτα: *therefore, for these reasons;* 'in respect to these things,' acc. of respect equiv. to διὰ ταῦτα (cf. τί, 'why?' which is originally an acc. of respect: 'in respect to what?')
　καὶ: *even;* modifies νῦν
5 περιιών: nom. pple περι-έρχομαι
　κατά...: *in accordance with...*
　τῶν ἀστῶν καὶ ξένων: partitive with τινα
　(ἐ)ὰν...οἴωμαι: *if ever...*; protasis of a present general condition (ἐὰν subj., pres.); 1s pres. subj.
　τινα...σοφὸν εἶναι: *that...*; ind. disc.
6 ἐπειδάν...δοκῇ (σοφὸς εἶναι),: *whenever...* general temporal clause with 3s pres. subj.
　ὑπὸ: *because of...*; + gen. expressing cause

8 οὔτε τι τῶν τῆς πόλεως πρᾶξαί οὔτε (τι) τῶν οἰκείων: *to do neither any of the affairs of the city...nor (any) of my own;* aor. inf. πράττω: either an inf. of purpose or an explanatory(epexegetical) inf. following σχολὴ (S2004-5)
9 γέγονεν: *there has...*; pf. γίγνομαι
　λόγου: *of mention, of mentioning*
c1 πρὸς: *in addition to...*
2 οἷς: *for...*; relative, dat. interest
3 οἱ τῶν πλουσιωτάτων: *(those)...*; in apposition to οἱ νέοι
4 χαίρουσιν: *enjoy, delight in;* governing a complementary pple
　ἐξεταζομένων τῶν ἀνθρώπων: gen. of source and complementary pass. pple
　αὐτοὶ: *(they)...*; intensive; i.e. the οἱ νέοι

περ is an enclitic particle that, just as δή, is commonly intensive: i.e. this and no other. While the translation 'really' is suitable, 'precisely' 'exactly' and 'very' are often more appropriate.

ὅσπερ, ἥπερ, ὅπερ[15]: *the very one who/which, precisely who/which. who really*
οἷόσπερ, οἷάπερ, οἷονπερ[2]: *which very sort, precisely which (sort)*
εἴπερ[14] and **ἐάν-περ**[2]: *precisely if, if (and only if), if really*
ὥσπερ[31]: *just as (precisely as, exactly as), as if*
ἐπειδήπερ: *precisely since, for the very reason that, inasmuch as*
ἕωσ-περ: *so long as (and no sooner), just as long as, while*

πολλάκις ἐμὲ μιμοῦνται, εἶτα ἐπιχειροῦσιν ἄλλους ἐξετάζειν· 5
κἄπειτα οἶμαι εὑρίσκουσι πολλὴν ἀφθονίαν οἰομένων μὲν
εἰδέναι τι ἀνθρώπων, εἰδότων δὲ ὀλίγα ἢ οὐδέν. ἐντεῦθεν
οὖν οἱ ὑπ' αὐτῶν ἐξεταζόμενοι ἐμοὶ ὀργίζονται, οὐχ αὑτοῖς,
καὶ λέγουσιν ὡς Σωκράτης τίς ἐστι μιαρώτατος καὶ δια-   d
φθείρει τοὺς νέους· καὶ ἐπειδάν τις αὐτοὺς ἐρωτᾷ ὅ τι ποιῶν
καὶ ὅ τι διδάσκων, ἔχουσι μὲν οὐδὲν εἰπεῖν ἀλλ' ἀγνοοῦσιν,

ἀγνοέω: not know, be ignorant of, 2
ἀ-φθονία, ἡ: abundance, plenty, 2
εἶτα: then, next, and so, therefore, 2
ἐντεῦθεν: from here, hence; as a result, 4
ἐπειδάν: whenever, 5
ἔπειτα: then, next, secondly, 7
ἐπι-χειρέω: to attempt, try, put a hand on, 5

ἐρωτάω: to ask, inquire, question, 4
εὑρίσκω: to find, discover, devise, invent, 7
μιαρός, -ή, -όν: repulsive, unpure, polluted
μιμέομαι: to imitate, mimic
ὀργίζω: make angry; mid. be angry at (dat) 2
πολλάκις: many times, often, frequently, 6

6 κα(ὶ) ἔπειτα
  οἶμαι: parenthetical
  οἰομένων…ἀνθρώπων: of…; partitive
7 εἰδέναι τι: inf. οἶδα; τι here means
  'something (important)'
  εἰδότων δὲ: but…; gen. pf. pple οἶδα (pres.
  in sense)
  ἐντεῦθεν: i.e. as a result
8 ὑπ' αὐτῶν: by…; ὑπό + gen, expressing
  agency
  αὐτοῖς: at…; ἑαυτοῖς, dat. pl. reflexive

d1 ὡς: that…; 'how,' ind. disc.
  τίς: a certain; indefinite before an enclitic,
  Socrates suggests that the one described is
  not who he is
  ἐπειδάν…ἐρωτᾷ: whenever…; general
  temporal clause with 3s pres. subj.
2 ὅ τι… ὅ τι: what…what…; neut. acc.
  ind. interrogative ὅστις, obj. of pples
3 ἔχουσι: + inf. (aor. λέγω) often means 'be
  able'

Uses of Infinitives in the *Apology*		
1. Indirect Discourse	…ἐμὲ αὐτοὺς βελτίους **ποιεῖν**	*that I make them better*
2. Complementary Inf.	…μέλλω αὐτοὺς βελτίους **ποιήσειν**	*I intend to make them better*
3. Result Clause	…ὥστε αὐτοὺς βελτίους **ποιεῖν**	*so as to make them better*
4. Indirect Command (Object Inf.)	…δέομαί σε αὐτοὺς βελτίους **ποιεῖν**	*I ask that you make them…*
5. Explanatory Inf. (adj.+ inf.)	…δίκαιός αὐτοὺς βελτίους **ποιεῖν**	*right to make them better*
6. Infinitive of Purpose	…αὐτοὺς βελτίους **ποιεῖν**	*(in order) to make them better*
7. Articular Infinitive	…τὸ αὐτοὺς βελτίους **ποιεῖν**	*making them better*
8. Subjective Infinitive	…ἐστίν ἄμεινον αὐτούς…**ποιεῖν**	*it is better to make them better*

Explanatory (Epexegetical) infinitives[12] are often translated as 'in/at' + gerund (-ing) and qualify, i.e. limit, the application of an adjective. The claim that Socrates is δεινός, 'clever,' is by itself too ambiguous: Is he clever at fighting? At mathematics? At shipbuilding? The infinitive qualifies the meaning and in doing so offers a clear explanation (Grk. ἐπεξήγησις) for the use of the adjective: δεινὸς λέγειν, 'clever at speaking.'

ἵνα δὲ μὴ δοκῶσιν ἀπορεῖν, τὰ κατὰ πάντων τῶν φιλοσο-
φούντων πρόχειρα ταῦτα λέγουσιν, ὅτι "τὰ μετέωρα καὶ 5
τὰ ὑπὸ γῆς" καὶ "θεοὺς μὴ νομίζειν" καὶ "τὸν ἥττω
λόγον κρείττω ποιεῖν." τὰ γὰρ ἀληθῆ οἴομαι οὐκ ἂν
ἐθέλοιεν λέγειν, ὅτι κατάδηλοι γίγνονται προσποιούμενοι
μὲν εἰδέναι, εἰδότες δὲ οὐδέν. ἅτε οὖν οἶμαι φιλότιμοι
ὄντες καὶ σφοδροὶ καὶ πολλοί, καὶ συντεταμένως καὶ πι- e
θανῶς λέγοντες περὶ ἐμοῦ, ἐμπεπλήκασιν ὑμῶν τὰ ὦτα καὶ
πάλαι καὶ σφοδρῶς διαβάλλοντες. ἐκ τούτων καὶ Μέλητός
μοι ἐπέθετο καὶ Ἄνυτος καὶ Λύκων, Μέλητος μὲν ὑπὲρ τῶν

ἀ-πορέω: to be at a loss; be perplexed, 3
ἅτε: inasmuch as, since (pple.), 3
γῆ, γῆς ἡ: earth, land, ground, 4
δια-βάλλω: to slander; pass over, 4
ἐθέλω: to be willing, wish, want, 6
ἐμ-πίπλημι: to fill in
ἐπι-τίθημι: set upon, attack; impose on (dat) 2
ἥττων, -ον: weaker, less, inferior, 4
κατά-δηλος, -η, -ον: quite clear or visible
κρείττων, -ον: stronger, better, superior, 3
Λύκων, ὁ: Lycon, 3
μετέωρον, τό: things in the air, 2

οὖς, ὦτος, τό: ear
πάλαι: long ago, for a long time, 5
πιθανῶς: persuasively, plausibly, 2
προσ-ποιοῦμαι: lay claim to, pretend, 3
πρό-χειρος, -ον: at hand, ready
συντεταμένως: earnestly, eagerly
σφοδρός, -όν: impetuous, vehement, 2
σφοδρῶς: vehemently, strongly
ὑπέρ: on behalf of, about (gen.); beyond, 8
φιλο-σοφέω: pursue wisdom, philosophize, 4
φιλο-τιμος, -ον: ambitious, honor-loving

4 ἵνα δὲ μὴ δοκῶσιν: so that...; neg. purpose
with 3p subj.
τὰ...πρόχειρα ταῦτα: these commonplace
things; 'these things at hand,'as explained
below
κατὰ...: against
5 ὅτι: do not translate; often used before a
direct quotation and equiv. to punctuation
τὰ ὑπὸ γῆς: things...; prepositional phrase
in the attributive position
θεοὺς μὴ νομίζειν: not to...; ind. command;
use of μή rather than οὐ often indicates a
wish or command rather than statement
6 τὸν ἥττο(ν)α λόγον: the lesser argument;
ἥττο(ν)α is acc. sg. comparative
κρείττω: κρείττο(ν)α; acc. pred.
7 οἴομαι: parenthetical
τὰ...ἀληθῆ: ἀληθέα, i.e. the truth

ἂν ἐθέλοιεν: would...; 3p potential opt.
8 ὅτι...: (namely) that..; in apposition
9 εἰδέναι τι: inf. οἶδα
εἰδότες δὲ: but...; pf. pple οἶδα (pres. in
sense)
ἅτε...ὄντες: inasmuch as...; 'since...' ἅτε
+ pple (here, εἰμί) indicates cause from the
speaker's point of view (contrast with ὡς +
pple of alleged cause from a character's
point of view)
οἶμαι: parenthetical
e2 ἐμπεπλήκασιν: pf.
τὰ ὦτα: pl. οὖς
καὶ...καὶ...: both...and...
3 καὶ...καὶ...καὶ...: both...and...and...
4 μοι: upon...; dat. of compound verb
ἐπέθετο: 3s aor. mid. with 3p subject

ποιητῶν ἀχθόμενος, Ἄνυτος δὲ ὑπὲρ τῶν δημιουργῶν καὶ 5
τῶν πολιτικῶν, Λύκων δὲ ὑπὲρ τῶν ῥητόρων· ὥστε, ὅπερ 24
ἀρχόμενος ἐγὼ ἔλεγον, θαυμάζοιμ' ἂν εἰ οἷός τ' εἴην ἐγὼ
ὑμῶν ταύτην τὴν διαβολὴν ἐξελέσθαι ἐν οὕτως ὀλίγῳ χρόνῳ
οὕτω πολλὴν γεγονυῖαν. ταῦτ' ἔστιν ὑμῖν, ὦ ἄνδρες Ἀθη-
ναῖοι, τἀληθῆ, καὶ ὑμᾶς οὔτε μέγα οὔτε μικρὸν ἀποκρυψά- 5
μενος ἐγὼ λέγω οὐδ' ὑποστειλάμενος. καίτοι οἶδα σχεδὸν
ὅτι αὐτοῖς τούτοις ἀπεχθάνομαι, ὃ καὶ τεκμήριον ὅτι ἀληθῆ
λέγω καὶ ὅτι αὕτη ἐστὶν ἡ διαβολὴ ἡ ἐμὴ καὶ τὰ αἴτια
ταῦτά ἐστιν. καὶ ἐάντε νῦν ἐάντε αὖθις ζητήσητε ταῦτα, b

ἀπ-εχθάνομαι: to become hateful to (dat), 2
ἀπο-κρύπτω: to hide, conceal (from), 2
ἄρχω: to begin; rule, be leader of (gen), 7
αἴτιον, τό: cause, reason, 3
αὖθις: again, once more, later, 2
ἄχθομαι: to be annoyed, vexed at (dat), 3
δημιουργός, ὁ: craftsman, skilled worker, 2
ἐάντε…ἐάντε: if…and if, 6
ἐξ-αιρέω: to take out, pick out; mid. choose, 2
ζητέω: to seek, look for, investigate, 6
θαυμάζω: marvel at, amaze at, wonder, 4

καί-τοι: and yet, and indeed, and further, 7
Λύκων, ὁ: Lycon, 3
μικρός, -ά, -όν: small, little, insignificant, 4
ποιητής, -οῦ ὁ: poet, creator, 5
πολιτικός -ή -όν: of a citizen; political, 7
ῥήτωρ, ὁ: orator, (public) speaker, 4
σχεδόν: nearly, pretty much, just about, 2
τεκμήριον, τό: indication, evidence, sign, 4
ὑπέρ: on behalf of, about (gen.); beyond, 8
ὑπο-στέλλω: to refrain, draw back

a1 ὅπερ…ἔλεγον: *just as…*; 'which very thing…' the entire clause is antecedent
ἀρχόμενος: *at the beginning*; translate a predicative pple adverbially; for similar wording as below, see 19a
2 θαυμάζοιμ' ἂν εἰ οἷός τ' εἴην: *if I should…, would…*; fut. less vivid (εἰ opt., ἂν opt.) with 1s opt.; οἷός τε εἰμί 'be to sort to' is a common idiom for 'be able' or 'be possible'
3 ὑμῶν: *from…*; gen. of separation
ἐξελέσθαι: aor. mid. inf. ἐξ-αιρέω (aor. stem ἑλ-), 'remove'
4 οὕτω πολλὴν γεγονυῖαν: pf. pple γίγνομαι and pred. modifying διαβολὴν but placed at the end to stress the contrast with the previous prepositional clause
ταῦτ' ἔστιν ὑμῖν…τ(ὰ) ἀληθῆ: *there you have the truth*; or 'there you have it…the truth,' dat. of possession or ethical dat. expressing the interest of the audience: e.g.

'this is, you know, the truth'
5 οὔτε…οὔτε…: *neither a lot nor a little*; adverbial acc. (inner acc.)
ἀποκρυψάμενος: governs a double acc. 'conceal (acc) from (acc)'
6 οὐδ(ὲ): *not even*; adv.
σχεδόν: *pretty much, just about*
7 αὐτοῖς τούτοις: either (1) 'by these very things' (i.e. by my conduct) dat. means or (2) 'to these very people'
ὃ (ἐστίν) καὶ τεκμήριον: *which…*; relative, the previous clause in antecedent, καί is adverbial
ἀληθῆ: ἀληθέ-α, i.e. the truth
8 ἡ ἐμή: *against me*; this possessive adj. in the attributive position behaves as an objective gen. (.eg. slander me)
b1 ἐάντε…ἐάντε…ζητήσητε: *whether… or…*; 'both if…and if…' fut. more vivid (ἐάν + subj., fut.); 2p aor. subj.

Adverbs of Place: There are two forms for 'here,' and English often drops prepositions 'to' and 'from' in translation. ἐντεῦθεν[4] often means 'as a result' (i.e. hence) in the speech.

ἐνθάδε [5]	*here*	δεῦρο [6]	*to here*	ἐνθένδε [3]	*from here*
ἐνταῦθα [10]	*here (there)*	ἐνταυθοῖ [10]	*to here*	ἐντεῦθεν [4]	*from here*
ἐκεῖ [7]	*there (yonder)*	ἐκεῖσε [0]	*to there*	(ἐ)κεῖθεν [0]	*from there*

οὕτως εὑρήσετε.

περὶ μὲν οὖν ὧν οἱ πρῶτοί μου κατήγοροι κατηγόρουν
αὕτη ἔστω ἱκανὴ ἀπολογία πρὸς ὑμᾶς· πρὸς δὲ Μέλητον
τὸν ἀγαθὸν καὶ φιλόπολιν, ὥς φησι, καὶ τοὺς ὑστέρους   5
μετὰ ταῦτα πειράσομαι ἀπολογήσασθαι. αὖθις γὰρ δή,
ὥσπερ ἑτέρων τούτων ὄντων κατηγόρων, λάβωμεν αὖ τὴν
τούτων ἀντωμοσίαν. ἔχει δέ πως ὧδε· Σωκράτη φησὶν

ἀντ-ωμοσία, ἡ: affidavit, sworn statement, (made against another in court), 2
ἀπολογία, ἡ: a defense, verbal defense, 2
αὖθις: again, once more, later, 2
ἕτερος, -α, -ον: other, one…other, different, 8
εὑρίσκω: to find, discover, devise, invent, 7
ἱκανός, -ή, -όν: enough, sufficient; capable, 4

λαμβάνω: to take, receive, catch, grasp, 9
πειράω: to try, attempt, endeavor, 4
πρῶτος, -η, -ον: first, earliest, 8
πως: somehow, in any way, 3
ὕστερος, -α, -ον: later, last; adv. later, 5
φιλό-πολις, ὁ, ἡ: patriotic, loving one's city
ὧδε: in this way, in the following way, 2

2 εὑρήσετε (ταῦτα): 2p fut.

3 περὶ ὧν: *concerning what…*; 'concerning (these things) which,' περὶ (τούτων) ἅ ; an acc. relative attracted into the case of the missing antecedent
μὲν οὖν: *and so*; 'accordingly;' μὲν οὖν, elsewhere expresses positive certainty ('certainly') but here indicates a transition, to a new subject, where each particle has its own force: hence, inferential οὖν (S2901c)3

4 ἔστω: *let…*; 3rd pers. imperative, εἰμί ; αὕτη is a demonstrative attracted into the case of the pred.
ὥς φησι,: *as…*; parenthetical, qualifying the previous remark; 3s φημί
τοὺς ὑστέρους (κατηγόρους): the 2nd set of accusers

6 μετὰ ταῦτα: i.e. next

αὖθις…δή: *once more indeed, once again now*; δή is emphatic with αὖθις
γὰρ: *that is to say*; explanatory γὰρ (S2808) is not causal ('for') or anticipatory ('since') but here appositional ('i.e.' or 'namely') clarifying the previous promise

7 ὥσπερ ἑτέρων τούτων ὄντων κατηγόρων: *on the very grounds that these…*; ὥσπερ + pple (gen. abs.) expresses alleged cause; here from an assumed case (i.e. assumed to be true, S2087)
λάβωμεν: *let…*; 1p hortatory subj.; cf. 19b

7 ἔχει δέ πως ὧδε: *it…*; ἔχω ('holds' or 'is disposed')+ adv. is equiv. to εἰμί + pred. adj.; i.e. in the following way
Σωκράτη: *that…*; Σωκράτε-α, acc. subj.
φησὶν: 3s φημί, Meletus is subject

Preliminaries to the Trial

In the presence of two witnesses, ὁ διώκων, 'the plaintiff,', made his accusation before ὁ φεύγων, 'the defendant,' and summoned him to appear before the appropriate official. Meletus' case was not a δίκη, 'private suit,' but γραφὴ, 'public indictment' on the charge of ἀσεβεία, 'impiety,' and the official who oversaw such cases was the Ἄρχων Βασιλεύς, Archon Basileus, who held office in the Στόα Βασίλειος, 'Royal Stoa,' in the agora.

When both men appeared at the stoa, the archon determined whether the nature of the accusation was appropriate for his particular court. If so, the archon posted a copy of the accusation in a public place and set a time for both parties to appear before the archon for an ἀνάκρισις, 'preliminary investigation.' During the ἀνάκρισις, testimony and evidence were submitted, and both the plaintiff's charge and the defendant's response were each written up and submitted under oath in a sworn statement called an ἀντωμοσία. Socrates mentions and discusses Meletus' ἀντωμοσία in 19b3 and again in the passage above (24b8).

ἀδικεῖν τούς τε νέους διαφθείροντα καὶ θεοὺς οὓς ἡ πόλις
νομίζει οὐ νομίζοντα, ἕτερα δὲ δαιμόνια καινά. τὸ μὲν δὴ   c
ἔγκλημα τοιοῦτόν ἐστιν· τούτου δὲ τοῦ ἐγκλήματος ἓν
ἕκαστον ἐξετάσωμεν.

φησὶ γὰρ δὴ τοὺς νέους ἀδικεῖν με διαφθείροντα. ἐγὼ δέ
γε, ὦ ἄνδρες Ἀθηναῖοι, ἀδικεῖν φημι Μέλητον, ὅτι σπουδῇ   5
χαριεντίζεται, ῥᾳδίως εἰς ἀγῶνα καθιστὰς ἀνθρώπους, περὶ
πραγμάτων προσποιούμενος σπουδάζειν καὶ κήδεσθαι ὧν οὐδὲν
τούτῳ πώποτε ἐμέλησεν· ὡς δὲ τοῦτο οὕτως ἔχει, πειράσομαι

ἀγών, ἀγῶνος, ὁ: contest, lawsuit, 3
δαιμόνιος, α, ον: *neut.* divine being, 9
ἔγκλημα, -ατος, τό: accusation, charge, 2
ἕτερος, -α, -ον: other, one…other, different, 8
καθ-ίστημι: to set; appoint; put into a state, 2
καινός, -ή, -όν: new, novel, strange, 3
κήδομαι: be concerned for, care for (gen), 2

μέλει: there is a care for (dat.) for (gen.), 7
πειράω: to try, attempt, endeavor, 4
προσ-ποιοῦμαι: lay claim to, pretend, 3
ῥᾳδίως: easily, 5
σπουδάζω: to be serious, be eager, hasten
σπουδή, ἡ: haste; earnestness, zeal, attention
χαριεντίζομαι: to jest, be witty, 3

8 Σωκράτη ἀδικεῖν…: *that…*
  θεοὺς…οὐ νομίζοντα: as in 18b3, νομίζειν
  is a challenging word to interpret without
  more context: perhaps not 'believe' but
  'acknowledge,' 'honor,' or 'esteem'
c1 τὸ…ἔγκλημα
  δή: *now, accordingly, then*; resumptive,
  not temporal; here, to draw a conclusion
2 ἓν ἕκαστον: *each part, each point*
3 ἐξετάσωμεν: *Let…*; 1p hortatory aor. subj.
4 φησὶ…δὴ: 3s φημί, Meletus is subject; δή is
  resumptive '*now,' 'accordingly,' 'then*'
  γάρ: *that is to say*; explanatory γάρ
  (S2808) is not causal ('for') or anticipatory
  ('since') but here appositional ('*i.e.*' or

'*namely*') clarifying the details promised in
the previous statement; leave untranslated
ἐγώ…γε: *but I for my part*; restrictive and
emphatic γε
5 ὅτι: *because…*
  σπουδῇ: *in…*; dat. of manner
  καθιστὰς: nom. sg. aor. pple
7 ὧν: *for what…*; (τούτων) ὧν '(for those
  things) for which,' relative is gen. obj. and
  the missing antecedent is gen. obj.
  οὐδὲν: *not at all;* inner acc. 'no care'
8 τούτῳ: i.e. for Meletus, dat. of interest
  ὡς δὲ τοῦτο οὕτως ἔχει: *and that…*;
  'how…' ind. disc.; ἔχω ('holds' or 'is
  disposed') + adv. is equiv. to εἰμί + adj.

Correlative Pronouns and Adverbs correspond to one other in form and meaning (see list on
p. 145), but the term 'correlative' is often used today to describe the pairing of a demonstrative
antecedent and corresponding relative that have a distinct translation when used together.
These pairings are not common in the *Apology*, but readers should note that the relative is
often translated as if the pairing exists but the antecedent demonstrative is missing but
understood (e.g. ὅσος, 'as many as').

demonstrative	relative	paired
τοιοῦτος *such, this sort*	οἷος *which sort*	τοιοῦτος…οἷος *such…as*
τοσοῦτος *so much/many*	ὅσος *how much/many*	τοσοῦτος…ὅσος *as much/many…as*
οὕτως *so, in this way*	ὥσπερ/ὡς *as*	οὕτως…ὥσπερ/ὡς *so…as*

καὶ ὑμῖν ἐπιδεῖξαι. καί μοι δεῦρο, ὦ Μέλητε, εἰπέ· ἄλλο τι ἢ
περὶ πλείστου ποιῇ ὅπως ὡς βέλτιστοι οἱ νεώτεροι ἔσονται;   d
ἔγωγε.
ἴθι δή νυν εἰπὲ τούτοις, τίς αὐτοὺς βελτίους ποιεῖ;
δῆλον γὰρ ὅτι οἶσθα, μέλον γέ σοι. τὸν μὲν γὰρ δια-
φθείροντα ἐξευρών, ὡς φής, ἐμέ, εἰσάγεις τουτοισὶ καὶ κατη-   5
γορεῖς· τὸν δὲ δὴ βελτίους ποιοῦντα ἴθι εἰπὲ καὶ μήνυσον
αὐτοῖς τίς ἐστιν.—ὁρᾷς, ὦ Μέλητε, ὅτι σιγᾷς καὶ οὐκ
ἔχεις εἰπεῖν; καίτοι οὐκ αἰσχρόν σοι δοκεῖ εἶναι καὶ ἱκανὸν
τεκμήριον οὗ δὴ ἐγὼ λέγω, ὅτι σοι οὐδὲν μεμέληκεν; ἀλλ᾽

αἰσχρός, -ά, -όν: shameful, disgraceful, 5
βέλτιστος, -η, -ον: best, very good, 6
βελτίων, -ον (-ονος): better, 8
δεῦρο: here, to this point, hither, 6
δῆλος, -η, -ον: clear, evident, 8
εἰσ-άγω: to lead in, to introduce, bring in, 8
ἐξ-ευρίσκω: to find out, discover
ἐπι-δείκνυμι: show, demonstrate, point out 4
ἱκανός, -ή, -όν: enough, sufficient; capable, 4

καί-τοι: and yet, and indeed, and further, 7
μέλει: there is a care for (dat.) for (gen.), 7
μηνύω: to reveal, make known, inform
νυν: then, now (enclitic νυν is inferential)
ὁράω: to see, look, behold, 9
πλεῖστος, -η, -ον: most/very many/greatest, 7
σιγάω: to be silent, keep silent, 2
τεκμήριον, τό: indication, evidence, sign, 4

9 καὶ (1): *also, too*
ἐπιδεῖξαι: aor. inf.
καὶ (2): *just*; 'actually,' emphatic with εἰπέ;
καί precedes while δή often follows
δεῦρο: *here now*; '(come) here'; drawing
attention to the imperative that follows
εἰπέ: aor. imper. λέγω
ἄλλο τι ἤ: *(is it) anything other than...*;
often introducing a question and
anticipating a 'yes' response
d1 περὶ πλείστου ποιῇ: *consider of the
greatest (importance)*; idiom; ποιέ(σ)αι
is 2s pres. mid.
ὅπως...ἔσονται: *that...*; object clause with
fut. εἰμί
ὡς βέλτιστοι: ὡς + superlative is often
translated 'as...as possible'
3 ἴθι δή νυν: *just come now*; sg. imperative
ἔρχομαι, here used to grab attention
preceding an imperative; δή is a common
emphatic with imperatives, and enclitic
νυν , 'then, therefore' is inferential (S2926)
εἰπέ: see e9; τούτοις refers to the jurors
βελτίους: βελτίο(ν)ας, acc. pl. comparative
ποιεῖ: *makes* (x) (y); a double acc. (obj. and
pred.)
4 δῆλον (ἐστίν)...ὅτι: *clearly*; '(it is) clear

that,' construction often translated as adv.
οἶσθα: 2s οἶδα
μέλον: *it being...*; impersonal acc. abs.;
neut. pple μέλει; a play on Meletus' name
τὸν...διαφθείροντα: *(the one)...*
5 ἐξευρών: *by...*; aor. pple, causal in sense
ὡς φής: *as...*; parenthetical, 2s φημί
ἐμέ: object of the following verbs
τουτοισὶ: *before...*; dat. of compound verb;
deictic iota, 'here,' suggests that he is
pointing to the jurors as he speaks
6 τὸν δὲ δὴ (αὐτοὺς) βελτίους ποιοῦντα:
and now (the one)...; δή, 'now,' is here
resumptive; the pple governs a double acc.;
βελτίο(ν)ας is again acc. pl.
ἴθι εἰπὲ: see line d3 above
μήνυσον: aor. imper.
8 ἔχεις: means 'be able' when governing an
inf.
οὐκ...δοκεῖ: *does it not...?*; question
9 οὗ δὴ: *of just what, of precisely what*; 'of
(that) which,' (τούτου) ὅ; acc. relative is
attracted into gen. of the antecedent; δή is
intensive
ὅτι: *(namely) that...*; in apposition
οὐδὲν: *not at all*; inner acc. ('not care')

31

εἰπέ, ὠγαθέ, τίς αὐτοὺς ἀμείνους ποιεῖ;   10

οἱ νόμοι.

ἀλλ' οὐ τοῦτο ἐρωτῶ, ὦ βέλτιστε, ἀλλὰ τίς ἄνθρωπος, e

ὅστις πρῶτον καὶ αὐτὸ τοῦτο οἶδε, τοὺς νόμους;

οὗτοι, ὦ Σώκρατες, οἱ δικασταί.

πῶς λέγεις, ὦ Μέλητε; οἶδε τοὺς νέους παιδεύειν οἷοί

τέ εἰσι καὶ βελτίους ποιοῦσιν;   5

μάλιστα.

πότερον ἅπαντες, ἢ οἱ μὲν αὐτῶν, οἱ δ' οὔ;

ἅπαντες.

ἀμείνων, -ον (-ονος): better, 6
ἅπας, ἅπασα, ἅπαν: every, all, quite all, 8
βέλτιστος, -η, -ον: best, very good, 6
βελτίων, -ον (-ονος): better, 8
ἐρωτάω: to ask, inquire, question, 4

παιδεύω: to educate, teach, 3
πότερος, -α, -ον: whether, which (of two)? 7
πρῶτος, -η, -ον: first, earliest, 8
πῶς: how?, in what way?, 3

10 εἰπέ: aor. imper. λέγω
   ὦ (ἀ)γαθέ: *good man*; crasis; dir. address
   ἀμείνο(ν)ας: acc. pl.
e1 τίς (ἐστιν) ἄνθρωπος
2 πρῶτον: adverbial acc.
   καὶ: *actually, in fact*; adv. (S2886)
   τοὺς νόμους: in apposition to αὐτὸ τοῦτο
4 πῶς λέγεις: translate λέγω as 'mean,' as
   often following πῶς

οἵδε: demonstrative, i.e. the jurors
οἷοί τέ εἰσι: οἷός τε εἰμί 'be to sort to'
is a common idiom for 'be able' or 'be
possible'
5 βελτίους: βελτίο(ν)ας, acc. pl.
7 πότερον...ἢ...: alternative question;
   πότερον often goes untranslated; assume
   τοὺς νέους παιδεύειν οἷοί τέ εἰσι as verb
   οἱ μὲν..., οἱ δ'...: *some...others...*;

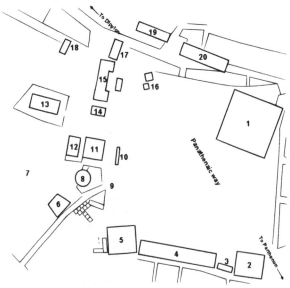

Fig. 1: The Agora of Athens

εὖ γε νὴ τὴν Ἥραν λέγεις καὶ πολλὴν ἀφθονίαν τῶν
ὠφελούντων. τί δὲ δή; οἱ δὲ ἀκροαταὶ βελτίους ποιοῦσιν 10
ἢ οὔ;   25
καὶ οὗτοι.
τί δέ, οἱ βουλευταί;
καὶ οἱ βουλευταί.
ἀλλ' ἄρα, ὦ Μέλητε, μὴ οἱ ἐν τῇ ἐκκλησίᾳ, οἱ ἐκκλη- 5
σιασταί, διαφθείρουσι τοὺς νεωτέρους; ἢ κἀκεῖνοι βελτίους
ποιοῦσιν ἅπαντες;
κἀκεῖνοι.

ἀκροατής, ὁ: hearer, listener (i.e. pupil)
ἅπας, ἅπασα, ἅπαν: every, all, quite all, 8
ἄρα: it turns out, it seems; then, therefore, 9
ἀ-φθονία, ἡ: abundance, plenty, 2
βελτίων, -ον (-ονος): better, 8
βουλευτής, ὁ: Bouleutai, member of the
Boule (council), 2

ἐκκλησία, ἡ: assembly
ἐκκλησιαστής, -οῦ, ὁ: assemblyman
Ἥρα, ἡ: Hera
νή: (yes) by + acc. (in an oath), 4
ὠφελέω: to help, benefit, improve, 4

9 εὖ γε: well...!; 'quite well,' γε is emphatic
and often translated with heightened
intonation on the preceding word; εὖγε is a
common exclamation for 'well said!' or
'well done!'
πολλὴν ἀφθονίαν: and such a great...!;
acc. of exclamation
τῶν ὠφελούντων.: of those...; pple,
partitive
10 τί δὲ δή: Just what then?; τί δὲ; 'what
then?' or 'what about this?' expresses

surprise or incredulity; δή emphasizes the
pronoun
(τοὺς νέους) βελτίο(ν)ας ποιοῦσιν: verb
governs double acc. (obj. and pred.)
a3 τί δέ: what?, what about...?; see line 10
5 μὴ...διαφθείρουσι: surely...not...?; μή
introduces a yes/no question where a 'no'
reply in anticipated
6 τοὺς νεωτέρους: comparative of νέος but
here synonymous with τοὺς νέους
κα(ὶ) ἐκεῖνοι

Key to Figure 1 on p. 32

1 **Square Peristyle**, built early 4th c. BC	11 **Metroon (Old Bouleuterion)**, late 5th c.
2 **Mint**, c. 400	12 **New Bouleuterion**. late 5th c.
3 **SE Fountainhouse**, c. 525	13 **Hephaistion or Theseion**, late 5th c.
4 **South Stoa I.** c. 425	14 **Temple of Apollo Patroos** late 4th c.
5 **Aiakeion**, early 5th c.	15 **Stoa of Zeus Eleutherios**, late 5th c.
6 **Strategeion**, mid-5th c.	16 **Altar of the Twelve Gods**, early 6th c. BC
7 **Stone benches of Agora Hill** late 5th c.	17 **Royal Stoa (Stoa Basileios)**, Built c. 500
8 **Tholos (Prytaneion)** c 470	18 **Temple of Aphrodite Urania**. late 6th c.
9 **Boundary stone**, entrance to agora. c. 500	19 **Painted Stoa** (Stoa Poikile) early 5th c.
10 **Monument of Eponymous Heroes**, 4th c.	20 formerly identified as the Painted Stoa

The **New Bouleuterion** (Council house) housed the *Boule*, a council of 500 citizens called
Bouleutai (see 25a3), who were chosen at random, 50 from each tribe, for one year of service.
    The **Tholos**, also called **Prytaneion**, was a round building that housed the 50 *Prytaneis*
(executive council). Each month, a different tribe from the *Boule* would serve as *pryanteis* and
make day to day decisions when the *Boule* was not in session (cf. 32a-d). The *prytaneis* were
served food here, and this is where Socrates suggests that he be fed at public expense (36d-e).

πάντες ἄρα, ὡς ἔοικεν, Ἀθηναῖοι καλοὺς κἀγαθοὺς
ποιοῦσι πλὴν ἐμοῦ, ἐγὼ δὲ μόνος διαφθείρω. οὕτω λέγεις; 10
πάνυ σφόδρα ταῦτα λέγω.

πολλήν γέ μου κατέγνωκας δυστυχίαν. καί μοι ἀπό-
κριναι· ἦ καὶ περὶ ἵππους οὕτω σοι δοκεῖ ἔχειν; οἱ μὲν
βελτίους ποιοῦντες αὐτοὺς πάντες ἄνθρωποι εἶναι, εἷς δέ b
τις ὁ διαφθείρων; ἢ τοὐναντίον τούτου πᾶν εἷς μέν τις ὁ
βελτίους οἷός τ' ὢν ποιεῖν ἢ πάνυ ὀλίγοι, οἱ ἱππικοί, οἱ δὲ
πολλοὶ ἐάνπερ συνῶσι καὶ χρῶνται ἵπποις, διαφθείρουσιν;
οὐχ οὕτως ἔχει, ὦ Μέλητε, καὶ περὶ ἵππων καὶ τῶν ἄλλων 5

ἄρα: it turns out, it seems; then, therefore, 9
βελτίων, -ον (-ονος): better, 8
δυσ-τυχία, ἡ: bad luck, bad fortune
ἐάν-περ: precisely if, if really, 2
ἐναντίος, -α, -ον: opposite, contrary, 6
ἔοικα: to seem, seem likely, be like (dat.), 5
ἦ: in truth, truly (begins open question), 3
ἱππικός, -ή, -όν: of a horse; *noun* horseman, 3

ἵππος, ὁ: a horse, 8
κατα-γιγνώσκω: condemn (gen) for (acc)
μόνος, -η, -ον: alone, only, solitary, 7
πλήν: except, but (gen.), 3
σύν-ειμι: to be with, associate with (dat.), 6
σφόδρα: exceedingly, very (much), 3
χράομαι: to use, employ, experience (dat.), 2

9 ὡς ἔοικεν: *as...*; parenthetical
   καλοὺς κα(ὶ) ἀγαθοὺς: *fine and good*; acc.
   pred. a description of the aristocratic ideal
10 (τοὺς νέους) ποιοῦσι: add acc. obj.
   λέγεις: *do you mean*; a question without an
   interrogative particle expresses surprise
12 κατέγνωκας: pf.
   ἀπόκριναι: aor. mid. imperative
13 καὶ: *also*
   περὶ: *concerning..., about...* + acc.
   οὕτω...ἔχειν: ἔχω ('holds' or 'is
   disposed') + adv. is equiv. to εἰμί + pred.
b1 οἱ μὲν βελτίο(ν)ας ποιοῦντες αὐτοὺς
   (δοκοῦσιν): *those...* ; i.e. the many; add a
   main verb; note contrast between οἱ μὲν and
   εἷς δέ
2 εἷς δέ τις ὁ διαφθείρων (δοκεῖ εἶναι): *but*

a certain one...; add verb
ἢ τ(ὸ) ἐναντίον τούτου πᾶν: *or entirely...*;
both are adv. acc.
εἷς τις (δοκεῖ εἶναι): add verb; note again
the contrast between εἷς μὲν and οἱ δε
ὁ (ἵππους) βελτίο(ν)ας οἷός τ' ὢν ποιεῖν:
the one...; pple εἰμί in the attibutive position
and subject of main verb; οἷός τε εἰμί 'be to
sort to' is a common idiom for 'be able' or
'be possible;'
4 ἐάνπερ συνῶσι καὶ χρῶνται: *if really...*;
present general condition (ἐάν subj., pres.)
σύνειμι
5 οὐχ οὕτως ἔχει: *Is...?*; ἔχω ('holds' or 'is
disposed' + adv. is equiv. to εἰμί + pred.;
the use of οὐχ anticipates a 'yes' reply

Independent Subjunctives are employed 12 times in five different ways in the dialogue.

1. Hortatory (1st sg. or pl.)[5 times]	ποιῶμεν	*Let us do it.*
2. Deliberative (dir./ind. question)[3]	ποιῶμεν;	*Are we to do it?*
3. Prohibitive (μὴ + 2s aor.) [2]	μὴ ποιήσῃς	*Don't do it! (You should not do it!)*
4. Doubtful Denial (μὴ οὐ + subj.)[1]	μὴ οὐ ποιῇς	*(Surely/ I suppose) you are not doing it*
5. Emphatic Denial (οὐ μὴ + subj.)[1]	οὐ μὴ ποιῇς	*You will NOT do this.*

Hortatory: pp.. 8, 29, 30, 44, 97; Deliberative: 84, 85 (ind. question, 15); Prohibitive: 15, 58; Doubtful
Denial: 91; Emphatic Denial: 54

ἀπάντων ζῴων; πάντως δήπου, ἐάντε σὺ καὶ Ἄνυτος οὐ
φῆτε ἐάντε φῆτε· πολλὴ γὰρ ἄν τις εὐδαιμονία εἴη περὶ
τοὺς νέους εἰ εἷς μὲν μόνος αὐτοὺς διαφθείρει, οἱ δ' ἄλλοι
ὠφελοῦσιν. ἀλλὰ γάρ, ὦ Μέλητε, ἱκανῶς ἐπιδείκνυσαι c
ὅτι οὐδεπώποτε ἐφρόντισας τῶν νέων, καὶ σαφῶς ἀποφαί-
νεις τὴν σαυτοῦ ἀμέλειαν, ὅτι οὐδέν σοι μεμέληκεν περὶ ὧν
ἐμὲ εἰσάγεις.

ἔτι δὲ ἡμῖν εἰπέ, ὦ πρὸς Διὸς Μέλητε, πότερόν ἐστιν 5
οἰκεῖν ἄμεινον ἐν πολίταις χρηστοῖς ἢ πονηροῖς; ὦ τάν, ἀπό-
κριναι· οὐδὲν γάρ τοι χαλεπὸν ἐρωτῶ. οὐχ οἱ μὲν πονηροὶ

ἀμείνων, -ον (-ονος): better, 6
ἀ-μέλεια, ἡ: lack of concern, negligence
ἅπας, ἅπασα, ἅπαν: every, all, quite all, 8
ἀπο-φαίνω: to show, declare, present, 3
δή-που: perhaps, I suppose, surely, 8
ἐάντε...ἐάντε: if...and if, 6
εἰσ-άγω: to lead in, to introduce, bring in, 8
ἐπι-δείκνυμι: show, demonstrate, point out 4
ἐρωτάω: to ask, inquire, question, 4
ἔτι: still, besides, further; in addition, 8
εὐ-δαιμονία, ἡ: happiness, good fortune, 2
Ζεύς, Διός, ὁ: Zeus, 5
ζῷον, τό: animal
ἱκανῶς: sufficiently, adequately, 2
μέλει: there is a care for (dat.) for (gen.), 7

μόνος, -η, -ον: alone, only, solitary, 7
οἰκέω: to manage a household, inhabit, live
πάντως: entirely, absolutely 4
πολίτης, ὁ: citizen, 3
πονηρός, -ά, -όν: wicked, bad, grievous, 3
πότερος, -α, -ον: whether, which (of two)? 7
σαυτοῦ, -ῆ, -οῦ: yourself, 2
σαφῶς: clearly, distinctly, reliably, 2
τάν (τᾶν): sir, my good friend (only in voc.)
τοι: you know, let me tell you, surely, 3
φροντίζω: consider, take thought of (gen), 3
χαλεπός, -ά, -όν: difficult, hard, harsh, 8
χρηστός, -ή, -όν: good, worthy, 2
ὠφελέω: to help, benefit, improve, 4

---

6 ἐάντε...ἐάντε: *whether...or...*; 'both
  if...and if' ' a present general condition
  with suppressed apodosis (supply οὕτως
  ἔχει from c5); 2p subj. φημί, which means
  'claim' or 'assert as true' rather than just
  'say'
7 οὐ φῆτε: *deny..., say that (it is) not...*;
  do not translate as 'do not say'
  ἄν...εἴη: *there would...*; potential opt. εἰμί
c1 ἀλλὰ γάρ: *but in fact*; γάρ explains the
  adversative: 'but (it is not the case) for...'
  ἐπιδείκνυσαι: 2s pres. mid.
3 σαυτοῦ: *your own*; subjective gen.
  ὅτι...μεμέληκεν: *that...*; pf. act.
  οὐδέν: *not at all*; inner acc. ('no care')

περὶ ὧν: *concerning what*; (τούτων) περὶ
  ὧν; the missing antecedent is gen. obj. of
  the verb μεμέληκεν
5 εἰπέ: aor. imper. λέγω
  πρὸς Διός: *before Zeus*; i.e in the eyes of
  Zeus, in exclamation; πρός + gen.
  expresses point of view (S1695)
6 ἐστιν...ἄμεινον: *it is...*; impersonal
  ἀπόκριναι: aor. mid. imperative
7 τοι: *you know*; originally an ethical dat. of
  συ (=σοι), this particle is used to secure the
  interest of the person addressed (S1486)
7 οὐχ οἱ μὲν πονηροὶ: *do...not...?*; a question
  anticipating a 'yes' response

κακόν τι ἐργάζονται τοὺς ἀεὶ ἐγγυτάτω αὐτῶν ὄντας, οἱ δ'
ἀγαθοὶ ἀγαθόν τι;

πάνυ γε.   10

ἔστιν οὖν ὅστις βούλεται ὑπὸ τῶν συνόντων βλάπτεσθαι   d
μᾶλλον ἢ ὠφελεῖσθαι; ἀποκρίνου, ὦ ἀγαθέ· καὶ γὰρ ὁ νόμος
κελεύει ἀποκρίνεσθαι. ἔσθ' ὅστις βούλεται βλάπτεσθαι;
οὐ δῆτα.

φέρε δή, πότερον ἐμὲ εἰσάγεις δεῦρο ὡς διαφθείροντα τοὺς   5
νέους καὶ πονηροτέρους ποιοῦντα ἑκόντα ἢ ἄκοντα;
ἑκόντα ἔγωγε.

ἀεί: always, forever; for the time being, 7
ἄκων, -ουσα, -ον: unwilling, against one's will, 5
βλάπτω: to harm, hurt, 7
δεῦρο: here, to this point, hither, 6
δῆτα: certainly, to be sure; then, in truth, 2
ἐγγύς: near to (gen.); *adv*. nearby, 3
εἰσ-άγω: to lead in, to introduce, bring in, 8

ἑκών, ἑκοῦσα, ἑκόν: willing, intentionally, 4
ἐργάζομαι: to do, work, accomplish, 8
κελεύω: to bid, order, command, 4
πονηρός, -ά, -όν: wicked, bad, grievous, 3
πότερος, -α, -ον: whether, which (of two)? 7
σύν-ειμι: to be with, associate with (dat.), 6
φέρω: to carry, bring; endure, bear, 3
ὠφελέω: to help, benefit, improve, 4

8 ἐργάζονται: *do* (acc) *to* (acc); governs a double acc.
    τοὺς...ὄντας: *those...*; pple εἰμί
    ἐγγυτάτω: irreg. superlative adv.
    αὑτῶν: (ἑ)αυτῶν; reflexive (note accent)
    οἱ δ' ἀγαθοὶ ἀγαθόν τι (ἐργάζονται τοὺς ἀεὶ ἐγγυτάτω αὐτῶν ὄντας): ellipsis
7 πάνυ γε: *quite so*; common reply in Plato
d1 ἔστιν οὖν ὅστις: *is there then anyone who...?*; a question
    ὑπὸ...: *by...*; ὑπό + gen, expressing agency
2 ἀποκρίνε(σ)ο: 2s pres. mid. imperative
    ὦ ἀγαθέ: *good man*
    καὶ γὰρ: *for in fact*; καί is adv.
3 ἔσθ': *is there...?*; ἔστ(ι) before an aspirated vowel

5 φέρε δή: *come now*; imper. often used to draw attention to an imperative or question
    πότερον...ἤ...: alternative question; πότερον often goes untranslated
    ὡς διαφθείροντα...: *on the grounds that...*, *in the belief that...*; 'since;' ὡς + pple expresses alleged cause from a character's point of view
6 πονηροτέρους (τοὺς νέους) ποιοῦντα: governs a double acc.
7 ἑκόντα ἔγωγε: *willingly, I am*; ellipsis: assume the verb and participles from the previous question; yes/no replies in Greek often repeat the wording of the question (e.g. Is she going to the store? She is.)

Result (Consecutive) clauses with ὥστε[20] (so as, so that) can govern infinitives, indicatives, subjunctives or optatives, and are often introduced in the main clause by οὕτως (*so*), τοιοῦτος (*such, this sort*) or, most often in the *Apology*, τοσοῦτος (*so much/ many/great*).

1. Natural result: ὥστε (μή) + infinitive offers a result that is natural or likely to follow from the main clause. If there is an acc. subject, translate ὥστε as 'so that.'

ὥστε μὴ δύνασθαι λογίζεσθαι	*so as not to be able to consider*	(37c7)
ὥστε με ἐμαυτὸν ἀνερωτᾶν	*so that I asked myself*	(22e1)

2. Actual result: ὥστε (οὐ) + finite verb offers a result that is or will be produced from the main verb. Translate ὥστε as 'so that' or just 'that.'

ὥστε σὺ μὲν ἔγνωκας	*so that you have learned*	(25d9)

τί δῆτα, ὦ Μέλητε; τοσοῦτον σὺ ἐμοῦ σοφώτερος εἶ τη-
λικούτου ὄντος τηλικόσδε ὤν, ὥστε σὺ μὲν ἔγνωκας ὅτι οἱ
μὲν κακοὶ κακόν τι ἐργάζονται ἀεὶ τοὺς μάλιστα πλησίον   10
ἑαυτῶν, οἱ δὲ ἀγαθοὶ ἀγαθόν, ἐγὼ δὲ δὴ εἰς τοσοῦτον ἀμα-   e
θίας ἥκω ὥστε καὶ τοῦτ' ἀγνοῶ, ὅτι ἐάν τινα μοχθηρὸν
ποιήσω τῶν συνόντων, κινδυνεύσω κακόν τι λαβεῖν ὑπ' αὐτοῦ,
ὥστε τοῦτο ⟨τὸ⟩ τοσοῦτον κακὸν ἑκὼν ποιῶ, ὡς φῂς σύ;
ταῦτα ἐγώ σοι οὐ πείθομαι, ὦ Μέλητε, οἶμαι δὲ οὐδὲ ἄλλον   5
ἀνθρώπων οὐδένα· ἀλλ' ἢ οὐ διαφθείρω, ἢ εἰ διαφθείρω,
ἄκων, ὥστε σύ γε κατ' ἀμφότερα ψεύδῃ. εἰ δὲ ἄκων δια-,   26

ἀγνοέω: not know, be ignorant of, 2
ἀεί: always, forever; for the time being, 7
ἄκων, -ουσα, -ον: unwilling, against one's will, 5
ἀ-μαθία, ἡ: ignorance, folly, 3
ἀμφότερος, -α, -ον: both, each of two, 2
γιγνώσκω: to learn, realize; know, 6
δῆτα: certainly, to be sure; then, in truth, 2
ἑκών, ἑκοῦσα, ἑκόν: willing, intentionally, 4
ἐργάζομαι: to do, work, accomplish, 8

ἥκω: to have come, be present, 2
κινδυνεύω: run the risk of, be likely to (inf), 9
λαμβάνω: to take, receive, catch, grasp, 9
μοχθηρός, -ή, -όν: wretched, worse-off
πλησίος, -η, -ον: near, close to (gen.)
σύν-ειμι: to be with, associate with (dat.), 6
τηλικόσδε, -ήδε, -όνδε: of this age, 3
τηλικοῦτος, -αύτη, -οῦτο: of this age
ψεύδομαι: to deceive with lies; *mid.* lie, 6

8 **τί δῆτα**: *What then? Just what then?*;
   similiar to τί δὲ (δή); τί δῆτα marks an
   inference or consequence that expresses
   surprise or incredulity (S2851)
   τοσοῦτον: *are you so much...?*; adv. acc.
   (acc. of extent in degree, i.e. 'wiser by so
   much') with the comparative
   ἐμοῦ: gen. of comparison, modified by pple
   and pred. τηλικούτου ὄντος
   εἶ: 2s pres. εἰμί
9 **τηλικόσδε ὤν**: nom. pple εἰμί
   ὥστε σὺ μὲν ἔγνωκας: *that...*; result, pf.
10 **ἐργάζονται**: *do* (acc) *to* (acc); governs a
   double acc.
   τοὺς μάλιστα πλησίον ἑαυτῶν (ὄντας):
   those...; supply pple εἰμί
e1 **οἱ δὲ ἀγαθοὶ ἀγαθόν (τι ἐργάζονται ἀεὶ**
   τοὺς μάλιστα πλησίον ἑαυτῶν ὄντας):
   heavy ellipsis
2 **ἐγὼ δὲ δὴ**: *but just I...*; i.e. I and not other;
   in contrast to σὺ μὲν above
   εἰς τοσοῦτον: *to such a degree*
   ὥστε καὶ τοῦτ(ο) ἀγνοῶ: *that...*; result
   clause parallel to l. 9; καί is adverbial
   ὅτι: *(namely) that...*; in apposition

ἐάν...ποιήσω, κινδυνεύσω: *if...*; fut. more
vivid (ἐάν subj., fut.); 1s aor. subj. ποιέω,
which governs a double acc. (obj. and pred.)
3 **τῶν συνόντων**: *of associates*; partitive
   ὑπ' αὐτοῦ: *at the hands of, because of...*;
   gen. expresssing cause
4 **ὥστε...ποιῶ**: *so that...*; result clause;
   diamond brackets indicate text not in the
   manuscript tradition but supplied by the
   editor
   ὡς φῂς σύ: *as...*; parenthetical, 2s φημί
5 **ταῦτα**: *in...*; acc. respect
   οὐδὲ ἄλλον ἀνθρώπων οὐδένα
   (σοι πείθεσθαι): *that not....either*; ind. disc.,
   supply inf.; οὐδὲ is used to build a climax
   ('nor yet' or 'not...either') and οὐδένα is
   positive following the negation: 'any'
   ἀλλ(ὰ)
   ἢ...ἢ: *either...or...*
a1 **ἄκων (διαφθείρω)**: ellipsis
   σύ γε: *you for your part, you at least*; γε is
   restrictive and emphatic
   κατ' ἀμφότερα: *in both options*; 'in
   accordance with both (options)'
   ψεύδῃ: ψεύδε(σ)αι, 2s pres. mid.

37

φθείρω τῶν τοιούτων [καὶ ἀκουσίων] ἁμαρτημάτων οὐ δεῦρο
νόμος εἰσάγειν ἐστίν, ἀλλὰ ἰδίᾳ λαβόντα διδάσκειν καὶ νου-
θετεῖν· δῆλον γὰρ ὅτι ἐὰν μάθω, παύσομαι ὅ γε ἄκων ποιῶ.
σὺ δὲ συγγενέσθαι μέν μοι καὶ διδάξαι ἔφυγες καὶ οὐκ   5
ἠθέλησας, δεῦρο δὲ εἰσάγεις, οἷ νόμος ἐστὶν εἰσάγειν τοὺς
κολάσεως δεομένους ἀλλ᾽ οὐ μαθήσεως.

ἀλλὰ γάρ, ὦ ἄνδρες Ἀθηναῖοι, τοῦτο μὲν ἤδη δῆλον
οὑγὼ ἔλεγον, ὅτι Μελήτῳ τούτων οὔτε μέγα οὔτε μικρὸν   b
πώποτε ἐμέλησεν. ὅμως δὲ δὴ λέγε ἡμῖν, πῶς με φῂς

ἀκούσιος, -ον: unwilling, unvoluntary
ἄκων, -ουσα, -ον: unwilling, against one's will, 4
ἁμάρτημα, -ατος, τό: failing, error, fault, 2
δεῦρο: here, to this point, hither, 6
δῆλος, -η, -ον: clear, evident, 8
ἐθέλω: to be willing, wish, want, 6
εἰσ-άγω: to lead in, to introduce, bring in, 8
ἴδιος, -α, -ον: one's own; ἰδίᾳ, in private, 7
κόλασις, -εως, ὁ: correction, chastisement
λαμβάνω: to take, receive, catch, grasp, 9

μάθησις, -εως, ἡ: learning
μανθάνω: to learn, understand, 6
μέλει: there is a care for (dat.) for (gen.), 7
μικρός, -ά, -όν: small, little, insignificant, 4
νουθετέω: to put in mind; warn, admonish
οἷ: to where, 3
ὅμως: nevertheless, however, yet, 5
παύω: to stop, make cease; mid. cease, 3
πῶς: how?, in what way?, 3
συγ-γίγνομαι: to be with, associate with, 2
φεύγω: to flee, avoid; defend in court, 4

2 **τῶν τοιούτων...ἁμαρτημάτων**: for...; gen. of charge; square brackets indicates that the editor thinks the text should be omitted
νόμος...ἐστίν: it is customary; an idiom; assume people in general as obj. of εἰσάγειν
3 **ἰδίᾳ**: privately; dat. of manner as adv.
λαβόντα διδάσκειν καὶ νουθετεῖν: that (he) pulling (them aside)...; ind. disc. governed by νόμος ἐστίν; assume people in general as object of all verbs
4 **δῆλον (ἐστίν) ὅτι**: clearly; 'it is clear that'
ἐὰν μάθω, παύσομαι (ποιῶ): if...; fut. more vivid (ἐάν subj., fut.); 1s aor. subj.; add a complementary pple
ὅ: what...; (τοῦτο) ὅ, '(that) which,' relative, the missing antecedent is obj. of main verb; γε emphasizes the entire clause

5 **μοι**: with...; dat. of compound verb
ἔφυγες: 2s aor. φεύγω, 'avoid' + aor. infs.
6 **δεῦρο δὲ εἰσάγεις**: acc. obj.. in next clause
οἷ: relative adv.
νόμος ἐστίν: it is customary; an idiom
τοὺς...δεομένους: those...; pple δέομαι
7 **κολάσεως, μαθήσεως.**: from...; separation
8 **ἀλλὰ γάρ**: but in fact; γάρ explains the adversative: 'but (it is not the case) for...'
τοῦτο (ἐστίν) δῆλον: add linking verb
b1 **ὃ (ἐ)γὼ ἔλεγον**: which...; crasis, a relative clause with τοῦτο as antecedent
ὅτι...: (namely) that...; appositive to τοῦτο
οὔτε μέγα οὔτε σμικρὸν: neither a lot nor a little; adverbial acc. (inner acc. 'neither a big care nor a little care')
2 **δὴ**: now, then, accordingly; resumptive
φῂς: 2s φημί

διαφθείρειν, ὦ Μέλητε, τοὺς νεωτέρους; ἢ δῆλον δὴ ὅτι
κατὰ τὴν γραφὴν ἣν ἐγράψω θεοὺς διδάσκοντα μὴ νομίζειν
οὓς ἡ πόλις νομίζει, ἕτερα δὲ δαιμόνια καινά; οὐ ταῦτα 5
λέγεις ὅτι διδάσκων διαφθείρω;
πάνυ μὲν οὖν σφόδρα ταῦτα λέγω.

πρὸς αὐτῶν τοίνυν, ὦ Μέλητε, τούτων τῶν θεῶν ὧν νῦν
ὁ λόγος ἐστίν, εἰπὲ ἔτι σαφέστερον καὶ ἐμοὶ καὶ τοῖς ἀν-
δράσιν τουτοισί. ἐγὼ γὰρ οὐ δύναμαι μαθεῖν πότερον λέγεις c
διδάσκειν με νομίζειν εἶναί τινας θεούς—καὶ αὐτὸς ἄρα νομίζω
εἶναι θεοὺς καὶ οὐκ εἰμὶ τὸ παράπαν ἄθεος οὐδὲ ταύτῃ ἀδικῶ

ἄ-θεος, -ον: godless
ἄρα: it turns out, it seems; then, therefore, 9
γραφή, ἡ: indictment, prosecution, 7
γράφομαι: to indict, 5
δαιμόνιος, α, ον: divine; *neut.* divine being, 9
δῆλος, -η, -ον: clear, evident, 8
δύναμαι: to be able, can, be capable, 5
ἕτερος, -α, -ον: other, one…other, different, 8

ἔτι: still, besides, further; in addition, 8
καινός, -ή, -όν: new, novel, strange, 3
μανθάνω: to learn, understand, 6
παράπαν: altogether, entirely, absolutely, 2
πότερος, -α, -ον: whether, which (of two)? 7
σαφής, -ές: clear, distinct, reliable
σφόδρα: exceedingly, very (much), 3
τοί-νυν: therefore, accordingly; well then, 2

---

3 **με διαφθείρειν**: *that…*; ind. disc.
 τοὺς νεωτέρους: comparative of νέος but here synonymous with τοὺς νέους
 δῆλον δὴ (ἐστίν) ὅτι: *quite clearly*; or '(it is) quite clear that,' emphatic
4 **κατὰ…**: *according to…*
 ἣν ἐγράψα(σ)ο: relative with 2s aor. mid.
 διδάσκοντα: *by…*; pple causal in sense, agreeing with acc. subject με in previous question; Socrates answers his own question : '(you say that I corrupt the youth) by…'
 θεοὺς…μὴ νομίζειν: *not to…*; ind. command governed by διδάσκοντα; μή rather than οὐ indicates a wish or command rather than statement
6 **ταῦτα**: obj. of διδάσκων
 διδάσκων: *by…*; causal pple
7 **πάνυ μὲν οὖν**: *quite certainly*; μέν οὖν expresses positive certainty (S2901)
8 **πρὸς…θεῶν**: *in the eyes of…*; 'before…' , in exclamation; πρός + gen. expresses point

of view (S1695); αὐτῶν is intensive
 ὧν νῦν ὁ λόγος ἐστί: *(about) which there is a speech now*; this gen. pl. relative is equiv. περὶ ὧν (S1380)
9 **εἰπέ**: aor. imper. λέγω
 σαφέστερον: comparative adv.
 καὶ…καὶ: *both…and*
c1 **τουτοισί**: *these here*; deictic iota suggests that he is pointing to the jurors
 μαθεῖν πότερον…ἤ…: *to understand whether…or…*; ind. alternative question with second half in c5; Socrates points out the contradiction in Meletus' claim that Socrates does not believe in gods but believes in δαιμόνια
 διδάσκειν με: *that I…*; ind. disc.
2 **(τοὺς νέους) νομίζειν εἶναί τινας θεούς**: *(the youth) to believe that some gods exist*
 καὶ αὐτὸς: *and (I) myself…*; 1s intensive
3 **εἶναι θεούς**: *that…*; ind. disc.
 τὸ παράπαν: *altogether*; = παράπαν
 ταύτῃ: *in this way*; dat. of manner

—οὐ μέντοι οὕσπερ γε ἡ πόλις ἀλλὰ ἑτέρους, καὶ τοῦτ' ἔστιν

ὅ μοι ἐγκαλεῖς, ὅτι ἑτέρους, ἢ παντάπασί με φῇς οὔτε 5

αὐτὸν νομίζειν θεοὺς τούς τε ἄλλους ταῦτα διδάσκειν.

ταῦτα λέγω, ὡς τὸ παράπαν οὐ νομίζεις θεούς.

ὦ θαυμάσιε Μέλητε, ἵνα τί ταῦτα λέγεις; οὐδὲ ἥλιον d

οὐδὲ σελήνην ἄρα νομίζω θεοὺς εἶναι, ὥσπερ οἱ ἄλλοι ἄν-

θρωποι;

μὰ Δί', ὦ ἄνδρες δικασταί, ἐπεὶ τὸν μὲν ἥλιον λίθον

φησὶν εἶναι, τὴν δὲ σελήνην γῆν. 5

Ἀναξαγόρου οἴει κατηγορεῖν, ὦ φίλε Μέλητε; καὶ οὕτω

Ἀναξαγόρας, ου, ὁ: Anaxagoras, 2
ἄρα: it turns out, it seems; then, therefore, 9
γῆ, γῆς ἡ: earth, land, ground, 4
ἐγ-καλέω: call (acc.) (a charge) upon (dat.), 2
ἐπεί: when, after; since, because, 5
ἕτερος, -α, -ον: other, one…other, different, 8
Ζεύς, Διός, ὁ: Zeus, 5
ἥλιος, ὁ: sun, 2

θαυμάσιος, -α, -ον: strange, wonderful, 4
λίθος, ὁ: a stone
μά: *(no) by* + acc. (in an oath), 3
παντά-πασι: all in all, altogether, 2
παράπαν: altogether, entirely, absolutely, 2
σελήνη, ἡ: the moon, 2
φίλος -η -ον: dear, friendly; friend, kin 5

---

4 **οὕσπερ γε ἡ πόλις (νομίζει)**: *the very ones which…*; θεούς is antecedent; supply verb, γε adds to the emphasis placed by -περ
ὅ μοι ἐγκαλεῖς: *what…*; '(that) which' (ἐκεῖνο) ὅ the antecedent is missing

5 **ὅτι ἑτέρους (νομίζω)**: *(namely) that…*; in apposition
ἤ: *or…*; second half of the πότερον…ἤ ind. question begun in c1 above
φῇς: 2s φημί
οὔτε…τε…: *both not…and*
με…αὐτὸν νομίζειν θεούς: *that I myself…*; intensive pronoun

6 **(με αὐτὸν) ἄλλους ταῦτα διδάσκειν**: *that…*; verb governs a double acc.
ὡς…: *(namely) that…*; in apposition

7 **τὸ παράπαν**: *altogether*; = παράπαν

d1 **ἵνα τί (γένηται)**: *Why…? To what end…?*;

'in order that WHAT (may happen)?' a purpose clause suddenly changed into a direct question; the verb is often missing but understood (S2644)

2 **οὐδὲ… οὐδὲ**: *not even…nor*; adv and conj., it never translates as οὔτε…οὔτε…

4 **μὰ Δί(α),**: *(No), by Zeus*; Meletus is speaking; μά is often used in a negative sense as understood from the context
ἐπεί: *(I say this) since*

5 **φησίν**: 3s pres. φημί; Meletus is replying and refers to Socrates as 3s subject

6 **οἴει**: οἴε(σ)αι, 2s pres. mid. οἴομαι
Ἀναξαγόρου: gen. obj. of the inf.; Anaxagoras of Clazomene (ca. 500-429 BC), who described the world as made up of imperishable material elements

---

Type of Condition	Protasis (if-clause)	Apodosis (then-clause)
Simple [0]	εἰ + any indicative	any indicative
Present General (Indefinite) [5]	εἰ + ἄν + subj. (*if ever*)	present ind.
Past General (Indefinite) [2]	εἰ + optative (*if ever*)	past ind.
Future More Vivid [17]	εἰ + ἄν + subjunctive	future ind.
Future Less Vivid [12]	εἰ + optative (*should*)	ἄν + optative (*would*)
Contrary to Fact [15] present	εἰ + impf. ind. (*were*)	ἄν + impf. ind. (*would*)
past	εἰ + aor. ind. (*had*)	ἄν + aor. ind. (*would have*)

καταφρονεῖς τῶνδε καὶ οἴει αὐτοὺς ἀπείρους γραμμάτων εἶναι
ὥστε οὐκ εἰδέναι ὅτι τὰ Ἀναξαγόρου βιβλία τοῦ Κλαζομε-
νίου γέμει τούτων τῶν λόγων; καὶ δὴ καὶ οἱ νέοι ταῦτα παρ᾽
ἐμοῦ μανθάνουσιν, ἃ ἔξεστιν ἐνίοτε εἰ πάνυ πολλοῦ δραχμῆς   10
ἐκ τῆς ὀρχήστρας πριαμένοις Σωκράτους καταγελᾶν, ἐὰν   e
προσποιῆται ἑαυτοῦ εἶναι, ἄλλως τε καὶ οὕτως ἄτοπα ὄντα;
ἀλλ᾽, ὦ πρὸς Διός, οὑτωσί σοι δοκῶ; οὐδένα νομίζω θεὸν
εἶναι;

οὐ μέντοι μὰ Δία οὐδ᾽ ὁπωστιοῦν.   5

ἄλλως: otherwise, in another way, 3
ἄ-πειρος, -ον: inexperienced in (gen)
ἄ-τοπος, -ον: strange, odd, extraordinary, 3
Ἀναξαγόρας, ου, ὁ: Anaxagoras, 2
βιβλίον, τό: a scroll, book
γέμω: to be full of (gen)
γράμμα, γράμματος, τό: letter
δραχμή, ἡ: drachma, 2
ἐνι-οτε: sometimes, from time to time
ἔξ-εστι: it is allowed, is possible, 3
Ζεύς, Διός, ὁ: Zeus, 5

κατα-γελάω: to laugh at, ridicule (gen.)
κατα-φρονέω: think down on/despise (gen) 2
Κλαζομενίος, -α, -ον: of Clazomenae
μά: *(no) by* + acc. (in an oath), 3
μανθάνω: to learn, understand, 6
ὁπωστιοῦν: in any way whatever, 2
ὀρχήστρα, ἡ: orchestra
οὑτωσί: in this here way, thus, so, 4
πρίαμαι: to buy
προσ-ποιοῦμαι: lay claim to, pretend, 3

---

7 τῶνδε: i.e. the jurors; gen. obj. of verb
  οἴει: οἴε(σ)αι, 2s pres. mid. οἴομαι
  αὐτοὺς ἀπείρους γραμμάτων εἶναι:
  that...; ind. disc., αὐτοὺς refers to the jurors
8 ὥστε οὐκ εἰδέναι: *so as...*; result clause
  with inf. οἶδα
9 τῶν λόγων: *sayings, accounts*
  καὶ δὴ καὶ: *in particular*; 'and indeed also'
  παρ᾽ ἐμοῦ: *from...*
10 εἰ πάνυ πολλοῦ: *if for quite much*;
  parenthetical, gen. of price; i.e. 'if you pay a
  high price' or 'at most'
  δραχμῆς: *for...*; gen. of price
e1 ἐκ τῆς ὀρχήστρας πριαμένοις: *for
  (those)...*; pres. mid. pple, dat. interest with
  ἔξεστιν, Socrates suggests that Anaxagoras'
  work is popular and can easily be purchased
  from booksellers; the orchestra here is part
  of the agora, not the theatre

καταγελᾶν: α-contract inf.; Σωκράτε-ος
  is gen.
2 (ταῦτα) ἑαυτοῦ εἶναι: *that (these
  matters)...*; ind. disc. with gen. possession
  as predicate; Socrates is talking about
  himself in the 3ʳᵈ pers.
  ἄλλως τε καὶ: *especially*; 'both otherwise
  and...'
  οὕτως ἄτοπα ὄντα: *(while)...*; neut. pple
  εἰμί modifies acc. subject ταῦτα above
  οὑτωσί: the deictic iota on the adv. οὕτως
  adds emphasis: 'just so' or 'in just this way'
3 πρὸς Διός: *in the eyes of Zeus*; i.e before
  Zeus, in exclamation; πρός + gen.
  expresses point of view (S1695)
  οὐδένα...θεὸν εἶναι: *that no god exists*;
  'that there is no god,' ind. disc.
5 οὐ μέντοι: *certainly not*; 'No, certainly'
  Δία: acc. Zeus

ἄπιστός γ' εἶ, ὦ Μέλητε, καὶ ταῦτα μέντοι, ὡς ἐμοὶ
δοκεῖς, σαυτῷ. ἐμοὶ γὰρ δοκεῖ οὑτοσί, ὦ ἄνδρες Ἀθηναῖοι,
πάνυ εἶναι ὑβριστὴς καὶ ἀκόλαστος, καὶ ἀτεχνῶς τὴν γρα-
φὴν ταύτην ὕβρει τινὶ καὶ ἀκολασίᾳ καὶ νεότητι γράψασθαι.
ἔοικεν γὰρ ὥσπερ αἴνιγμα συντιθέντι διαπειρωμένῳ "ἆρα   27
γνώσεται Σωκράτης ὁ σοφὸς δὴ ἐμοῦ χαριεντιζομένου καὶ
ἐναντί' ἐμαυτῷ λέγοντος, ἢ ἐξαπατήσω αὐτὸν καὶ τοὺς ἄλ-
λους τοὺς ἀκούοντας;" οὗτος γὰρ ἐμοὶ φαίνεται τὰ ἐναντία
λέγειν αὐτὸς ἑαυτῷ ἐν τῇ γραφῇ ὥσπερ ἂν εἰ εἴποι· "ἀδικεῖ   5
Σωκράτης θεοὺς οὐ νομίζων, ἀλλὰ θεοὺς νομίζων." καίτοι

ἀ-κολασία, ἡ: intemperance, licentiousness
αἴνιγμα, -ατος, τό: riddle
ἀ-κόλαστος, -ον: intemperate, licentious
ἄ-πιστος, -ον:, ὁ: notbelieveable (dat.), 1
ἆρα: introduces a yes/no question, 3
ἀ-τεχνῶς: simply, absolutely, quite, 6
γιγνώσκω: to learn, realize; know, 6
γραφή, ἡ: indictment, prosecution, 7
γράφομαι: to indict, 5
δια-πειράομαι: to test, make trial of
ἐναντίος, -α, -ον: opposite, contrary (dat.), 6

ἐξ-απατάω: to deceive, beguile, trick, 2
ἔοικα: to seem, seem likely, be like (dat.), 5
καί-τοι: and yet, and indeed, and further, 7
νεότης, νεότητος, ἡ: youth
σαυτοῦ, -ῆ, -οῦ: yourself, 2
συν-τίθημι: to put together, combine
ὕβρις, ἡ: outrage, assault, insult, violence
ὑβριστής, -ές: overbearing, outrageous
φαίνω: show; *mid.* appear, seem, 7
χαριεντίζομαι: to jest, be witty, 3

6 γε: emphatic
   εἶ: 2s εἰμί
   καὶ ταῦτα μέντοι...(ἄπιστός εἶ)...: *and
   what is more moreover (you are not
   believable)...!;* i.e. even you do not believe
   this; καὶ ταῦτα, 'and what is more,' is a
   common acc. of respect; μέντοι gives
   liveliness to the additional point
   ὡς ἐμοὶ δοκεῖς: *as*...; parenthetical
7 οὑτοσ-ί: *this here one*; deictic iota
8 τὴν γραφὴν ταύτην...γράψασθαι: *to
   bring this indictment*; cognate acc.
   ὕβρει...νεότητι: *because of*...; dat. of cause
a1 ἔοικεν: Meletus is subject
   ὥσπερ...διαπειρωμένῳ: *as if (one)*...;
   pres. mid. pple agreeing with the missing
   but understood dat. obj. of ἔοικεν
   αἴνιγμα συντιθέντι: *by*...; dat. pres. pple is
   causal in sense

ἆρα γνώσεται Σωκράτης...: i.e. the
αἴνιγμα; Socrates imagines Meletus saying
these words to the jurors; fut. γιγνώσκω
2 δὴ: *quite*; intensive with σοφὸς
   ἐμοῦ...λέγοντος: gen. abs.
3 ἐναντί(α) ἐμαυτῷ: *(things)*...; neut. pl.
   substantive, i.e. contradicting myself
4 τὰ ἐναντία: *(things)*...; another substantive
5 αὐτὸς ἑαυτῷ: intensive and reflexive
   pronouns juxtaposed for emphasis; dat. of
   special adj.
   ὥσπερ ἂν εἰ εἴποι: *just as (he would) if
   he should*...; fut. less vivid (εἰ opt., ἂν +
   opt.) aor. opt. λέγω with a suppressed
   apodosis, which is represented only by ἂν
   (the apodosis is often omitted when it is the
   same verb as the protasis, S2351); for same
   construction, see 23a8
6 νομίζων: *by*...; both pples are causal

Future Passive[4]: aorist passive stem + σ + primary middle/passive endings

ὑπ' ἐμοῦ ἐξελεγχθήσονται (17b2)	*they will be examined by me*
πάντες...διαφθαρήσονται (29c3)	*all will be corrupted*
ὅστις...σωθήσεται (31e2)	*anyone who will be saved*
εἰ μέλλει...σωθήσεσθαι (17b2)	*if he intends to be saved*

τοῦτό ἐστι παίζοντος.

συνεπισκέψασθε δή, ὦ ἄνδρες, ᾗ μοι φαίνεται ταῦτα
λέγειν· σὺ δὲ ἡμῖν ἀπόκριναι, ὦ Μέλητε. ὑμεῖς δέ, ὅπερ
κατ᾽ ἀρχὰς ὑμᾶς παρῃτησάμην, μέμνησθέ μοι μὴ θορυβεῖν b
ἐὰν ἐν τῷ εἰωθότι τρόπῳ τοὺς λόγους ποιῶμαι.

ἔστιν ὅστις ἀνθρώπων, ὦ Μέλητε, ἀνθρώπεια μὲν νομίζει
πράγματ᾽ εἶναι, ἀνθρώπους δὲ οὐ νομίζει; ἀποκρινέσθω, ὦ
ἄνδρες, καὶ μὴ ἄλλα καὶ ἄλλα θορυβείτω· ἔσθ᾽ ὅστις ἵππους 5
μὲν οὐ νομίζει, ἱππικὰ δὲ πράγματα; ἢ αὐλητὰς μὲν οὐ
νομίζει εἶναι, αὐλητικὰ δὲ πράγματα; οὐκ ἔστιν, ὦ ἄριστε

ἀνθρώπειος, -α, -ον: human, of a human
ἄριστος, -η, -ον: best, very good, noblest, 5
ἀρχή, ἡ: beginning; rule, office, 9
αὐλητής, -οῦ ὁ: a flute-player
αὐλητικός, -ή, -όν: of the flute
εἴωθα: to be accustomed, 5
θορυβέω: to make an uproar, disturbance, 7
ἱππικός, -ή, -όν: of a horse; noun horseman, 3

ἵππος, ὁ: a horse, 8
μιμνήσκω: to recall, remember, 2
παίζω: to be playing, play, jest, 2
παρ-αιτέομαι: to ask from, ask as a favor
συν-επι-σκέπτομαι: to join in examining
τρόπος, ὁ: manner, way; turn, direction, 5
φαίνω: show; mid. appear, seem, 7

7 παίζοντος: (the work of one...); pple and
gen. of characteristic as predicate of ἐστι
δή: just, now; intensive with an imperative
ᾗ: in what way; or 'how,' relative adv.
9 ἀπόκριναι: aor. mid. imperative
ὅπερ: the very thing which...; relative, the
antecedent is the entire main clause
b1 κατ᾽ ἀρχὰς: in the beginning; i.e. 17c
μέμνησθέ: 2p pf. imperative: translate as
present (S1946)
μοι: for...; dat. interest or ethical dat.
μὴ θορυβεῖν: not to...; as often, μή is used
instead of οὐ in wishes and commands
2 ἐὰν...ποιῶμαι: if...; equiv. of fut. more
vivid, but with imper. in place of the fut.;
τοὺς λόγους ποιεῖσθαι an idiom for 'make
conversation'

εἰωθότι: dat. sg. pf. pple
3 ἔστιν ὅστις: is there anyone who...?
4 ἀνθρώπους (εἶναι): that...(exist); ind.
disc.; the inf. must be added often below
ἀποκρινέσθω: Let...; 3rd person mid.
imperative, sg.
μὴ...θορυβείτω: Don't let...; neg. 3rd
person act. imperative, sg.
ἄλλα καὶ ἄλλα: in one way and another;
inner acc. ('make one disturbance and
another disturbance'); the plural suggests
repeated action
5 ἔστ(ι) ὅστις: is there anyone who...?
ἵππους (εἶναι)...: that...; ellipsis, assume
the inf. εἶναι, 'exist' throughout the passage
7 οὐκ ἔστιν: there is not (anyone); Socrates
answers his own questions

Passive Deponents have an aorist passive form but are active or middle in meaning (S811-6).

	aor. dep.		as identified in the speech
αἰσχύνομαι	ᾐσχύνθην	I felt ashamed	αἰσχυνθῆναι
ἀνα-μιμνήσκω	ἀνεμνήσθην	I recalled	ἀναμνησθείς
δέομαι	ἐδεήθην	I asked	ἐδεήθην, ἐδεήθη, καταδεηθείη
δια-λέγομαι	διελέχθην	I conversed	διαλεχθείην
ἐναντιόομαι	ἠναντιώθην	I opposed	ἠναντιώθην, ἠναντιώθη, ἠναντιώθη
ἐπιμελέομαι	ἐπεμελήθην	I cared for	ἐπιμεληθείη
οἴομαι	ᾠήθην	I thought	ᾠήθην, ᾠήθην, οἰήθητε, οἰηθείη
φοβέω	ἐφοβήθην	I feared	φοβηθείς, φοβηθέντα

ἀνδρῶν· εἰ μὴ σὺ βούλει ἀποκρίνεσθαι, ἐγὼ σοὶ λέγω καὶ
τοῖς ἄλλοις τουτοισί. ἀλλὰ τὸ ἐπὶ τούτῳ γε ἀπόκριναι·
ἔσθ᾽ ὅστις δαιμόνια μὲν νομίζει πράγματ᾽ εἶναι, δαίμονας δὲ   c
οὐ νομίζει;
οὐκ ἔστιν.
ὡς ὤνησας ὅτι μόγις ἀπεκρίνω ὑπὸ τουτωνὶ ἀναγκαζό-
μενος. οὐκοῦν δαιμόνια μὲν φής με καὶ νομίζειν καὶ διδά-   5
σκειν, εἴτ᾽ οὖν καινὰ εἴτε παλαιά, ἀλλ᾽ οὖν δαιμόνιά γε
νομίζω κατὰ τὸν σὸν λόγον, καὶ ταῦτα καὶ διωμόσω ἐν τῇ
ἀντιγραφῇ. εἰ δὲ δαιμόνια νομίζω, καὶ δαίμονας δήπου

ἀναγκάζω: to force, compel, require
ἀντι-γραφή, ἡ: (defendant's) affidavit,
　written reply to an indictment,
δαιμόνιος, α, ον: divine; *neut.* divine being, 9
δαίμων, -ονος, ὁ: a divine being or spirit, 8
δι-όμνυμι: to swear an oath

καινός, -ή, -όν: new, novel, strange, 3
μόγις: with difficulty, scarcely, hardly, 2
ὀνίνημι: to profit, benefit, benefit from, 2
οὐκοῦν: therefore, then, accordingly, 2
παλαιός, -ά, -όν: old, aged, ancient, 2
σός, -ή, -όν: your, yours, 3

8 βούλει: βούλε(σ)αι, 2s pres. mid.
　λέγω: *let…*; 1s hortatory subj.
　τὸ ἐπὶ τούτῳ: *the next thing*; 'that in
　addition to this'
9 ἀπόκριναι: aor. mid. imperative
c1 ἔστ(ι) ὅστις: *is there anyone who…?*
　δαιμόνια πράγματ(α): *divine things*
　δαίμονας (εἶναι): *that…*; ind. disc.
　ὡς (ἐμὲ) ὤνησας: *how you…!*; i.e. Thank
　you!; an exclamatory sentence (S2682), 2s
　aor. ὀνίνημι; add an acc. obj.
4 ὅτι: *because…*
　ἀπεκρίνα(σ)ο: 2s aor mid.
　ὑπὸ τουτωνὶ: *by…*; gen. expressin agency;
　deictic iotas throughout suggest that
　Socrates is pointing or looking at the jurors
　as he speaks perfect

5 φής: 2s φημί
　καὶ…καὶ…: *both…and…*
6 εἴτ᾽ οὖν…εἴτε: *whether at any rate…or…*;
　'both if at any rate…or if…' Smyth
　suggests οὖν indicates the preferred option
　(S2961), but Denniston suggests that οὖν
　shows indifference to the two options
　(D418)
　ἀλλ᾽ οὖν…γε: *but at any rate…indeed*;
　οὖν is confirmatory and γε is emphatic
　(S2957)
7 κατά…: *according to…*
　καὶ ταῦτα: *and what is more*; 'and in
　respect to these things,' acc. of respect
　καί: *also*; adv.
　διωμόσα(σ)ο: 2s aor. δι-όμνυμι (aor. stem:
　ομοσ-)

---

18 Common 2nd Aorist Stems found in the *Apology*

ἄγω	ἀγαγ [3]	ἤγαγον	*I led*	λαμβάνω	λαβ [10]	ἔλαβον	*I took*
αἱρεω	ἑλ [6]	εἷλον	*I took*	λέγω	εἰπ [28]	εἶπον	*I said*
ἀποθνῄσκω	θάν [10]	ἀπέθανον	*I died*	λείπω	λιπ [2]	ἔλιπον	*I left*
βαίνω	βη [1]	ἔβην	*I walked*	μανθάνω	μαθ [4]	ἔμαθον	*I learned*
γίγνομαι	γεν [17]	ἐγενόμην	*I became*	πάσχω	παθ [5]	ἔπαθον	*I suffered*
γιγνώσκω	γνω [3]	ἔγνων	*I learned*	τυγχάνω	τυχ [4]	ἔτυχον	*I happened*
ἔρχομαι	ἐλθ [12]	ἦλθον	*I came*	φεύγω	φυγ [5]	ἔφυγον	*I fled*
εὑρίσκω	εὑρ [2]	ηὗρον	*I found*	ὁραω	ἰδ [1]	εἶδον	*I saw*
ἔχω	σχ [6]	ἔσχον	*I held*	φέρω	ἐνέγκ [1]	ἤνεγκον	*I carried=*

πολλὴ ἀνάγκη νομίζειν μέ ἐστιν· οὐχ οὕτως ἔχει; ἔχει δή·
τίθημι γάρ σε ὁμολογοῦντα, ἐπειδὴ οὐκ ἀποκρίνῃ. τοὺς δὲ   10
δαίμονας οὐχὶ ἤτοι θεούς γε ἡγούμεθα ἢ θεῶν παῖδας; φῂς d
ἢ οὔ;

πάνυ γε.

οὐκοῦν εἴπερ δαίμονας ἡγοῦμαι, ὡς σὺ φῄς, εἰ μὲν θεοί
τινές εἰσιν οἱ δαίμονες, τοῦτ᾽ ἂν εἴη ὃ ἐγώ φημί σε αἰνίτ- 5
τεσθαι καὶ χαριεντίζεσθαι, θεοὺς οὐχ ἡγούμενον φάναι με
θεοὺς αὖ ἡγεῖσθαι πάλιν, ἐπειδήπερ γε δαίμονας ἡγοῦμαι·
εἰ δ᾽ αὖ οἱ δαίμονες θεῶν παῖδές εἰσιν νόθοι τινὲς ἢ ἐκ νυμ-

αἰνίττομαι: to pose a riddle/puzzle, hint at, 2
ἀνάγκη, ἡ: necessity, force, constraint, 2
δαίμων, -ονος, ὁ: a divine being or spirit, 8
ἐπει-δή: since, because, when, after, 7
ἐπειδήπερ: precisely since, inasmuch as
ἤ-τοι: either, you know; either, truly
νόθος, -η, -ον: low-born, illegitimate

νυμφή, ἡ: nymph
ὁμο-λογέω: to agree, 2
οὐκοῦν: therefore, then, accordingly, 2
παῖς, παιδός, ὁ, ἡ: child, boy, girl; slave, 8
πάλιν: again, once more; back, backwards, 9
τίθημι: to set forth; put, place, 2
χαριεντίζομαι: to jest, be witty, 3

9 ἀνάγκη...ἐστιν: *there is...*; impersonal
  οὐχ οὕτως ἔχει;: *Is...?*; ἔχω ('holds' or 'is
  disposed') + adv. is equiv. to εἰμί + pred.;
  the use of οὐχ anticipates a 'yes' reply
  ἔχει δή: Socrates answers his own question;
  and δή, 'indeed' or 'of course,' emphasizes
  the reply
10 τίθημι: *I am putting you (down) as
  agreeing*; as if registering a vote; the pple is
  predicative
  ἀποκρίνε(σ)αι: 2s pres.
d1 οὐχὶ...ἡγούμεθα: *Do we not...?*; in
  anticipation of a 'yes' reply
  τοὺς δὲ δαίμονας (εἶναι)...παῖδας: *that...*;
  ind. disc, supply the inf.
  ἤτοι...ἤ...: ἤτοι suggests that the first
  option is more likely; γε emphasizes the
  entire ἤτοι limb of the disjunction
  φῂς: 2s φημί
3 πάνυ γε: *quite so*; common reply
  δαίμονας (εἶναι)
4 ὡς σὺ φῄς: *as...*; parenthetical
5 ἂν εἴη: *would...*; ; potential opt. εἰμί

  ὃ ἐγώ φημί: *in respect to what...*; '(that) in
  respect to which'; (ἐκεῖνο) ὃ , relative and
  acc. of respect, the missing antecedent is
  predicative
  σε αἰνίττεσθαι...: *that...*; ind. disc.
6 θεοὺς (εἶναι) οὐχ ἡγούμενον: *by not...*;
  mid. pple is causal in sense and modifies με,
  acc. subject within ind. disc.
  (σε) φάναι με: *(namely) that (you) claim
  that I...*; ind. disc. in apposition to σε
  αἰνίττεσθαι
7 θεοὺς (εἶναι)
  ἐπειδήπερ γε: *inasmuch as indeed*; 'for the
  very reason that indeed,' this is Meletus'
  reasoning, not Socrates' and repeats the
  protasis in d4 εἴπερ...ἡγοῦμαι; περ often
  emphasizes the connection between
  subordinate and main clauses (e.g. relative
  and antecedent); δή and γε add extra
  emphasis
7 δαίμονας (εἶναι)
8 παῖδές...νόθοι τινές: nom. pred.
  ἤ... ἤ...: *either...or...*

45

φῶν ἢ ἔκ τινων ἄλλων ὧν δὴ καὶ λέγονται, τίς ἂν ἀνθρώ-
πων θεῶν μὲν παῖδας ἡγοῖτο εἶναι, θεοὺς δὲ μή; ὁμοίως γὰρ   10
ἂν ἄτοπον εἴη ὥσπερ ἂν εἴ τις ἵππων μὲν παῖδας ἡγοῖτο   e
ἢ καὶ ὄνων, τοὺς ἡμιόνους, ἵππους δὲ καὶ ὄνους μὴ ἡγοῖτο
εἶναι. ἀλλ᾽, ὦ Μέλητε, οὐκ ἔστιν ὅπως σὺ ταῦτα οὐχὶ
ἀποπειρώμενος ἡμῶν ἐγράψω τὴν γραφὴν ταύτην ἢ ἀπορῶν
ὅ τι ἐγκαλοῖς ἐμοὶ ἀληθὲς ἀδίκημα· ὅπως δὲ σύ τινα πείθοις   5
ἂν καὶ σμικρὸν νοῦν ἔχοντα ἀνθρώπων, ὡς οὐ τοῦ αὐτοῦ
ἔστιν καὶ δαιμόνια καὶ θεῖα ἡγεῖσθαι, καὶ αὖ τοῦ αὐτοῦ μήτε
δαίμονας μήτε θεοὺς μήτε ἥρωας, οὐδεμία μηχανή ἐστιν.   28

ἀ-δίκημα, -ατος, τό: injustice, wrongdoing
ἀπο-πειράομαι: make trial of, test (gen.)
ἀ-πορέω: to be at a loss; be perplexed, 3
ἄ-τοπος, -ον: strange, odd, extraordinary, 3
γραφή, ἡ: indictment, prosecution, 7
γράφομαι: to indict, 5
δαιμόνιος, α, ον: divine; *neut.* divine being, 9
δαίμων, -ονος, ὁ: a divine being or spirit, 8
ἐγ-καλέω: call (acc.) (a charge) upon (dat.), 2
ἡμι-όνος: mule (half-donkey)

ἥρως, ὁ: hero, warrior
θεῖος, -α, -ον: holy, divine, sent by gods, 3
ἵππος, ὁ: a horse, 8
μηχανή, ἡ: means, way; contrivance, 2
νοῦς, ὁ: mind, sense, attention, 3
ὁμοίως: similarly, 2
ὄνος, ὁ, ἡ: donkey, 2
παῖς, παιδός, ὁ, ἡ: child, boy, girl; slave, 8
σμικρός, -ά, -όν: small, little, 5

9 (ἔξ) ὧν: *(from)*...; relative; i.e. mothers
    other than nymphs; preposition is omitted
   δὴ: emphasizing pronoun
   (δαίμονες) λέγονται (εἶναι): *divine spirits*
    are said to exist
   ἄν...ἡγοῖτο: *would...*; potential pres. opt.
10 θεῶν μὲν παῖδας...εἶναι: *that...exist*
   θεοὺς δὲ μή (εἶναι): *but that...(exist)*
e1 ἂν ἄτοπον εἴη: *it would...*; impersonal
    potential opt.
   ὥσπερ ἂν (ἄτοπον εἴη) εἴ...ἡγοῖτο
   (εἶναι): *as (it) would if...should...*; ellipsis,
    fut. less vivid (εἰ opt., ἄν + opt.) opt.
   ἡγέομαι with a suppressed apodosis, which
    is represented only by ἄν (the apodosis is
    often omitted when it is the same as the
    protasis or, in this case, the same as the
    main clause) (S2351, cf. 23a8, 27a5)
2 καὶ (1): also, even; adverbial
   τοὺς ἡμιόνους.: *(namely)...*; in apposition
    to παῖδας; mules are the hybrid offspring
   ἵππους δὲ...μὴ ἡγοῖτο.: *but should not...*;
    second protasis of the condition
3 οὐκ ἔστιν ὅπως: *it is not possible that...*;
    'there is not (a way) how' a common idiom
    in which the antecedent of the relative
    ὅπως is missing but understood (S2515)

ταῦτα: *in these matters*; acc. of respect
οὐχὶ ἀποπειρώμενος ἡμῶν: *not intending*
   to test us; pres. pple unusually expressing
   purpose (S2065); not the double negative
4 ἐγράψα(σ)ο: 2s aor. mid. + cognate acc.:
   'bring this indictment'
   ἀπορῶν: *by...*; pple causal in sense and
   parallel to ἀποπειρώμενος explaining the
   cause of the indictment
5 ὅ τι ἐγκαλοῖς ἐμοὶ ἀληθὲς ἀδίκημα: *what*
   true charge you are to...; ind. deliberative
   question with neut. acc. sg. ὅστις and opt.
   in secondary seq. (subj. in direct question)
   ὅπως δὲ...πείθοις ἄν: *how...you could...*;
   relative clause with potential opt.; the main
   clause οὐδεμία μηχανή ἐστιν, 'there is no
   way,' is introduced at the end in 28a1 for
   emphasis and rhetorical effect
   τινα...ἀνθρώπων: acc. obj., partitive gen.
6 καὶ: *even*; adv. modifying σμικρὸν νοῦν
   ὡς οὐ τοῦ αὐτοῦ ἔστιν...: *that it is not*
   (characteristic) of the same person...; ind.
   disc., gen. of characteristic as predicate
7 αὖ τοῦ αὐτοῦ (ἡγεῖσθαι) : *and in turn of*
   the very same person (to believe) that...;
a1 ἥρωας: believed to be demi-gods

ἀλλὰ γάρ, ὦ ἄνδρες Ἀθηναῖοι, ὡς μὲν ἐγὼ οὐκ ἀδικῶ
κατὰ τὴν Μελήτου γραφήν, οὐ πολλῆς μοι δοκεῖ εἶναι ἀπο-
λογίας, ἀλλὰ ἱκανὰ καὶ ταῦτα· ὃ δὲ καὶ ἐν τοῖς ἔμπροσθεν
ἔλεγον, ὅτι πολλή μοι ἀπέχθεια γέγονεν καὶ πρὸς πολλούς, 5
εὖ ἴστε ὅτι ἀληθές ἐστιν. καὶ τοῦτ᾽ ἔστιν ὃ ἐμὲ αἱρεῖ, ἐάν-
περ αἱρῇ, οὐ Μέλητος οὐδὲ Ἄνυτος ἀλλ᾽ ἡ τῶν πολλῶν δια-
βολή τε καὶ φθόνος. ἃ δὴ πολλοὺς καὶ ἄλλους καὶ ἀγαθοὺς

αἱρέω: seize, take, convict; *mid.* choose, 7
ἀπ-έχθεια, ἡ: hatred, enmity; pl. enmities, 2
ἀπολογία, ἡ: a defense, verbal defense, 2
γραφή, ἡ: indictment, prosecution, 7

ἐάν-περ: precisely if, if really, 2
ἔμ-προσθεν: before, previous; earlier
ἱκανός, -ή, -όν: enough, sufficient; capable, 4
φθόνος, ὁ: envy, ill-will, 2

a2 **ἀλλὰ γάρ**: *but in fact*; γάρ explains the
  adversative: 'but (there is no way) for...'
ὡς...γραφήν: *that...*; ind. disc. and subject
  of δοκεῖ
3 **κατὰ τὴν Μελήτου γραφήν**: *in
  accordance with...*; with subjective gen.
  πολλῆς ἀπολογίας: *(in need) of...*; gen. of
  characteristic and pred. of εἶναι
4 **ἱκανὰ καὶ (εἶναι) ταῦτα**: *but (that) these
  things in fact (are) sufficient*
  ὃ...ἔλεγον: *but as for what...*; '(in respect
  to that) which,' (τοῦτο) ὃ ; relative obj.,
  the missing antecedent is acc. of respect of
  the main clause ('as for...' 'in respect to...')
ἐν τοῖς ἔμπροσθεν (λόγοις)
5 **ὅτι...γέγονεν**: *(namely) that...*; appositive,
  pf. γίγνομαι
  μοι: *for...*; dat. of interest
  πρὸς πολλούς: *in the eyes of..., before...*
  note the repetition of πολλή: the enmity is

both intense and widespread
6 **εὖ ἴστε**: 2p imper. οἶδα
  ὅτι ἀληθές ἐστιν: the understood subject is
  the clause ὅτι...πολλούς above
  ὃ ἐμὲ αἱρεῖ: *what convicts me* '(that) which,'
  (ἐκεῖνο) ὃ , the missing antecedent is nom.
  pred.; if a prosecutor is a ὁ διώκων, 'the
  one pursuing,' and the defendant is a ὁ
  φεύγων, 'the one fleeing,' it is sensible
  for αἱρέω, 'catch,' to mean 'convict' in this
  context. ἀφίημι, 'let go,' will mean 'acquit.'
  ἐάνπερ αἱρῇ: *if really...*; 3s pres. subj.
7 **οὐ Μέλητος...φθόνος**: in apposition to
  τοῦτο
  ἀλλ(ο) ἡ: *but...*; 'other than'
  ἃ δὴ: *precisely what...*; 'precisely (these
  things) which,' (ταῦτα) ἃ , the relative
  defaults to neuter following fem. διαβολή
  and masc. φθόνος; the missing antecedent is
  subject of the main verb

Prolepsis[11]

Prolepsis, "anticipation," is a common rhetorical term that refers to very specific aspects of
Plato's style: (1) the positioning of a relative clause before its antecedent and, far more
frequently, (2) the positioning of the subject of a subordinate clause before the subordinate
clause itself. Consider the following examples:

σκοποῦντι **τὸν χρησμὸν** τί λέγει,   ...*examining the oracle, what it means*   22c6
  → ...*examining what **the oracle** means*

οὐδεὶς οἶδε **τὸν θάνατον**...εἰ τυγχάνει   ...*no one knows death, whether it happens...*   29a6
  → ...*no one knows whether **death** happens to...*

In both instances above, Plato draws the subjects out of the indirect questions and makes them
the objects of the main clause. We call these objects 'proleptic accusatives.' If the object's
case is genitive or dative, we identify those objects as 'proleptic genitive' or 'proleptic dative.'

ἄνδρας ἥρηκεν, οἶμαι δὲ καὶ αἱρήσει· οὐδὲν δὲ δεινὸν μὴ ἐν   b
ἐμοὶ στῇ.

ἴσως ἂν οὖν εἴποι τις· "εἶτ᾽ οὐκ αἰσχύνῃ, ὦ Σώκρατες,
τοιοῦτον ἐπιτήδευμα ἐπιτηδεύσας ἐξ οὗ κινδυνεύεις νυνὶ ἀπο-
θανεῖν;" ἐγὼ δὲ τούτῳ ἂν δίκαιον λόγον ἀντείποιμι, ὅτι "οὐ   5
καλῶς λέγεις, ὦ ἄνθρωπε, εἰ οἴει δεῖν κίνδυνον ὑπολογίζεσθαι
τοῦ ζῆν ἢ τεθνάναι ἄνδρα ὅτου τι καὶ σμικρὸν ὄφελός ἐστιν,
ἀλλ᾽ οὐκ ἐκεῖνο μόνον σκοπεῖν ὅταν πράττῃ, πότερον δίκαια ἢ
ἄδικα πράττει, καὶ ἀνδρὸς ἀγαθοῦ ἔργα ἢ κακοῦ. φαῦλοι
γὰρ ἂν τῷ γε σῷ λόγῳ εἶεν τῶν ἡμιθέων ὅσοι ἐν Τροίᾳ   c

ἄ-δικος, -ον: unjust, wrong, 5
αἱρέω: to seize, take; *mid.* choose, 7
αἰσχύνομαι: be ashamed, feel shame, 4
ἀντι-λέγω: to speak in reply
εἶτα: then, next, and so, therefore, 2
ἐπιτήδευμα, τό: pursuit, practice, business
ἐπιτηδεύω: to pursue, practice, 2
ἔργον, τό: deed, act; work; result, effect, 5
ζάω: to live, 9
ἡμί-θεος, -ου, ὁ: half-god, demigod, hero, 2
ἵστημι: to make stand, set; stand, stop
καλῶς: well, nobly, 3
κινδυνεύω: run the risk of, be likely to (inf), 9

κίνδυνος, ὁ: risk, danger, venture, 7
μόνος, -η, -ον: alone, only, solitary, 7
νυν-ί: just now; as it is, 5
ὅταν: ὅτε ἄν, whenever, 4
ὄφελος, ὁ: value, benefit, advantage, use, 2
πότερος, -α, -ον: whether, which (of two)? 7
σκοπέω: to examine, consider, look at, 4
σμικρός, -ά, -όν: small, little, 5
σός, -ή, -όν: your, yours, 3
Τροία, ἡ: Troy, 2
ὑπο-λογίζομαι: to take into account, 2
φαῦλος, -η, -ον: worthless, of low rank, 4

b1 ἥρηκεν: 3s pf. αἱρέω, 'convict'
οἶμαι: parenthetical
(ἐμὲ) αἱρήσει: 3s fut. with neut. pl. subject;
supply the acc. obj.; και is adverbial
οὐδὲν δὲ δεινὸν (ἐστίν): *but (there is) no
danger/fear*; δεινός governs a fearing clause
μὴ ἐν ἐμοὶ στῇ.: *that it stops with me*;
fearing clause with 3s aor. subj. ἵστημι
3 ἂν εἴποι: *could...*; potential aor. opt. λέγω
εἶτ(α)
αἰσχύνε(σ)αι: *Are you...*; 2s pres. mid.; a
question anticipating a 'yes' reply
4 ἐξ οὗ: i.e. as a result of which
νυνὶ: deictic iota adds immediacy to νῦν
ἀποθανεῖν: aor. inf. ἀποθνήσκω
5 ἂν ἀντείποιμι: *would...*; potential aor opt.
ἀντιλέγω; τούτῳ is dat. ind. obj. and
refers to the imaginary interlocutor
δίκαιον λόγον: i.e. a response
6 καλῶς: *well*; common translation for adv.
οἴει: οἴε(σ)αι, 2s pres. mid. οἴομαι
δεῖν: *that it is...*; ind. disc., impersonal δεῖ
κίνδυνον ὑπολογίζεσθαι...ἄνδρα: *that a
man...*

7 τοῦ ζῆν ἢ (τοῦ) τεθνάναι: *of...*; articular
infs. and objective gen. following κίνδυνον;
translate as gerunds (-ing); pf. ἀποθνήσκω
ὅτου τι καὶ σμικρὸν ὄφελός: *of whom there
is even some small use/benefit*; alternative
form for οὕτινος, gen. sg. ὅστις
ἀλλ(ὰ) οὐκ (ἄνδρα) σκοπεῖν: *and not
rather (that the man) consider*; σκοπεῖν is
parallel to ὑπολογίζεσθαι and governed
by δεῖν; for ἀλλὰ οὐ, 'and not rather,' see
(S2781b)
8 ὅταν πράττῃ: general temporal clause
with 3s subj.
πότερον...ἢ...: ind. question
9 ἀνδρὸς ἀγαθοῦ ἔργα ἢ κακοῦ: another
ind. question with heavy ellipsis: (πότερον)
ἀνδρὸς ἀγαθοῦ ἔργα ἢ (ἀνδρὸς) κακοῦ
(ἔργα πράττει)
φαῦλοι ἂν...εἶεν: *would...*; 3p potential
opt. εἰμί + nom. pred.: ὅσοι is subject
c1 τῷ γε σῷ λόγῳ: *by...at least*; restrictive
ὅσοι: *all...who*; 'as many as,' relative, has
no antecedent but governs a partitive gen.

τετελευτήκασιν οἵ τε ἄλλοι καὶ ὁ τῆς Θέτιδος υἱός, ὃς
τοσοῦτον τοῦ κινδύνου κατεφρόνησεν παρὰ τὸ αἰσχρόν τι
ὑπομεῖναι ὥστε, ἐπειδὴ εἶπεν ἡ μήτηρ αὐτῷ προθυμουμένῳ
Ἕκτορα ἀποκτεῖναι, θεὸς οὖσα, οὑτωσί πως, ὡς ἐγὼ οἶμαι·   5
'ὦ παῖ, εἰ τιμωρήσεις Πατρόκλῳ τῷ ἑταίρῳ τὸν φόνον
καὶ Ἕκτορα ἀποκτενεῖς, αὐτὸς ἀποθανῇ—αὐτίκα γάρ τοι,'
φησί, 'μεθ᾽ Ἕκτορα πότμος ἑτοῖμος'—ὁ δὲ τοῦτο ἀκούσας
τοῦ μὲν θανάτου καὶ τοῦ κινδύνου ὠλιγώρησε, πολὺ δὲ μᾶλ-
λον δείσας τὸ ζῆν κακὸς ὢν καὶ τοῖς φίλοις μὴ τιμωρεῖν,   d
'αὐτίκα,' φησί, 'τεθναίην, δίκην ἐπιθεὶς τῷ ἀδικοῦντι,

αἰσχρός, -ά, -όν: shameful, disgraceful, 5
αὐτίκα: straightway, at once; presently, 3
δείδω: to fear; δέδια (pf. with pres. sense), 7
δίκη, ἡ: charge, case, trial; penalty; justice, 5
Ἕκτωρ, Ἕκτορος, ὁ: Hector, 3
ἐπει-δή: since, because, when, after, 7
ἐπι-τίθημι: set upon, attack; impose on (dat) 2
ἑταῖρος, ὁ: comrade, companion, mate, 3
ἑτοῖμος, -η, -ον: ready, prepared, at hand, 3
ζάω: to live, 9
Θέτις, Θέτιδος, ἡ: Thetis (goddess)
κατα-φρονέω: think down on/despise (gen) 2
κίνδυνος, ὁ: risk, danger, venture, 7
μήτηρ, ἡ: a mother

ὀλιγωρέω: regard little, take no account of (gen)
παῖς, παιδός, ὁ, ἡ: child, boy, girl; slave, 8
Πάτροκλος, ὁ: Patroclus
πότμος, ὁ: fate, death
προ-θυμέομαι: to be eager, zealous, ready
πως: somehow, in any way, 3
τελευτάω: to end, complete, finish; die, 5
τιμωρέω: to avenge (dat); avenge (acc), 5
τοι: you know, let me tell you, surely, 3
υἱός (ὕός), -οῦ ὁ: son, 8
ὑπο-μένω: to endure, abide in
φίλος -η -ον: dear, friendly; friend, kin 5
φόνος, ὁ: murder, slaughter

c2 **τετελευτήκασιν**: pf.
οἵ τε ἄλλοι καὶ ὁ τῆς Θέτιδος υἱός: in apposition; i.e. Achilles, whose mother was the goddess Thetis and father, mortal Peleus
3 **τοσοῦτον**: *so much*; adv. acc. (inner acc. 'have so much hate for')
παρὰ τὸ...ὑπομεῖναι: *compared to...*; 'side by side with...' + aor. articular inf.: translate as a gerund (-ing) + acc. obj.
4 **εἶπεν ἡ μήτηρ**: i.e. Thetis, aor. λέγω
αὐτῷ προθυμουμένῳ...ἀποκτεῖναι: i.e. to Achilles, who returned to battle in the *Iliad* to avenge the death of Patroclos at the hands of Hector; aor. inf.
5 **θεὸς οὖσα**: pple and pred. with ἡ μήτηρ, θεός can, as here, refer to a 'goddess'
οὑτωσί: the deictic iota adds emphasis: 'in just this way,' i.e. as follows
ὡς ἐγὼ οἶμαι: *as...*; parenthetical (clause of comparison); οἴομαι, 'imagine'
6 **εἰ τιμωρήσεις...ἀποκτενεῖς, αὐτὸς ἀποθανῇ**: *if you..., you will...*; emotional fut. more vivid (εἰ + fut., fut.), where a fut.

protasis expresses heightened emotion. (S2828). In English, a fut. protasis is translated as present with fut. sense.
Πατρόκλῳ τῷ ἑταίρῳ τὸν φόνον: *the murder of Patroclus, (his) companion*; dat. of possession
7 **αὐτός**: *you yourself*; intensive
ἀποθανέε(σ)αι: 2s fut. mid. ἀποθνήσκω (fut. stem θανε-)
8 **φησί**: 3s φημί
μετ(ὰ)
πότμος (ἐστίν) ἑτοῖμος': *(your)...*; ellipsis
ὁ δὲ: *and this one*; demon., i.e. Achilles
9 **πολύ**: *far*; 'much,' adv. acc. (acc. of extent in degree, i.e. 'more by much')
d1 **δείσας**: *becoming...*; ingressive aor. pple
κακὸς ὤν: *(while)...*; εἰμί, 'cowardly'
2 **τεθναίην**: *May...*; 1s pf. opt. wish, ἀποθνήσκω
δικὴν: *justice, retribution, penalty*
ἐπιθείς: nom. sg. aor. pple
τῷ ἀδικοῦντι: *on the one...*; i.e. Hector, pres. pple and dat. of compound verb

ἵνα μὴ ἐνθάδε μένω καταγέλαστος παρὰ νηυσὶ κορωνίσιν
ἄχθος ἀρούρης'. μὴ αὐτὸν οἴει φροντίσαι θανάτου καὶ
κινδύνου;"   5

οὕτω γὰρ ἔχει, ὦ ἄνδρες Ἀθηναῖοι, τῇ ἀληθείᾳ· οὗ ἄν τις
ἑαυτὸν τάξῃ ἡγησάμενος βέλτιστον εἶναι ἢ ὑπ' ἄρχοντος
ταχθῇ, ἐνταῦθα δεῖ, ὡς ἐμοὶ δοκεῖ, μένοντα κινδυνεύειν,
μηδὲν ὑπολογιζόμενον μήτε θάνατον μήτε ἄλλο μηδὲν πρὸ τοῦ
αἰσχροῦ. ἐγὼ οὖν δεινὰ ἂν εἴην εἰργασμένος, ὦ ἄνδρες   10
Ἀθηναῖοι, εἰ ὅτε μέν με οἱ ἄρχοντες ἔταττον, οὓς ὑμεῖς εἵλεσθε   e

---

αἱρέω: seize, take, convict; *mid.* choose, 7
αἰσχρός, -ά, -όν: shameful, disgraceful, 5
ἀλήθεια, ἡ: truth, 8
ἄρουρα, ἀρούρης, ἡ: (tilled or arable) land
ἄρχω: to begin; rule, be leader of (gen), 7
ἄχθος, -εος, τό: weight
βέλτιστος, -η, -ον: best, very good, 6
ἐνθάδε: hither, here; thither, there, 5
ἐργάζομαι: to do, work, accomplish, 8
κατα-γέλαστος, -ον: laughable, ridiculous, 2
κινδυνεύω: run the risk of, be likely to (inf), 9

κίνδυνος, ὁ: risk, danger, venture, 7
κορωνίς, κορωνίδος, ὁ, ἡ: curved, -beaked
μένω: to stay, remain, abide, 3
ναῦς, νεώς, ἡ: ship, boat
ὅτε: when, at some time, 2
οὗ: where, 2
πρό: before, in front; in place of (gen.), 2
τάξις, -εως, ἡ: post, position, station; order
τάττω: to station, post, order, 5
ὑπο-λογίζομαι: to take into account, 2
φροντίζω: consider, take thought of (gen), 3

3 ἵνα μὴ...μένω: *so that...may*; neg. purpose
with 1p pres. subj.
νηυσὶ: dat. pl. νᾶυς
4 ἄχθος ἀρούρης: *a burden upon the earth*;
objective gen. (i.e. 'burdens the earth'), a
famous phrase from *Iliad* 18.104
μὴ οἴει: *Surely...not...?*; οἴε(σ)αι, 2s pres.
mid. οἴομαι ; μὴ introduces a yes/no
question anticipating a 'no' reply
αὐτὸν φροντίσαι: *that...*; ind. disc. aor. inf
6 οὕτω γὰρ ἔχει;: *(No,) for...*; ἔχω ('holds,'
'is disposed') + adv. is equiv. to εἰμί + adj.
τῇ ἀληθείᾳ: *in...*; dat. of manner
οὗ ἄν τις ἑαυτὸν τάξῃ: *wherever...*;
general relative clause; 3s aor. subj.; i.e. a
hoplite soldier who must remain in position
in the phalanx throughout the battle
7 βέλτιστον εἶναι: *that (it)...*; ind. disc.
governed by aor. pple, ἡγέομαι
ἢ...ταχθῇ: *or...*; 3s aor. pass. τάττω in
the same general relative clause;
ὑπ(ὸ) ἄρχοντος: *by a commander*; 'by a
leader,' ὑπό + gen. expressing agency
8 ὡς ἐμοὶ δοκεῖ: *as...*; parenthetical
μένοντα: *(while)...*; pple modifying the
missing acc. subject; hoplite soldiers were

trained to remain at station and not break
ranks at the risk of losing the battle
9 μηδὲν...μήτε...μήτε...μηδὲν: *not at all...
either...or...anything*; the first μηδὲν is an
adv. acc. (inner acc., 'taking no account
of'), wheras the second is an acc. object
τοῦ αἰσχροῦ: *shame*; substantive
10 ἐγὼ...ἂν εἴην εἰργασμένος... εἰ (ὅτε
μέν... τότε μὲν...)(τοῦ δὲ θεοῦ τάττοντος
...ἐνταῦθα δὲ)...λίποιμι: this very long
sentence (7.5 lines) is fut. less vivid (ἂν
εἴην εἰργασμένος, εἰ...λίποιμι) with
extended protasis that includes a duplicated
μέν construction in a temporal clause (ὅτε
μὲν ....τότε μὲν, *when...and then*) and
duplicated δέ (τοῦ δὲ θεοῦ... ἐνταῦθα δὲ)
δείνά: *terrible things*; substantive
ἂν εἴην εἰργασμένος: *I would have...*; 1s
periphrastic pf. mid. opt. (pf. mid. pple +
opt. εἰμί) apodosis in a fut. less vivid
e1 ὅτε μέν... τότε μὲν: *when...and at that
time...*; extended temporal clause
οἱ ἄρχοντες: *commanders*; 'leaders'
οὓς ὑμεῖς εἵλεσθε: *whom...*; 2p aor. mid.
αἱρέω (aor. ἑλ), the mid., 'take for oneself,'
is, as often, translated as 'choose'

ἄρχειν μου, καὶ ἐν Ποτειδαίᾳ καὶ ἐν Ἀμφιπόλει καὶ ἐπὶ
Δηλίῳ, τότε μὲν οὗ ἐκεῖνοι ἔταττον ἔμενον ὥσπερ καὶ ἄλλος
τις καὶ ἐκινδύνευον ἀποθανεῖν, τοῦ δὲ θεοῦ τάττοντος, ὡς ἐγὼ
ᾠήθην τε καὶ ὑπέλαβον, φιλοσοφοῦντά με δεῖν ζῆν καὶ ἐξετά-   5
ζοντα ἐμαυτὸν καὶ τοὺς ἄλλους, ἐνταῦθα δὲ φοβηθεὶς ἢ θάνατον
ἢ ἄλλ' ὁτιοῦν πρᾶγμα λίποιμι τὴν τάξιν. δεινόν τἂν εἴη, καὶ   29
ὡς ἀληθῶς τότ' ἄν με δικαίως εἰσάγοι τις εἰς δικαστήριον,
ὅτι οὐ νομίζω θεοὺς εἶναι ἀπειθῶν τῇ μαντείᾳ καὶ δεδιὼς
θάνατον καὶ οἰόμενος σοφὸς εἶναι οὐκ ὤν. τὸ γάρ τοι
θάνατον δεδιέναι, ὦ ἄνδρες, οὐδὲν ἄλλο ἐστὶν ἢ δοκεῖν σοφὸν   5

ἀληθῶς: truly, 3
Ἀμφίπολις, ἡ: Amphipolis
ἀ-πειθέω: to be disobedient, disobey (dat), 3
ἄρχω: to begin; rule, be leader of (gen), 7
δείδω: to fear; δέδια (pf. with pres. sense), 7
Δήλιον, τό: Delium, 59
δικαίως: justly, rightly, lawfully, fairly, 2
δικαστήριον, τό: court, 3
εἰσ-άγω: to lead in, to introduce, bring in, 8
ζάω: to live, 9
κινδυνεύω: run the risk of, be likely to (inf), 9
λείπω: to leave, forsake, abandon

μαντεία, ἡ: oracle, response of an oracle, 2
μένω: to stay, remain, abide, 3
ὅστισ-οῦν, ἥτισουν, ὅτι-οῦν: whatsoever, 4
οὗ: where, 2
Ποτειδαία, ἡ: Potidea
τάξις, -εως, ἡ: station, post
τάττω: to station, post, order, 5
τοι: you know, let me tell you, surely, 3
τότε: at that time, then, 6
ὑπο-λαμβάνω: take up, reply; suppose, 5
φιλο-σοφέω: pursue wisdom, philosophize, 4
φοβέω: terrify; *mid.* fear, be afraid, 4

2 ἐπὶ Δηλίῳ: *at Delos*
   τότε μὲν: *(and) at that time…*; a duplicated
   μέν indicates that this clause is an extension
   of the ὅτε μέν clause and not a main clause
3 οὗ ἐκεῖνοι (ἐμὲ) ἔταττον: *where…*; relative
   ἔμενον…ἐκινδύνευον: *would, used to…*; 1s
   customary impf.
   ὥσπερ καὶ ἄλλος τις: *just as also…*; clause
   of comparison with verb understood
4 ἀποθανεῖν: aor. inf. ἀποθνῄσκω
   τοῦ δὲ θεοῦ (ἐμὲ) τάττοντος: *but the
   god…*; gen. abs. outside the temporal ὅτε
   clause but still in the protasis: this δέ
   responds to both the μέν and duplicated μέν
   in the ὅτε clause; the verb τάττω here
   means 'order' rather than 'station' above
   ὡς ἐγὼ ᾠήθην τε καὶ ὑπέλαβον: *as…*;
   parenthetical (clause of comparison); 1s aor.
   pass. dep. οἴομαι and 1s aor. act., 'suppose'
5 φιλοσοφοῦντά με δεῖν ζῆν καὶ…
   ἐξετάζοντα ἐμαυτὸν καὶ τοὺς ἄλλους:
   that it is necessary that I…; ind. disc.
   governed by τάττοντος; the first καί joins
   the acc. pples; ζῆν is α-contract inf.

6 ἐνταῦθα δὲ…λίποιμι: *(and) then I should
   abandon…*; main verb in the protasis in the
   extended fut. less vivid (εἰ opt., ἄν opt.)
   started in d10; 1s aor. opt. λείπω; the
   duplicated δε extends the initial δε in the
   protasis in e4
   φοβηθεὶς *by…*; 'seized with fear of…'
   ingressive aor. pass. dep. pple with acc.
   object, causal in sense
   ἤ…ἤ…: *either…or…*
a1 δεινόν τ(οι) ἄν εἴη: *it would…*; impersonal
   potential opt. recalling δεινὰ in d10
2 ὡς ἀληθῶς: *truly*; lit. 'thus truly'
   ἄν…εἰσάγοι: *would*; potential opt.
3 ὅτι: *because…*
   ἀπειθῶν…δεδιὼς…οἰόμενος: *by…*; nom.
   sg. pples causal in sense; pf. δείδω refers to
   the state rather than activity: 'being afraid'
4 οὐκ (σοφὸς) ὤν: *(although)…*; pple εἰμί
   concessive in sense
   τὸ…δεδιέναι,: articular pf. inf. δείδω;
   translate as a gerund (-ing)
5 ἤ: *than…*; clause of comparison after ἄλλο

εἶναι μὴ ὄντα· δοκεῖν γὰρ εἰδέναι ἐστὶν ἃ οὐκ οἶδεν. οἶδε
μὲν γὰρ οὐδεὶς τὸν θάνατον οὐδ' εἰ τυγχάνει τῷ ἀνθρώπῳ
πάντων μέγιστον ὂν τῶν ἀγαθῶν, δεδίασι δ' ὡς εὖ εἰδότες
ὅ τι μέγιστον τῶν κακῶν ἐστι. καίτοι πῶς οὐκ ἀμαθία ἐστὶν   b
αὕτη ἡ ἐπονείδιστος, ἡ τοῦ οἴεσθαι εἰδέναι ἃ οὐκ οἶδεν; ἐγὼ
δ', ὦ ἄνδρες, τούτῳ καὶ ἐνταῦθα ἴσως διαφέρω τῶν πολλῶν
ἀνθρώπων, καὶ εἰ δή τῳ σοφώτερός του φαίην εἶναι, τούτῳ
ἄν, ὅτι οὐκ εἰδὼς ἱκανῶς περὶ τῶν ἐν Ἅιδου οὕτω καὶ οἴομαι   5
οὐκ εἰδέναι· τὸ δὲ ἀδικεῖν καὶ ἀπειθεῖν τῷ βελτίονι καὶ θεῷ
καὶ ἀνθρώπῳ, ὅτι κακὸν καὶ αἰσχρόν ἐστιν οἶδα. πρὸ οὖν τῶν

Ἅιδης, Ἅιδου, ὁ: Hades, 2
αἰσχρός, -ά, -όν: shameful, disgraceful, 5
ἀ-μαθία, ἡ: ignorance, folly, 3
ἀ-πειθέω: to be disobedient, disobey (dat), 3
βελτίων, -ον (-ονος): better, 8
δείδω: to fear; δέδια (pf. with pres. sense), 7
δια-φέρω: surpass, be superior to; differ, 5

ἐπ-ονείδιστος, -ον: shameful, disgraceful
ἱκανῶς: sufficiently, adequately, 2
καί-τοι: and yet, and indeed, and further, 7
μέγιστος, -η, -ον: greatest, most important, 7
πρό: before, in front; in place of (gen.), 2
πῶς: how?, in what way?, 3
τυγχάνω: to chance upon, happen; attain; 9

6 μὴ (σοφὸν) ὄντα: (although)...; pple εἰμί
concessive in sense
ἐστὶν: it is...; inf. οἶδα
ἃ οὐκ οἶδεν.: what...; '(those things) which'
(ταῦτα) ἃ, the antecedent is missing
τὸν θάνατον: proleptic (anticipatory) acc.
which is best translated as subject in the
ind. question that follows
7 οὐδ(ὲ) εἰ: not even whether...; ind. question,
οὐδὲ is an adv.
τυγχάνει...ὂν: it happens to + pple (εἰμί) ;
attracted into the neuter of τῶν ἀγαθῶν,
'good things'
τῷ ἀνθρώπῳ: dat. of interest
8 δεδίασι: 3p pf. δείδω
ὡς εὖ εἰδότες: on the grounds that..., in the
belief that...; 'since.' ; ὡς + pple expresses
alleged cause from the characters' point of
view; pf. pple οἶδα (pres. in sense)
b1 ὅ τι: what...; neut. relative ὅστις
τῶν κακῶν: of evils; 'of bad things'
πῶς οὐκ ἀμαθία ἐστὶν αὕτη ἡ
ἐπονείδιστος: how is this not the
disgraceful ignorance of...
2 ἡ τοῦ οἴεσθαι: (namely) that of...; i.e. 'that
(ignorance) of...' articular inf.—translate
as a gerund (-ing)—in the attributive
position modifying ἀμαθία
εἰδέναι ἃ οὐκ οἶδεν: see a6 above
3 τούτῳ: in...; ; dat. of respect; i.e. in what

follows
καὶ ἐνταῦθα: also here; emphasizes τούτῳ
τῶν πολλῶν ἀνθρώπων: from...; gen. of
comparison
4 εἰ δή...φαίην, ἄν (εἴην): if indeed...should,
I (would be); fut. less vivid (εἰ opt., ἄν opt)
1s pres. opt. φημί, supply 1s opt. εἰμί
τῳ: in...; = τινι, dat. of respect of τις
του: than...; = τινος, gen. comparison, τις
τούτῳ ἄν (σοφώτερός εἴην): (I would
be)...; ellipsis; same dat. of respect as b3
5 ὅτι: (namely) that...; in apposition
εἰδὼς: pf. pple οἶδα
τῶν ἐν Ἅιδου: matters in (the house) of
Hades; gen. Ἅιδου after ἐν is common
καὶ: also; adv.
6 τὸ δὲ ἀδικεῖν καὶ ἀπειθεῖν...: articular infs.
in the nom. can be translated as gerunds
(-ing) or infinitives; proleptic acc. which is
better translated as subject in the ὅτι clause
τῷ βελτίονι: to one (being)...; substantive
καὶ θεῷ καὶ ἀνθρώπῳ: both...and...; in
apposition
7 ὅτι...ἐστιν: that...; ind. disc., the subject is
the articular inf. τὸ ἀδικεῖν καὶ ἀπειθεῖν...
πρὸ οὖν τῶν κακῶν: and so rather than
the evils...; or Socrates is expressing a
preference with πρό + gen.: to value 'X
before Y' is equivalent to valuing 'X rather
than Y'

κακῶν ὧν οἶδα ὅτι κακά ἐστιν, ἃ μὴ οἶδα εἰ καὶ ἀγαθὰ ὄντα
τυγχάνει οὐδέποτε φοβήσομαι οὐδὲ φεύξομαι· ὥστε οὐδ' εἰ
με νῦν ὑμεῖς ἀφίετε Ἀνύτῳ ἀπιστήσαντες, ὃς ἔφη ἢ τὴν   c
ἀρχὴν οὐ δεῖν ἐμὲ δεῦρο εἰσελθεῖν ἤ, ἐπειδὴ εἰσῆλθον, οὐχ
οἷόν τ' εἶναι τὸ μὴ ἀποκτεῖναί με, λέγων πρὸς ὑμᾶς ὡς εἰ
διαφευξοίμην ἤδη [ἂν] ὑμῶν οἱ ὑεῖς ἐπιτηδεύοντες ἃ Σωκρά-
της διδάσκει πάντες παντάπασι διαφθαρήσονται,—εἴ μοι   5
πρὸς ταῦτα εἴποιτε· "ὦ Σώκρατες, νῦν μὲν Ἀνύτῳ οὐ πει-

ἀ-πιστέω: to distrust, not believe (dat.)
ἀρχή, ἡ: beginning; rule, office, 9
ἀφ-ίημι: let go, release, acquit, send forth, 6
δεῦρο: here, to this point, hither, 6
δια-φεύγω: to slip through, flee away, 2
εἰσ-έρχομαι: to go in, come to, enter, 3
ἐπει-δή: since, because, when, after, 7

ἐπιτηδεύω: to pursue, practice, 2
οὐδέ-ποτε: not ever, never
παντά-πασι: all in all, altogether, 2
τυγχάνω: to chance upon, happen; attain; 9
υἱός (ὑός), -οῦ ὁ: son, 8
φεύγω: to flee, avoid; defend in court, 4
φοβέω: frighten; *mid.* fear, be afraid, 4

8 ὧν: *which...*; ; ἃ, neut. acc. obj. attracted into the gen. of the antecedent; a proleptic (anticipatory) acc. that is better translated as subject of the ὅτι clause that follows
ἃ μὴ οἶδα: *what...*; '(those) which,' (ταῦτα) ἃ; a relative clause with indefinite antecent (thus, μὴ not οὐ), the missing antecedent is obj. of the main verbs; the relative pronoun itself is a proleptic acc. (anticipatory) better translated as subject of the ind. equestion that follows
εἰ καὶ ἀγαθὰ ὄντα τυγχάνει: *whether they happen to...*; ind. question, τυγχάνω with complementary pple, εἰμί
9 οὐδέποτε...οὐδὲ: *never...nor yet...*; with fut. mid. verbs

The following sentence extends with a period from 29b9 to 30a2 (24 lines). The initial protasis is restated in d1, and readers should view the following 9 lines (b9-d1) as an extended protasis

οὐδ' εἴ...ἀφίετε: *not even if...*; an extended protasis with 2s pres. ἀφίημι; just as αἱρέω, 'catch,' means 'convict,' in a legal context, so the verb ἀφίημι, 'release,' means 'acquit'
c1 ἔφη: 3s impf. φημί
ἤ...ἤ...: *either...or...*
τὴν ἀρχήν: *in the beginning*; adv. acc.
2 οὐ δεῖν ἐμὲ δεῦρο εἰσελθεῖν: *that it is not...*;

ind. disc. with inf. of impersonal δεῖ
ἐπειδή...: *since...*; with 1s aor. εἰσέρχομαι
3 οὐχ οἷόν τ' εἶναι τὸ μὴ ἀποκτεῖναί με: *that...*; ind. disc., οἷός τε εἰμί 'be to sort to' is a common idiom for 'is able' or 'it is possible;' aor. articular inf. is acc. subject
λέγων πρὸς ὑμᾶς: i.e. saying in addition
ὡς εἰ διαφευξοίμην... διαφθαρήσονται: *that if I got away..., would be..*; ind. disc., with an emotional fut. more vivid condition (εἰ fut., fut.) where a fut. opt. replaced fut. indicative in secondary seq.; 1s fut. mid. opt. and 3p fut. pass.
4 [ἂν]: square brackets indicates that the editor thinks the text should be omitted
ἃ Σωκράτης διδάσκει: *what...*; '(those things) which,'(ταῦτα) ἃ; the missing antecedent is obj. of ἐπιτηδεύοντες

-Everything that preceded (c1-c5) was part of a relative clause describing Anytus, Socrates. now continues with the thought posed in the protasis in d10 (εἴ...ἀφίετε)
5 εἴ μοι πρὸς ταῦτα εἴποιτε: *if...should...*; protasis of a fut. less vivid where the apodosis is omitted opt. λέγω
πρὸς ταῦτα: i.e. in response to what Anytus says
πεισόμεθα: fut. mid. πείθω

σόμεθα ἀλλ' ἀφίεμέν σε, ἐπὶ τούτῳ μέντοι, ἐφ' ᾧτε μηκέτι
ἐν ταύτῃ τῇ ζητήσει διατρίβειν μηδὲ φιλοσοφεῖν· ἐὰν δὲ
ἁλῷς ἔτι τοῦτο πράττων, ἀποθανῇ"—εἰ οὖν με, ὅπερ εἶπον,   d
ἐπὶ τούτοις ἀφίοιτε, εἴποιμ' ἂν ὑμῖν ὅτι "ἐγὼ ὑμᾶς, ὦ ἄνδρες
Ἀθηναῖοι, ἀσπάζομαι μὲν καὶ φιλῶ, πείσομαι δὲ μᾶλλον τῷ
θεῷ ἢ ὑμῖν, καὶ ἕωσπερ ἂν ἐμπνέω καὶ οἷός τε ὦ, οὐ μὴ
παύσωμαι φιλοσοφῶν καὶ ὑμῖν παρακελευόμενός τε καὶ   5
ἐνδεικνύμενος ὅτῳ ἂν ἀεὶ ἐντυγχάνω ὑμῶν, λέγων οἷάπερ
εἴωθα, ὅτι "ὦ ἄριστε ἀνδρῶν, Ἀθηναῖος ὤν, πόλεως τῆς
μεγίστης καὶ εὐδοκιμωτάτης εἰς σοφίαν καὶ ἰσχύν, χρημάτων

ἀεί: always, forever; for the time being, 7
ἀλίσκομαι: be taken/caught; be convicted, 4
ἄριστος, -η, -ον: best, very good, noblest, 5
ἀσπάζομαι: to welcome, embrace
ἀφ-ίημι: let go, release, acquit, send forth, 6
δια-τρίβω: to spend time, waste time, 2
εἴωθα: to be accustomed, 5
ἐμ-πνέω: to breathe in
ἐν-δείκνυμι: point out, show; inform against, 5
ἐν-τυγχάνω: to chance upon, meet (dat.), 3
ἔτι: still, besides, further; in addition, 8
εὐ-δόκιμος, -ον: well-reputed, well-respected
ἕωσ-περ: so long as (and no sooner), while

ζήτησις, -εως, ἡ: inquiry, investigation, 2
ἰσχύς, ἰσχύος ὁ: strength, power, force
μέγιστος, -η, -ον: greatest, most important, 7
μη-δέ: not even, nor; but not, 8
μη-κέτι: no longer, no more
οἷοσπερ, οἷαπερ, οἷονπερ: which very sort, precisely which (sort), 2
ὅσ-τε, ἥ-τε, ὅ-τε: who, which
παρα-κελεύω: encourage, urge, order (dat), 2
παύω: to stop, make cease; mid. cease, 3
φιλέω: to love, befriend
φιλο-σοφέω: pursue wisdom, philosophize, 4

---

6 ἀφίεμέν: 1p pres. ἀφ-ίημι
ἐπὶ τούτῳ: on this condition; 'in terms of this' not an uncommon use of ἐπί (cf. 35c2)
ἐφ' ᾧτε: on the condition that...; 'on which condition;' ὅσ-τε, a proviso clause (S2279) which governs acc. + inf.
μηκέτι (σε) διατρίβειν μηδὲ φιλοσοφεῖν: that (you)...; supply the acc. subj.
7 **ἐὰν...ἁλῷς, ἀποθανῇ**: if..., you will; fut. more vivid (ἐάν subj, fut.); 2s aor. subj. ἀλίσκομαι (aor. ἑάλων), equiv. to the pass. of αἱρέω; ἀποθανέε(σ)αι is 2s fut. mid. ἀποθνήσκω (fut. stem θανε-)

Socrates now restates the protasis from d10, and adds a length apodosis. There is still no full period until 30a2.

d1 **εἰ...ἀφίοιτε, εἴποιμ(ι) ἂν**: if...should, would...; fut. less vivid (εἰ opt. ἄν opt.), ἀφ-ίημι and aor. λέγω
ἐπὶ τούτοις: on these conditions
3 **πείσομαι**: fut. mid. πείθω + dat.
4 **ἕωσπερ ἂν ἐμπνέω καὶ οἷός τε ὦ**: as long

as indeed...; anticipatory subjunctive with ἄν + subj. (here, 1s pres.); οἷός τε εἰμί, 'be to sort to' is a common idiom for 'be able' or 'be possible'
οὐ μὴ παύσωμαι: I will NOT...; emphatic denial with aor. subj. (S1804), governs a series of complementary pples
6 **ἐνδεικνύμενος**: the obj. is explained in the coming line
ὅτῳ ἂν ἀεὶ ἐντυγχάνω ὑμῶν: to whomever...; ὅτινι, general relative with pres. subj. and partitive gen.
οἷάπερ εἴωθα (λέγειν)
7 **ὦ ἄριστε ἀνδρῶν**: Socrates addresses an imaginary Athenian in the way that he is used to addressing interlocutors
Ἀθηναῖος ὤν: (you)...; pple εἰμί modifies the 2s subject
πόλεως τῆς μεγίστης καὶ εὐδοκιμωτάτης: in apposition to the implied gen. Ἀθηναῖος
εἰς σοφίαν καὶ ἰσχύν: for...
χρημάτων: obj. of ἐπιμελούμενος

μὲν οὐκ αἰσχύνῃ ἐπιμελούμενος ὅπως σοι ἔσται ὡς πλεῖστα,
καὶ δόξης καὶ τιμῆς, φρονήσεως δὲ καὶ ἀληθείας καὶ τῆς   e
ψυχῆς ὅπως ὡς βελτίστη ἔσται οὐκ ἐπιμελῇ οὐδὲ φροντί-
ζεις; ' καὶ ἐάν τις ὑμῶν ἀμφισβητήσῃ καὶ φῇ ἐπιμελεῖσθαι,
οὐκ εὐθὺς ἀφήσω αὐτὸν οὐδ' ἄπειμι, ἀλλ' ἐρήσομαι αὐτὸν καὶ
ἐξετάσω καὶ ἐλέγξω, καὶ ἐάν μοι μὴ δοκῇ κεκτῆσθαι ἀρετήν,   5
φάναι δέ, ὀνειδιῶ ὅτι τὰ πλείστου ἄξια περὶ ἐλαχίστου ποι-   30
εῖται, τὰ δὲ φαυλότερα περὶ πλείονος. ταῦτα καὶ νεωτέρῳ
καὶ πρεσβυτέρῳ ὅτῳ ἂν ἐντυγχάνω ποιήσω, καὶ ξένῳ καὶ

αἰσχύνομαι: be ashamed, feel shame, 4
ἀλήθεια, ἡ: truth, 8
ἀμφισ-βητέω: stand apart, disagree, dispute
ἄπ-ειμι: to be away, be absent
ἀφ-ίημι: let go, release, acquit, send forth, 6
βέλτιστος, -η, -ον: best, very good, 6
δόξα, ἡ: reputation; opinion, 3
ἐλάχιστος, -η, -ον: smallest, fewest, least
ἐλέγχω: cross-examine, question; refute, 6
ἐν-τυγχάνω: to chance upon, meet (dat.), 3
ἔρομαι: to ask, inquire, question, 2
εὐθύς -εῖα, -ύ: straight; adv. straight away, 2

κτάομαι: to acquire, gain; pf. possess
ξένος, ὁ: foreigner, stranger, guest-friend, 4
ὀνειδίζω: to object, reproach, rebuke (dat), 5
πλεῖστος, -η, -ον: most/very many/greatest, 7
πλείων, πλέων (-ονος) ὁ, ἡ: more, 5
πρεσβύτης (πρέσβυς), ὁ: old (man), elder, 8
τιμή, ἡ: honor, 2
φαίνω: show; mid. appear, seem, 7
φαῦλος, -η, -ον: worthless, of low rank, 4
φρόνησις, -εως ἡ: prudence, intelligence
φροντίζω: consider, take thought of (gen), 3
ψυχή, ἡ: soul, spirit; breath, life, 3

9 αἰσχύνε(σ)αι: 2s pres. mid.
    ὅπως σοι ἔσται ὡς πλεῖστα: that it…;
    object clause with fut. εἰμί as second obj. of
    the pple (S2211); χρημάτων is a proleptic
    gen.: used as obj. of the pple but best
    translated as neut. pl. subject in obj. clause
    ὡς πλεῖστα: ὡς + superlative is often
    translated 'as…as possible'
e1 καὶ δόξης καὶ τιμῆς: *reputation and honor
    as well*; parallel to χρημάτων; Socrates
    views all of these pursuits negatively.
    φρονήσεως δὲ…καὶ τῆς   ψυχῆς …:
    but…; proleptic gen., used as obj. of 2s
    ἐπιμελῇ but best translated as subject in the
    object clause ὅπως…ἔσται
2 ὅπως…: *that…*; another object clause
    ἐπιμελέε(σ)αι: 2s pres. mid., governs gen.
    and object clause
3 ἐάν…ἀμφισβητήσῃ, ἀφήσω: *if…*; fut.

more vivid (ἐάν subj., fut.); Socrates shifts
from 2s to 3s; 3s aor. subj., fut. ἀφ-ίημι
    φῇ: 3s pres subj. φημί
4 ἄπειμι, ἐρήσομαι: fut. ἀπέρχομαι, ἔρομαι
5 ἐάν…δοκῇ, ὀνειδιῶ: *if he does seem…*; fut.
    more vivid (ἐάν subj., fut.);
    κεκτῆσθαι: pf. mid. inf. κτάομαι
a1 φάναι δέ: *but he claims (to possess) it*; inf.
    ὀνειδιῶ: fut., the apodosis
    πλείστου: *of the greatest value/importance*
    περὶ ἐλαχίστου ποιεῖται: *he consider of
    the least (importance)*; idiom
2 περὶ πλείονος (ποιεῖται): see above
    καὶ…καὶ…: *both…and…*; dat. of interest;
    comparative, νέος, πρέσβυς
    ὅτῳ ἂν ἐντυγχάνω: *to whomever…*;
    ὅτινι, general relative with pres. subj.
    καὶ ξένῳ καὶ…: *both…and…*; parallel to
    above, dat. of interest

ἀστῷ, μᾶλλον δὲ τοῖς ἀστοῖς, ὅσῳ μου ἐγγυτέρω ἐστὲ γένει.
ταῦτα γὰρ κελεύει ὁ θεός, εὖ ἴστε, καὶ ἐγὼ οἴομαι οὐδέν πω   5
ὑμῖν μεῖζον ἀγαθὸν γενέσθαι ἐν τῇ πόλει ἢ τὴν ἐμὴν τῷ θεῷ
ὑπηρεσίαν. οὐδὲν γὰρ ἄλλο πράττων ἐγὼ περιέρχομαι ἢ
πείθων ὑμῶν καὶ νεωτέρους καὶ πρεσβυτέρους μήτε σωμάτων
ἐπιμελεῖσθαι μήτε χρημάτων πρότερον μηδὲ οὕτω σφόδρα   b
ὡς τῆς ψυχῆς ὅπως ὡς ἀρίστη ἔσται, λέγων ὅτι 'οὐκ ἐκ
χρημάτων ἀρετὴ γίγνεται, ἀλλ' ἐξ ἀρετῆς χρήματα καὶ τὰ
ἄλλα ἀγαθὰ τοῖς ἀνθρώποις ἅπαντα καὶ ἰδίᾳ καὶ δημοσίᾳ'.

ἅπας, ἅπασα, ἅπαν: every, all, quite all, 8
ἄριστος, -η, -ον: best, very good, noblest, 5
ἀστός, ὁ: townsman, citizen, 3
γένος, -εος, ὁ: race, lineage, family; type
δημόσιος, -α, -ον: public, δημοσίᾳ in public, 4
ἐγγύς: near to (gen.); adv. nearby, 3
ἴδιος, -α, -ον: one's own; ἰδίᾳ, in private, 7
κελεύω: to bid, order, command, 4
μείζων, μεῖζον: larger, greater, 4

μη-δέ: not even, nor; but not, 8
περι-έρχομαι: to go around, 3
πρεσβύτης (πρέσβυς), ὁ: old (man), elder, 8
πρότερος, -α, -ον: previous, earlier, 4
πω: yet, up to this time
σφόδρα: exceedingly, very (much), 3
σῶμα, -ατος, τό: body
ὑπ-ηρεσία, ἡ: service
ψυχή, ἡ: soul, spirit; breath, life, 3

4 μᾶλλον δὲ: but more...; i.e. above all;
  still with dat. of interest
  ὅσῳ...ἐγγυτέρω ἐστὲ.: the nearer...; 'by
  how much nearer...' the relative is dat. of '
  degree of difference with comparative adv.;
  2p εἰμί
  γένει.: in...; γένε-ι, dat. of respect
5 ἴστε: pl. imperative οἶδα
  οὐδέν...μεῖζον ἀγαθὸν γενέσθαι: that no
  greater good...; or 'that nothing has come
  to be a greater good,' ind. disc., substantive
6 ὑμῖν: for...; dat. interest
7 ἢ: than...; clause of comparison after ἄλλο
8 ὑμῶν καὶ νεωτέρους...ἐπιμελεῖσθαι:
  that...; ind. disc.; ὑμῶν is partitive with the
  two comparative, νέος, πρέσβυς
  μήτε...μήτε: neither...nor...; gen. obj.
  πρότερον μηδὲ οὕτω σφόδρα: before
  or as much as...; one clause of comparison,
  πρότερον (ἢ) τῆς ψυχῆς 'sooner (than) the

  soul,' is replaced with another clause of
  comparison, οὕτω σφόδρα ὡς, 'as very
  much as'
2 ὡς τῆς ψυχῆς: as..; clause of comparison,
  obj. of a missing ἐπιμελεῖσθαι; verbs are
  often omitted in comparisons; οὕτω and ὡς
  are correlative advs. (demonstrative and
  relative)
  ὅπως ὡς ἀρίστη ἔσται: how it...; object
  clause with fut. εἰμί as another obj. of the
  inf.; ψυχῆς is a proleptic gen.: used as the
  obj. of the inf. but best translated as subject
  in the object clause
  ὡς ἀρίστη: ὡς + superlative is translated
  'as...as possible'
4 ἀγαθά: goods; substantive
  τοῖς ἀνθρώποις: for...; dat. interest
  καὶ ἰδίᾳ καὶ δημοσίᾳ': both in...and in...;
  dat. of manner

εἰ μὲν οὖν ταῦτα λέγων διαφθείρω τοὺς νέους, ταῦτ' ἂν εἴη 5
βλαβερά· εἰ δέ τίς μέ φησιν ἄλλα λέγειν ἢ ταῦτα, οὐδὲν
λέγει. πρὸς ταῦτα," φαίην ἄν, "ὦ ἄνδρες Ἀθηναῖοι, ἢ
πείθεσθε Ἀνύτῳ ἢ μή, καὶ ἢ ἀφίετέ με ἢ μή, ὡς ἐμοῦ οὐκ
ἂν ποιήσαντος ἄλλα, οὐδ' εἰ μέλλω πολλάκις τεθνάναι." c
μὴ θορυβεῖτε, ὦ ἄνδρες Ἀθηναῖοι, ἀλλ' ἐμμείνατέ μοι
οἷς ἐδεήθην ὑμῶν, μὴ θορυβεῖν ἐφ' οἷς ἂν λέγω ἀλλ' ἀκούειν·
καὶ γάρ, ὡς ἐγὼ οἶμαι, ὀνήσεσθε ἀκούοντες. μέλλω γὰρ οὖν
ἄττα ὑμῖν ἐρεῖν καὶ ἄλλα ἐφ' οἷς ἴσως βοήσεσθε· ἀλλὰ 5
μηδαμῶς ποιεῖτε τοῦτο. εὖ γὰρ ἴστε, ἐάν με ἀποκτείνητε

ἀφ-ίημι: let go, release, acquit, send forth, 6
βλαβερός, -ά, -όν: harmful
βοάω: to cry aloud, shout, 2
ἐμ-μένω: to abide in; stay with (dat)

θορυβέω: to make an uproar, disturbance, 7
μηδαμῶς: in no way, not at all
ὀνίνημι: to profit, benefit, benefit from, 2
πολλάκις: many times, often, frequently, 6

5 οὖν: *then, therefore*; inferential
   ταῦτ(α) ἂν εἴη: *would...*; potential opt. εἰμί
6 τις: indefinite, receiving the accent from με
   φησιν: 3s φημί
   ἤ: *than...*; following neut. pl. ἄλλος
   οὐδὲν: *nothing important*; as opposed to τι
   λέγει, 'says something (important)
7 πρὸς ταῦτα: *in response to...*
   φαίην ἄν: *would...*; 1s potential opt. φημί
   ἤ... ἤ...: *either...or...*; 2p pres. ἀφίημι
8 ὡς ἐμοῦ οὐκ ἂν ποιήσαντος ἄλλα: *on the
   grounds that...would...*; 'since...would...'
   ὡς + pple expresses alleged cause from the
   characters' point of view; ἄν + aor. pple is
   here equiv. to aor. potential opt. (S1848)
c1 οὐδ(έ): *not even*; adv.
   τεθνάναι: pf. inf. ἀποθνήσκω
2 μὴ θορυβεῖτε: neg. imperative
   ἐμμείνατέ: aor. imperative
   μοι: *for...*; dat. of interest or ethical dat.
   to elicit the audience's interest: 'please'
3 οἷς ἐδεήθην ὑμῶν: *in what...*; '(in these
   things) which,' (τούτοις) ἅ; the relative is
   acc. obj. but attracted into the dat. (dat. of
   compound verb) of the missing antecedent;

1s aor. pass. dep. δέομαι, 'ask,' also
governs a gen. of source
μὴ θορυβεῖν: *(namely) not...*; or 'that (you)
not...' ind. command in apposition to οἷς ;
μή is used instead of οὐ with an inf.
expressing a wish and command (S2719)
ἐφ' οἷς ἂν λέγω: *at whatever...*; 'at (these
things) which,' ἐπὶ (τούτοις) ἅ; another
acc.. obj. attracted into the dat. of the
missing antecedent; ἐπί + dat. gives the
reason or motivation for the feeling
(S1689.3.c)
4 καὶ γάρ: *for in fact*; καί is adv.
   ὡς ἐγὼ οἴ(ο)μαι: *as...*; parenthetical
   ὀνήσεσθε: 2p fut. mid. ὀνίνημι with a pple
   causal in sense
5 ἄττα: *some things*; alternative form for
   neut. pl. indefinite τινά
   ἐρεῖν: fut. λέγω
   ἐφ' οἷς ἴσως βοήσεσθε: *at which...*; 2p fut.
   βοάω; ἐπί + dat., as above, gives the
   motivation for a feeling (S1689.3.c)
6 ἴστε: pl. imperative οἶδα
   ἐάν με ἀποκτείνητε... βλάψετε: *if...*; fut.
   more vivid (ἐάν subj., fut.)

τοιοῦτον ὄντα οἷον ἐγὼ λέγω, οὐκ ἐμὲ μείζω βλάψετε ἢ
ὑμᾶς αὐτούς· ἐμὲ μὲν γὰρ οὐδὲν ἂν βλάψειεν οὔτε Μέλητος
οὔτε Ἄνυτος--οὐδὲ γὰρ ἂν δύναιτο--οὐ γὰρ οἴομαι θεμιτὸν
εἶναι ἀμείνονι ἀνδρὶ ὑπὸ χείρονος βλάπτεσθαι. ἀποκτείνειε   d
μεντᾶν ἴσως ἢ ἐξελάσειεν ἢ ἀτιμώσειεν· ἀλλὰ ταῦτα οὗτος
μὲν ἴσως οἴεται καὶ ἄλλος τίς που μεγάλα κακά, ἐγὼ δ' οὐκ
οἴομαι, ἀλλὰ πολὺ μᾶλλον ποιεῖν ἃ οὑτοσὶ νῦν ποιεῖ, ἄνδρα
ἀδίκως ἐπιχειρεῖν ἀποκτεινύναι. νῦν οὖν, ὦ ἄνδρες Ἀθη-   5
ναῖοι, πολλοῦ δέω ἐγὼ ὑπὲρ ἐμαυτοῦ ἀπολογεῖσθαι, ὡς τις
ἂν οἴοιτο, ἀλλὰ ὑπὲρ ὑμῶν, μή τι ἐξαμάρτητε περὶ τὴν τοῦ

ἄ-δικως: unjustly, wrongly
ἀμείνων, -ον (-ονος): better, 6
ἀ-τιμόω: disenfranchise, remove civic rights
βλάπτω: to harm, hurt, 7
δύναμαι: to be able, can, be capable, 5
ἐξ-αμαρτάνω: err, make a mistake, do wrong
ἐξ-ελαύνω: to drive out; march out, 2

ἐπι-χειρέω: to attempt, try, put a hand on, 5
θεμιτός, -ή, -όν: righteous, lawful (by gods and men)
μείζων, μεῖζον: larger, greater, 4
που: anywhere, somewhere; I suppose, 7
ὑπέρ: on behalf of, about (gen.); beyond, 8
χείρων, -ον, (-οντος): worse, inferior, 2

7 τοιοῦτον...οἷον (ἐμὲ εἶναι) ἐγὼ λέγω:
such (a man) as..., the sort (of man) as...;
ellipsis, correlatives (demonstrative and
relative); τοιοῦτον is a pred. following
pple εἰμί, and οἷον is pred. in ind. disc.
μείζο(ν)α: *more*; neut. pl. comparative
adv. acc. (inner acc.: 'inflict greater harms
on'); note the same inner acc. in next line
8 ὑμᾶς αὐτούς: *yourselves*; reflexive
οὐδὲν: *not at all*; adv. acc. (inner acc.:
'inflict no harm on')
ἂν βλάψειεν: *would...*; 3s aor. potential opt.
agreeing with each subject considered
individually
9 ἂν δύναιτο: *one would...*; potential opt.;
3s because the two are considered
individually or Socrates is referring to
Meletus alone; or possibly impersonal: 'it
would be possible'
θεμιτὸν εἶναι: *that it is...*; impersonal
d1 ἀμείνονι ἀνδρὶ: *for...*; dat. interest
ὑπὸ χείρονος (ἀνδρὸς): *by...*; expressing
agency: the inf. is passive, not mid.
(ἐμὲ) ἀποκτείνειε ἂν...ἀτιμώσειεν: *one
might...or...or...*; series of aor. potential
opt. verbs; as above, Meletus is likely the
subject ; aor. opt. ἐξ-ελαύνω (aor. stem,
ἐλα-)
2 μέντο(ι) ἂν: crasis

ταῦτα (εἶναι)...μεγάλα κακά,: *that these
(are) great evils*; ind. disc.
οὗτος: i.e. Meletus
3 καὶ ἄλλος τις: a second subject for the 3s
verb; note that τις is indefinite
ἐγὼ δ' οὐκ οἴομαι: *but I do not think so*
4 ἀλλὰ (οἴομαι) πολὺ μᾶλλον (εἶναι): *but (I
think) that is a far greater (evil) is to...*;
when a positive adj. (μεγάλα κακά)
precedes, μᾶλλον can stand alone in place
of the comparative adj. (μεῖζον κακόν)
(S1066); πολύ is an adv. acc. (acc. of
extent in degree, i.e. 'more by much')
ἃ οὑτοσὶ νῦν ποιεῖ: *what...*; '(these things)
which,' (ταῦτα) ἃ; the missing antecedent
is obj. of ποιεῖν
ἄνδρα... ἐπιχειρεῖν ἀποκτεινύναι:
(namely) to...; inf. in apposition, ἄνδρα is
the obj. of the pres. inf. ἀποκτείνυμαι,
which is an alternative form for ἀποκτείνω
6 πολλοῦ δέω: *I am far from* + inf.; idiom: 'I
am lacking from much,' gen. of separation
ὡς τις ἂν οἴοιτο: *as one might...*;
parenthetical with potential opt.
7 μή ἐξαμάρτητε: *Don't...*; prohibitive aor.
subj. expresses a neg. command
τι: *at all*; adv. acc. (inner acc.: 'make any
mistake')
περὶ: *concerning..., about...*

58

θεοῦ δόσιν ὑμῖν ἐμοῦ καταψηφισάμενοι. ἐὰν γάρ με ἀπο- e
κτείνητε, οὐ ῥᾳδίως ἄλλον τοιοῦτον εὑρήσετε, ἀτεχνῶς—εἰ
καὶ γελοιότερον εἰπεῖν—προσκείμενον τῇ πόλει ὑπὸ τοῦ θεοῦ
ὥσπερ ἵππῳ μεγάλῳ μὲν καὶ γενναίῳ, ὑπὸ μεγέθους δὲ νωθε-
στέρῳ καὶ δεομένῳ ἐγείρεσθαι ὑπὸ μύωπός τινος, οἷον δή 5
μοι δοκεῖ ὁ θεὸς ἐμὲ τῇ πόλει προστεθηκέναι τοιοῦτόν τινα,
ὃς ὑμᾶς ἐγείρων καὶ πείθων καὶ ὀνειδίζων ἕνα ἕκαστον
οὐδὲν παύομαι τὴν ἡμέραν ὅλην πανταχοῦ προσκαθίζων. 31

ἀ-τεχνῶς: simply, absolutely, quite, 6
γελοῖος, -α, -ον: laughable, ridiculous
γενναῖος, -α, -ον: noble, well-bred
δόσις, -εως, ἡ: gift
ἐγείρω: to wake up, rouse; awaken, 3
εὑρίσκω: to find, discover, devise, invent, 7
ἡμέρα, ἡ: day, 6
ἵππος, ὁ: a horse, 8
κατα-ψηφίζομαι: to vote against (gen.), 8
μέγεθος, -εος, τό: size, length, magnitude

μύωψ, μύωπος, ὁ: gadfly
νωθής, -ές: sluggish, slothful
ὅλος, -η, -ον: whole, entire, complete, 2
ὀνειδίζω: to object, reproach, rebuke (dat), 5
παντα-χοῦ: everywhere, in all places
παύω: to stop, make cease; *mid.* cease, 3
προσ-καθίζω: to sit down by, sit down near
προσ-κειμαι: to be attached to, added to (dat.)
προσ-τίθημι: impose, add to, attach to (dat)
ῥᾳδίως: easily, 5

e1 θεοῦ: subjective gen. (i.e. 'God gives')
  ὑμῖν: dat. interest with τὴν δόσιν
  καταψηφισάμενοι: *by...*; aor. mid. pple
  causal in sense
  ἐὰν...ἀποκτείνητε,...εὑρήσετε: *if...*; fut.
  more vivid (ἐὰν subj. fut.), εὑρίσκω (εὑρε-)
2 τοιοῦτον: *such man, sort of man*
  εἰ καὶ (ἐστίν) γελοιότερον εἰπεῖν: *even
  though it is rather laughable to say*; a
  concessive clause; εἰ καί means 'although,'
  while καὶ εἰ means 'even if' (S2369); with
  an explanatory (epexegetical) aor. inf.
3 προσκείμενον: modifying τοιοῦτον
  ὑπὸ τοῦ θεοῦ: *by...*; expressing agency
4 ὥσπερ ἵππῳ: *just as...*; the famous simile
  of the gadfly: a clause of comparison where
  the city, dat. τῇ πόλει, is likened to a horse
  μεγάλῳ μὲν καὶ γενναίῳ: *on the one
  hand...*; the μέν-δέ contrast is particularly
  strong in the simile

ὑπὸ μεγέθους δὲ νωθεστέρῳ: *but on the
other hand because of...*; ὑπό+ gen.
(μεγεθε-ος) expressing cause; translate the
comparative as 'rather X'
5 δεομένῳ ἐγείρεσθαι: *needing...*; mid. pple
  ὑπὸ μύωπός τινος: *by...*; expressing
  agency
  οἷον δή...προστεθηκέναι: *just which sort
  of man...*; 'precisely which sort... ' relative
  and acc. pred. modifying ἐμὲ within the
  relative clause (equiv. to 'me (being) just
  which sort of man')
  τῇ πόλει: *to...*; dat. of compound verb
  προστεθηκέναι: pf. act inf.
6 τοιοῦτόν τινα: *a certain sort of man...*; in
  apposition to the preceding relative clause
7 ἕνα: acc. sg. εἷς
a1 οὐδὲν: *not at all*; adv. acc.
  τὴν ἡμέραν ὅλην: *for...*; acc. of duration

τοιοῦτος οὖν ἄλλος οὐ ῥᾳδίως ὑμῖν γενήσεται, ὦ ἄνδρες,
ἀλλ' ἐὰν ἐμοὶ πείθησθε, φείσεσθέ μου· ὑμεῖς δ' ἴσως τάχ'
ἂν ἀχθόμενοι, ὥσπερ οἱ νυστάζοντες ἐγειρόμενοι, κρούσαντες
ἄν με, πειθόμενοι Ἀνύτῳ, ῥᾳδίως ἂν ἀποκτείναιτε, εἶτα τὸν   5
λοιπὸν βίον καθεύδοντες διατελοῖτε ἄν, εἰ μή τινα ἄλλον ὁ
θεὸς ὑμῖν ἐπιπέμψειεν κηδόμενος ὑμῶν. ὅτι δ' ἐγὼ τυγχάνω
ὢν τοιοῦτος οἷος ὑπὸ τοῦ θεοῦ τῇ πόλει δεδόσθαι, ἐνθένδε
ἂν κατανοήσαιτε· οὐ γὰρ ἀνθρωπίνῳ ἔοικε τὸ ἐμὲ τῶν   b
μὲν ἐμαυτοῦ πάντων ἠμεληκέναι καὶ ἀνέχεσθαι τῶν οἰκείων
ἀμελουμένων τοσαῦτα ἤδη ἔτη, τὸ δὲ ὑμέτερον πράττειν ἀεί,

ἀεί: always, forever; for the time being, 7
ἀ-μελέω: have no concern for, neglect (gen) 4
ἀν-έχω: to endure, hold up
ἀνθρώπινος, -η, -ον: of a human, human, 4
ἄχθομαι: to be annoyed, vexed at (dat), 3
δια-τελέω: continue, live; accomplish
δίδωμι: to give, offer, grant, provide, 3
ἐγείρω: to wake up, rouse; awaken, 3
εἶτα: then, next, and so, therefore, 2
ἐνθένδε: from here, from this place, 3
ἔοικα: to seem, seem likely, be like (dat.), 5
ἐπι-πέμπω: to send to or upon
ἔτος, -εος, τό: a year, 4

καθ-εύδω: to lie down to sleep, sleep, 2
κατα-νοέω: to understand, observe well
κήδομαι: be concerned for, care for (gen), 2
κρούω: to strike, slap, knock
λοιπός, -ή, -όν: remaining, the rest,
νυστάζω: to be sleepy, nap
οἰκεῖος, -α, -ον: one's own; kin, related, 9
ῥᾳδίως: easily, 5
τάχα: perhaps; quickly, 5
τυγχάνω: to chance upon, happen; attain; 9
ὑμέτερος, -α, -ον: your, yours, 3
φείδομαι: to spare, refrain from

2 γενήσεται: fut. γίγνομαι
3 ἐὰν...πείθησθε, φείσεσθέ: if...; fut. more
vivid (ἐάν subj., fut.); 2p
μου: from...; gen. of separation
ἴσως τάχ': words of equiv. meaning that
enhance the possibility of the main verb
4 ἄν...ἀχθόμενοι: first of two ἄν + pples
equiv. to potential opt. (S1845): Plato could
have made these parallel with the main verb
but chose pples instead; translate in English
as pple and leave ἄν untranslated; this is not
merely duplicated ἄν
4 ὥσπερ οἱ νυστάζοντες: just as those...;
Socrates continues the simile of the gadfly
κρούσαντες ἄν: see explanation in line 4
5 (ἐμέ) ἂν ἀποκτείναιτε: would...; 2p
potential opt.
6 διατελοῖτε ἄν, εἰ μή...ἐπιπέμψειεν: would,
unless...should; fut. less vivid (εἰ opt., ἄν
opt); 3s aor. opt.
7 ὑμῖν: to...; dat. of compound verb
ὅτι δ' ἐγὼ τυγχάνω ὢν τοιοῦτος: that I
happen to...; ind. disc.; τυγχάνω governs
a complementary pple, εἰμί

8 οἷος...δεδόσθαι: as to...; 'which sort to...
οἷος + inf. denoting result (S2497); the
pf. pass. inf. δίδωμαι is an explanatory
(epexegetical) inf. with ind. obj.; τοιοῦτος,
'this sort,' and οἷος, 'which sort,' are
correlatives often translated 'such...as'
ὑπὸ τοῦ θεοῦ: by...; expressing agency
b1 ἂν κατανοήσαιτε: would...; potential opt.
οὐ γὰρ ἀνθρωπίνῳ ἔοικε: it does not seem
like a human thing; Socrates is explaining
the role of ὁ θεός; the adj. is a neut.
substantive
τὸ ἐμὲ μὲν...ἠμεληκέναι...ἀνέχεσθαι...
πράττειν: that I...; articular inf. with three
verbs as subject of ἔοικε; ἐμὲ is acc. subject;
pf. act. inf. ἀμελέω
τῶν ἐμαυτοῦ πάντων: i.e. affairs
2 τῶν οἰκείων ἀμελουμένων: my household
affairs...; gen. abs., neut. pl. can refer to
family as well as possessions
3 τοσαῦτα ἔτη: for...; acc. duration
τὸ δὲ ὑμέτερον πράττειν ἀεί: and always
am doing your business; ἐμὲ is still subject

ἰδίᾳ ἑκάστῳ προσιόντα ὥσπερ πατέρα ἢ ἀδελφὸν πρεσβύ-
τερον πείθοντα ἐπιμελεῖσθαι ἀρετῆς. καὶ εἰ μέν τι ἀπὸ   5
τούτων ἀπέλαυον καὶ μισθὸν λαμβάνων ταῦτα παρεκε-
λευόμην, εἶχον ἄν τινα λόγον· νῦν δὲ ὁρᾶτε δὴ καὶ αὐτοὶ
ὅτι οἱ κατήγοροι τἆλλα πάντα ἀναισχύντως οὕτω κατη-
γοροῦντες τοῦτό γε οὐχ οἷοί τε ἐγένοντο ἀπαναισχυντῆσαι
παρασχόμενοι μάρτυρα, ὡς ἐγώ ποτέ τινα ἢ ἐπραξάμην   c
μισθὸν ἢ ᾔτησα. ἱκανὸν γάρ, οἶμαι, ἐγὼ παρέχομαι τὸν
μάρτυρα ὡς ἀληθῆ λέγω, τὴν πενίαν.

ἴσως ἂν οὖν δόξειεν ἄτοπον εἶναι, ὅτι δὴ ἐγὼ ἰδίᾳ μὲν

αἰτέω: to ask, ask for, beg
ἀν-αίσχυντος, -ον: shameless, impudent, 2
ἀπ-αναισχυντέω: be shameless enough to say or do
ἀπό: from, away from. (+ gen.), 6
ἀπολαύω: to have enjoyment/benefit of
ἄ-τοπος, -ον: strange, odd, extraordinary, 3
ἴδιος, -α, -ον: one's own; ἰδίᾳ, in private, 7
ἱκανός, -ή, -όν: enough, sufficient; capable, 4
λαμβάνω: to take, receive, catch, grasp, 9

μάρτυς, μάρτυρος. ὁ, ἡ: a witness, 6
μισθός, ὁ: fee, pay; wage, hire, 2
ὁράω: to see, look, behold, 9
παρα-κελεύω: encourage, urge, order (dat), 2
παρ-έχω: to provide, furnish, supply, 8
πατήρ, πατρός, ὁ: a father, 6
πενία, ἡ: poverty, need, 2
πρεσβύτης (πρέσβυς), ὁ: old (man), elder, 8
προσ-έρχομαι: to come or go to, approach, 2

4 **ἰδίᾳ**: *privately*; dat. manner as adv.
προσιόντα: pple προσέρχομαι modifyng ἐμέ; ἑκάστῳ is dat. of compound verb
5 **εἰ ἀπέλαυον...παρεκελευόμην, εἶχον ἄν**: *and if I were...and I were..., I would have*; contrary to fact condition (εἰ impf., ἄν impf.)
6 **μισθὸν λαμβάνων**: i.e. as a teacher
τινα λόγον: i.e. justification
7 **νῦν δὲ**: *but, as it is*; as often, after a contrary to fact
δὴ: *just*; emphatic with 2p imperative
καὶ αὐτοὶ: *you yourselves also*; 2p intensive
8 **τ(ὰ) ἀλλὰ πάντα**: *in respect to...*; acc. respect
κατηγοροῦντες: *(although)*...; concessive in sense
τοῦτο γε...ἀπαναισχυντῆσαι: *to be shameless enough to do this at least*; aor.

inf.; τοῦτο is clarified by what follows; γε is intensive and restrictive
9 **οἷοί τε ἐγένοντο**: οἷός τε εἰμί 'be to sort to' is a common idiom for 'be able' and the same is true for οἷός τε γίγνομαι
c1 **ὡς ἐγώ ποτέ...ἢ...ἢ....**: *that I ever either ...or...*; ind. disc. following μάρτυρα
ἐπραξάμην: *exacted*; i.e. as payment; 1s aor. mid. πράττω
ᾔτησα: 1s aor. αἰτέω
2 **οἶμαι**: parenthetical
3 **ὡς ἀληθῆ λέγω**: *that...*; neut. pl ἀληθέα, ' i.e. truth
τὴν πενίαν: in apposition to μάρτυρα
4 **ἂν...δόξειεν**: *it would seem*; impersonal 3s aor. potential opt.
ὅτι δὴ...: *(namely) that indeed...*; ind. disc.
ἰδίᾳ: *privately*; dat. manner as adv.

ταῦτα συμβουλεύω περιὼν καὶ πολυπραγμονῶ, δημοσίᾳ δὲ   5
οὐ τολμῶ ἀναβαίνων εἰς τὸ πλῆθος τὸ ὑμέτερον συμβου-
λεύειν τῇ πόλει. τούτου δὲ αἴτιόν ἐστιν ὃ ὑμεῖς ἐμοῦ
πολλάκις ἀκηκόατε πολλαχοῦ λέγοντος, ὅτι μοι θεῖόν τι καὶ
δαιμόνιον γίγνεται [φωνή], ὃ δὴ καὶ ἐν τῇ γραφῇ ἐπικω-   d
μῳδῶν Μέλητος ἐγράψατο. ἐμοὶ δὲ τοῦτ' ἔστιν ἐκ παιδὸς
ἀρξάμενον, φωνή τις γιγνομένη, ἣ ὅταν γένηται, ἀεὶ ἀπο-
τρέπει με τοῦτο ὃ ἂν μέλλω πράττειν, προτρέπει δὲ οὔποτε.
τοῦτ' ἔστιν ὅ μοι ἐναντιοῦται τὰ πολιτικὰ πράττειν, καὶ   5

ἀεί: always, forever; for the time being, 7
αἴτιον, τό: cause, reason, 3
ἀνα-βαίνω: to come up, climb, mount, 5
ἀπο-τρέπω: to turn away, avert, deter, 2
ἄρχω: to begin; rule, be leader of (gen), 7
γραφή, ἡ: indictment, prosecution, 7
γράφομαι: to indict, 5
δαιμόνιος, α, ον: spirit; *neut.* divine being, 9
δημόσιος, -α, -ον: public, δημοσίᾳ in public, 4
ἐναντιόομαι: to oppose, contradict (dat.), 9
ἐπι-κωμῳδέω: to satirize, make fun of (in comedy)
θεῖος, -α, -ον: holy, divine, sent by gods, 3
ὅταν: ὅτε ἄν, whenever, 4

οὔ-ποτε: not ever, never
παῖς, παιδός, ὁ, ἡ: child, boy, girl; slave, 8
περι-έρχομαι: to go around, 3
πλῆθος, -εος, τό: multitude; majority, 3
πολιτικός -ή -όν: of a citizen; political, 7
πολλα-χοῦ: in many places, 2
πολλάκις: many times, often, frequently, 6
πολυ-πραγμονέω: be a busybody, meddle
προ-τρέπω: to urge on, turn forward
συμ-βουλεύω: consult/deliberate with, 3
τολμάω: to dare, venture, endure, 3
ὑμέτερος, -α, -ον: your, yours, 3
φωνή, ἡ: voice, dialect, speech, 3

---

5 **περιιὼν**: pple περιέρχομαι
  δημοσίᾳ: *in public, publicly*; dat. of manner
6 **εἰς τὸ πλῆθος τὸ ὑμέτερον**: *before your (democratic) faction*; 'before your majority,' see 21a1 for a similar reading of πλῆθος.
  τῇ πόλει: *with...*; dat. of compound
7 **τούτου δὲ αἴτιόν**: *the reason for this*; objective gen.; Socrates responds to the ind. question
  ὃ:...ἀκηκόατε *what...*; '(that) which,' (τοῦτο) ὃ; 2p pf.
  ἐμοῦ...λέγοντος: gen. of source obj. of verb
8 **ὅτι...**: *(namely) that...*; ind. disc., not governed by λέγοντος but in apposition to the αἴτιον.
  μοι: dat. of interest
d1 **[φωνή],**: square brackets indicates that the

editor thinks the text should be omitted
ὃ δὴ: *just what..., precisely what...*; intensive and object. of pple ἐπικωμῳδῶν
καὶ: *also*
2 **ἔστιν...ἀρξάμενον::** *is (a thing) beginning*; 'exists, beginning...' not a simple pres. periphrastic
  ἐκ παιδὸς:: *from childhood*
3 **φωνή τις γιγνομένη**: in apposition to τοῦτο
  ἣ: *which...*
  ὅταν γένηται: *whenever...*; general temporal clause with ἄν + aor. subj.
4 **ὃ ἂν μέλλω πράττειν**: *whatever...*; general relative with pres. subj.
5 **ὃ:...** *what...*; '(that) which,' (τοῦτο) ὃ;
  ἐναντιοῦται: ἐναντιό-εται
  τὰ πολιτικὰ πράττειν: *to engage in politics*; obj. of verb

παγκάλως γέ μοι δοκεῖ ἐναντιοῦσθαι· εὖ γὰρ ἴστε, ὦ ἄνδρες
Ἀθηναῖοι, εἰ ἐγὼ πάλαι ἐπεχείρησα πράττειν τὰ πολιτικὰ
πράγματα, πάλαι ἂν ἀπολώλη καὶ οὔτ᾽ ἂν ὑμᾶς ὠφελήκη
οὐδὲν οὔτ᾽ ἂν ἐμαυτόν. καί μοι μὴ ἄχθεσθε λέγοντι τἀληθῆ·   e
οὐ γὰρ ἔστιν ὅστις ἀνθρώπων σωθήσεται οὔτε ὑμῖν οὔτε
ἄλλῳ πλήθει οὐδενὶ γνησίως ἐναντιούμενος καὶ διακωλύων
πολλὰ ἄδικα καὶ παράνομα ἐν τῇ πόλει γίγνεσθαι, ἀλλ᾽
ἀναγκαῖόν ἐστι τὸν τῷ ὄντι μαχούμενον ὑπὲρ τοῦ δικαίου,   32
καὶ εἰ μέλλει ὀλίγον χρόνον σωθήσεσθαι, ἰδιωτεύειν ἀλλὰ
μὴ δημοσιεύειν.

ἄ-δικος, -ον: unjust, wrong, 5
ἀναγκαῖος, -α, -ον: necessary, inevitable, 2
ἀπ-όλλυμι: destroy, ruin, kill; mid. perish, 2
ἄχθομαι: to be annoyed, vexed at (dat), 3
γνησίως: legitimately; lawfully (begotten)
δημοσιεύω: to be in public service
δια-κωλύω: to hinder, prevent
ἐναντιόομαι: to oppose, contradict (dat.), 9
ἐπι-χειρέω: to attempt, try, put a hand on, 5
ἰδιωτεύω: to be a private citizen

μάχομαι: to fight
παγκάλως: very well, beautifully, nobly
πάλαι: long ago, for a long time, 5
παράνομος, -ον: unlawful, contrary to law
πλῆθος, -εος, τό: multitude; majority, 3
πολιτικός -ή -όν: of a citizen; political, 7
σῴζω: to save, preserve, maintain, 3
ὑπέρ: on behalf of, about (gen.); beyond, 8
ὠφελέω: to help, benefit, improve, 4

6 καί...γέ: and...; often emphasizing the
intervening word often with heightened
intonation placed on the intervening word
παγκάλως: i.e. very successfully
ἴστε: 2p imperative οἶδα
7 εἰ ἐπεχείρησα...ἂν ἀπολώλη...ἂν
ὠφελήκη: if I tried...I would have been
killed...I would have been a benefit to...;
mixed contrary to fact (εἰ aor. ἂν plpf.), the
two 1s plpf. verbs emphasize the
completion of the act (cf. 36a5-6)
πράττειν τὰ πολιτικὰ πράγματα: to
engage in politics; 'public matters'
e1 οὐδὲν: at all; adv. acc. (inner acc.: 'been
any benefit'); positive after οὔτε...οὔτε
οὔτ᾽ ἂν ἐμαυτόν: a duplicated ἂν with
ὠφελήκη missing but understood; leave ἂν
untranslated
μὴ ἄχθεσθε: imperative
τἀληθῆ: τὰ ἀληθῆ (ἀληθέ-α); i.e. the truth

2 οὐ ἔστιν ὅστις: there is not anyone who...
σωθήσεται: fut. pass. σῴζω
οὔτε...οὔτε...οὐδενὶ: either...or any...;
dat. obj. of pple
4 πολλὰ ἄδικα καὶ παράνομα: a neuter
substantive: add 'things,'
γίγνεσθαι: from...; as often, after a verb of
hindering, translate the complementary inf.
as 'from' + gerund (-ing)
a1 τὸν μαχούμενον...ἰδιωτεύειν...: that the
(one)...; ind. disc.; τὸν μαχούμενον is the
acc. subject
τῷ ὄντι: in reality; dat. of manner
τοῦ δικαίου: i.e. justice
2 καὶ εἰ: even if
ὀλίγον χρόνον: for...; acc. duration
σωθήσεσθαι: fut. pass. inf.; μέλλω usually
governs a fut. inf. in a periphrastic fut.

μεγάλα δ᾽ ἔγωγε ὑμῖν τεκμήρια παρέξομαι τούτων, οὐ
λόγους ἀλλ᾽ ὃ ὑμεῖς τιμᾶτε, ἔργα. ἀκούσατε δή μοι τὰ 5
συμβεβηκότα, ἵνα εἰδῆτε ὅτι οὐδ᾽ ἂν ἑνὶ ὑπεικάθοιμι παρὰ
τὸ δίκαιον δείσας θάνατον, μὴ ὑπείκων δὲ ἀλλὰ κἂν ἀπο-
λοίμην. ἐρῶ δὲ ὑμῖν φορτικὰ μὲν καὶ δικανικά, ἀληθῆ δέ.
ἐγὼ γάρ, ὦ ἄνδρες Ἀθηναῖοι, ἄλλην μὲν ἀρχὴν οὐδεμίαν
πώποτε ἦρξα ἐν τῇ πόλει, ἐβούλευσα δέ· καὶ ἔτυχεν ἡμῶν   b
ἡ φυλὴ Ἀντιοχὶς πρυτανεύουσα ὅτε ὑμεῖς τοὺς δέκα
στρατηγοὺς τοὺς οὐκ ἀνελομένους τοὺς ἐκ τῆς ναυμαχίας
ἐβουλεύσασθε ἀθρόους κρίνειν, παρανόμως, ὡς ἐν τῷ ὑστέρῳ

ἀθρόος, -α, -ον: in mass, close together
ἀν-αιρέω: to take up, raise; destroy, 2
Ἀντιοχίς, ἡ: Antiochis (tribe name)
ἀπ-όλλυμι: destroy, ruin, kill; *mid.* perish, 2
ἀρχή, ἡ: beginning; rule, office, 9
ἄρχω: to begin; rule, be leader of (gen), 7
βουλεύω: deliberate, plan; serve in Boule, 3
δείδω: to fear; δέδια (pf. with pres. sense), 7
δέκα: ten
δικανικός, -ή, -όν: belonging to the courts
ἔργον, τό: deed, act; work; result, effect, 5
κρίνω: to choose, pick; decide, judge, 5
ναυ-μαχία, ἡ: sea battle

ὅτε: when, at some time, 2
παρ-έχω: to provide, furnish, supply, 8
παρανόμως: unlawfully, illegally
πρυτανεύω: to be prytanis (president)
στρατηγός, -οῦ, ὁ: general
συμ-βαίνω: to happen, occur, result, 4
τεκμήριον, τό: indication, evidence, sign, 4
τυγχάνω: to chance upon, happen; attain; 9
ὑπ-είκω: to yield, submit (dat.), 2
ὕστερος, -α, -ον: later, last; *adv.* later, 5
φορτικός, -ή, -όν: common, course, vulgar
φυλή, ἡ: tribe

---

5 **ὃ ὑμεῖς τιμᾶτε,**: *what...*; '(that) which,'
(τοῦτο) ὅ; missing antecedent is acc. obj.
ἔργα: *(namely)...*; in apposition
δή: *just...*; emphatic with imperatives
τὰ συμβεβηκότα: *what happened*; 'things
having...,' substantive, pf. act. συμβαίνω
6 **ἵνα εἰδῆτε**: *so that...*; purpose with 2p pf.
subj. οἶδα (pres. in sense)
ἑνὶ: *one (person)*; dat. compound, εἷς
ἂν ὑπεικάθοιμι: *would...*; aor. potential opt.
παρὰ: *contrary to...*
τὸ δίκαιον: *what is just*; 'the just'
7 **δείσας**: *(although) becoming...*; ingressive
aor. pple, concessive in sense
μὴ ὑπείκων δὲ: *but if not...*; pple is
conditional in sense
ἀλλὰ: *rather*; as often after neg. clause
κα(ὶ) ἂν ἀπολοίμην: *would even...*; 1s aor.
potential opt.
8 **ἐρῶ**: fut. λέγω
9 **ἀρχὴν...ἦρξα**: *held...office*; cognate acc.;
1s aor. ἄρχω
ἐβούλευσα δέ: *but I served in the Boule*;

the Boule was an democratic assembly that
Athenian were chosen at random to join
b1 **ἔτυχεν...πρυτανεύουσα**: *happened to...*;
aor. τυγχάνω + complementary pple; the
Boule had 500 members (50 from each of
the 10 tribes) that served for a year; each
month a different tribe (50 members) served
as the prytany that led the Boule; Socrates'
tribe happened to be prytany at this time,
and he happened to be in that group of 50
ἡμῶν ἡ φυλὴ Ἀντιοχὶς: i.e. Socrates' tribe;
2 **ὅτε...ἐβουλεύσασθε...κρίνειν,**: *when you
deliberated to pass judgement on*; i.e. in the
Boule, Socrates is part of this deliberation
3 **τοὺς οὐκ ἀνελομένους**: *not...*; aor. mid.
ἀν-αιρέω modifying στρατηγοὺς; the
generals, who did not recover the dead after
the battle at Arginusae, near Lesbos, in 406
τοὺς ἐκ τῆς ναυμαχίας: *those (dead) from
the sea-battle*
4 **παρανόμως**: i.e. to put the generals on trial
en masse (ἀθρόος) rather than individually
ὡς ἐν...: *as at a...*; clause of comparison

χρόνῳ πᾶσιν ὑμῖν ἔδοξεν. τότ᾽ ἐγὼ μόνος τῶν πρυτάνεων 5
ἠναντιώθην ὑμῖν μηδὲν ποιεῖν παρὰ τοὺς νόμους καὶ ἐναντία
ἐψηφισάμην· καὶ ἑτοίμων ὄντων ἐνδεικνύναι με καὶ ἀπάγειν
τῶν ῥητόρων, καὶ ὑμῶν κελευόντων καὶ βοώντων, μετὰ τοῦ
νόμου καὶ τοῦ δικαίου ᾤμην μᾶλλόν με δεῖν διακινδυνεύειν c
ἢ μεθ᾽ ὑμῶν γενέσθαι μὴ δίκαια βουλευομένων, φοβηθέντα
δεσμὸν ἢ θάνατον. καὶ ταῦτα μὲν ἦν ἔτι δημοκρατουμένης
τῆς πόλεως· ἐπειδὴ δὲ ὀλιγαρχία ἐγένετο, οἱ τριάκοντα αὖ

ἀπ-άγω: to lead away, carry off, arrest
βοάω: to cry aloud, shout, 2
βουλεύω: deliberate, plan; serve in Boule, 3
δεσμός, ὁ: imprisonment; *pl.* chains, bonds, 2
δημοκρατέομαι: to live in a democracy
δια-κινδυνεύω: to run all risks, make a desperate attempt
ἐναντιόομαι: to oppose, contradict (dat.), 9
ἐναντίος, -α, -ον: opposite, contrary (dat.), 6
ἐν-δείκνυμι: point out, show; inform against, 5
ἐπει-δή: since, because, when, after, 7

ἔτι: still, besides, further; in addition, 8
ἑτοῖμος, -η, -ον: ready, prepared, at hand, 3
κελεύω: to bid, order, command, 4
μόνος, -η, -ον: alone, only, solitary, 7
ὀλιγαρχία, ἡ: oligarchy, rule of the few
πρυτάνις, -εως, ὁ: prytanis (president)
ῥήτωρ, ὁ: orator, (public) speaker, 4
τότε: at that time, then, 6
τριάκοντα: thirty, 3
φοβέω: frighten; *mid.* fear, be afraid, 4
ψηφίζομαι: to vote

5 ἔδοξεν: i.e. it seemed to be illegal to try the generals en masse
πᾶσιν ὑμῖν: dat. reference, ὑμεῖς πάντες
τότ(ε):
τῶν πρυτάνεων: partitive, Socrates was one of the 50 members of his tribe serving as prytaneis (presidents) over the Boule for this month of the year when the deliberation happened
6 ἠναντιώθην ὑμῖν μηδὲν ποιεῖν: *opposed for you to do anything…*; 1s aor. pass. dep., a redundant μή often follows negative verbs (S2740): translate μηδὲν positively as 'anything'
παρά…: *contrary to…*;
ἐναντία: *the opposite*; i.e. contrary to the other members of the prytanis; Socrates was one of the ἐπιστάτης τῶν πρυτάνεων presiding over the 50 on this day, so his vote prevented the trial from taking place
7 ἑτοίμων ὄντων…τῶν ῥητόρων: *the orators…*; gen. abs.
8 ὑμῶν κελευόντων καὶ βοώντων: gen. abs.
c1 τοῦ δικαίου: *justice, what is just*; 'the just'
ᾤμην: impf. οἴομαι

μᾶλλον…ἤ: *rather than*
με δεῖν διακινδυνεύειν: *that it was…*; ind. disc., impersonal δεῖ
2 μετ(ὰ) ὑμῶν (με) γενέσθαι: *that I be…*; the inf. is the object of comparison; the ὑμῶν refers to the other members of the Boule, who also happened to be in the jury
μὴ δίκαια βουλευομένων: *not…*; δίκαια is neut. pl. acc. substantive
φοβηθέντα: *fearing* + acc.; 'becoming afraid' ingressive aor. pass. dep. pple modifying με
3 ταῦτα ἦν: i.e. the events described in the Boule; impf. εἰμί
ἔτι δημοκρατουμένης τῆς πόλεως: *(while)…*; gen. abs.; the generals abandoned the dead in 406 BC
4 ἐπειδὴ δὲ ὀλιγαρχία ἐγένετο: *when…*; in 404 BC when the Spartans placed the Thirty Tyrants, a pro-Spartan oligarchy, in power over Athens
οἱ τριάκοντα: *the Thirty*; a proper name; i.e. the Thirty Tyrants

μεταπεμψάμενοί με πέμπτον αὐτὸν εἰς τὴν θόλον προσέταξαν   5
ἀγαγεῖν ἐκ Σαλαμῖνος Λέοντα τὸν Σαλαμίνιον ἵνα ἀποθάνοι,
οἷα δὴ καὶ ἄλλοις ἐκεῖνοι πολλοῖς πολλὰ προσέταττον, βου-
λόμενοι ὡς πλείστους ἀναπλῆσαι αἰτιῶν. τότε μέντοι ἐγὼ
οὐ λόγῳ ἀλλ᾽ ἔργῳ αὖ ἐνεδειξάμην ὅτι ἐμοὶ θανάτου μὲν   d
μέλει, εἰ μὴ ἀγροικότερον ἦν εἰπεῖν, οὐδ᾽ ὁτιοῦν, τοῦ δὲ μηδὲν
ἄδικον μηδ᾽ ἀνόσιον ἐργάζεσθαι, τούτου δὲ τὸ πᾶν μέλει.
ἐμὲ γὰρ ἐκείνη ἡ ἀρχὴ οὐκ ἐξέπληξεν, οὕτως ἰσχυρὰ οὖσα,
ὥστε ἄδικόν τι ἐργάσασθαι, ἀλλ᾽ ἐπειδὴ ἐκ τῆς θόλου   5
ἐξήλθομεν, οἱ μὲν τέτταρες ᾤχοντο εἰς Σαλαμῖνα καὶ ἤγαγον

ἄ-δικος, -ον: unjust, wrong, 5
ἄγροικος, -ον: uncultivated, rustic, rude
ἄγω: to lead, bring, carry, convey, 9
αἰτία, ἡ: cause, responsibility, blame, 3
ἀνα-πίμπλημι: fill up, fill full of (gen)
ἀν-όσιος, -ον: unholy, profane
ἀρχή, ἡ: beginning; rule, office, 9
ἐκ-πλήττω: frighten, astound, strike out of
ἐν-δείκνυμι: point out, show; inform against, 5
ἐξ-έρχομαι: to go out, come out, 4
ἐπει-δή: since, because, when, after, 7
ἐργάζομαι: to do, work, accomplish, 8
ἔργον, τό: deed, act; work; result, effect, 5
θόλος, ὁ: tholos (round building housing the prytaneis, near the Boule, in Athens), 2

ἰσχυρός, -ά, -όν: strong, powerful; severe
Λέων, Λέοντος, ὁ: Leon
μέλει: there is a care for (dat.) for (gen.), 7
μετα-πέμπω: to send after or for, summon, 2
μη-δέ: not even, nor; but not, 8
οἴχομαι: to go, go off, depart, 2
ὅστισ-οῦν, ἥτισουν, ὅτι-οῦν: whatsoever, 4
πέμπτος, -η, -ον: fifth, 2
πλεῖστος, -η, -ον: most/very many/greatest, 7
προσ-τάττω: to order, appoint (dat.), 4
Σαλαμίνιος, -η, -ον: Salaminian, of Salamis
Σαλαμίς, Σαλαμῖνος, ἡ: Salamis (island), 2
τέτταρες, -α: four
τότε: at that time, then, 6

5 πέμπτον αὐτὸν: *myself, the fifth*; i.e. four others came along with Socrates
6 ἀγαγεῖν: i.e. arrest; aor. inf. ἄγω
   ἵνα ἀποθάνοι: *so that...might...*; purpose with aor. opt. ἀποθνήσκω in secondary seq.
7 οἷα δὴ...πολλὰ: *precisely which sort often...*; relative and acc. object; δή emphasizes the antecedent just as -περ does πολλὰ, 'many,' suggests the frequency of the orders
   ἐκεῖνοι: i.e. the Thirty
8 ὡς πλείστους: ὡς + superlative is translated 'as...as possible,' acc. obj.
   ἀναπλῆσαι: aor. act. inf. governing a partitive gen.
d1 λόγῳ, ἔργῳ: *in..., in...*; dat. of manner
   ὅτι ἐμοὶ θανάτου μὲν μέλει...οὐδ᾽ ὁτιοῦν: *that...*; the negative is far removed for emphasis; the θανάτου refers to Socrates' own death: i.e. 'my death'

οὐδ᾽ ὁτιοῦν: *not whatsoever*; adv. acc. (inner: have no whatsoever care) with μέλει
2 εἰ μὴ ἀγροικότερον ἦν εἰπεῖν: *if it is not rather blunt to say*; a contrary to fact where οὐδ᾽ ὁτιοῦν is part of the suppressed apodosis: 'if it were not too rude to say, (I would say that there was for me) not whatsoever (a concern).' Socrates notes that expressing a lack of concern for death may appear unseemly under these circumstances. τοῦ δὲ μηδὲν ἄδικον μηδ᾽...ἐργάζεσθαι: *but, of doing...*; gen. sg. articular inf. and obj. of μελει below
   μηδὲν...μηδ(ὲ): *not anything...or even*
3 τούτου δὲ: summarizing the articular inf.
   τὸ πᾶν: *entirely*; adv. acc.
4 ἐκείνη ἡ ἀρχὴ: *that rule*; i.e. ἡ ὀλιγαρχία
   οὖσα: *(although)...*; concessive pple
5 ὥστε ...: *so as to...*; result clause
   ᾤχοντο, ἤγαγον: impf. οἴχομαι and aor.

Λέοντα, ἐγὼ δὲ ᾠχόμην ἀπιὼν οἴκαδε. καὶ ἴσως ἂν διὰ
ταῦτα ἀπέθανον, εἰ μὴ ἡ ἀρχὴ διὰ ταχέων κατελύθη. καὶ
τούτων ὑμῖν ἔσονται πολλοὶ μάρτυρες.   e
    ἆρ᾽ οὖν ἄν με οἴεσθε τοσάδε ἔτη διαγενέσθαι εἰ ἔπραττον
τὰ δημόσια, καὶ πράττων ἀξίως ἀνδρὸς ἀγαθοῦ ἐβοήθουν
τοῖς δικαίοις καὶ ὥσπερ χρὴ τοῦτο περὶ πλείστου ἐποιούμην;
πολλοῦ γε δεῖ, ὦ ἄνδρες Ἀθηναῖοι· οὐδὲ γὰρ ἂν ἄλλος   5
ἀνθρώπων οὐδείς. ἀλλ᾽ ἐγὼ διὰ παντὸς τοῦ βίου δημοσίᾳ   33
τε εἴ πού τι ἔπραξα τοιοῦτος φανοῦμαι, καὶ ἰδίᾳ ὁ αὐτὸς
οὗτος, οὐδενὶ πώποτε συγχωρήσας οὐδὲν παρὰ τὸ δίκαιον

ἀξίως: worthily, deservingly of (+ gen.)
ἀπ-έρχομαι: to go away, depart, 5
ἆρα: introduces a yes/no question, 3
ἀρχή, ἡ: beginning; rule, office, 9
βοηθέω: to help, come to aid, assist (dat), 5
δημόσιος, -α, -ον: public, δημοσίᾳ in public, 4
δια-γίγνομαι: to live, go through, pass
ἔτος, -εος, τό: a year, 4
ἴδιος, -α, -ον: one's own; ἰδίᾳ, in private, 7
κατα-λύω: to dissolve, break up, abolish
Λέων, Λέοντος, ὁ: Leon, 2

μάρτυς, μάρτυρος. ὁ, ἡ: a witness, 6
οἴκα-δε: homeward, home
οἴχομαι: to go, go off, depart, 2
πλεῖστος, -η, -ον: most/very many/greatest, 7
που: anywhere, somewhere; I suppose, 7
συγ-χωρέω: to yield, concede (dat)
ταχύς, -εῖα, -ύ: quick, swift, hastily
τοσόσδε, -ήδε, -όνδε: so great, much, many
φαίνω: show; mid. appear, seem, 7
χρή: it is necessary, fitting; must, ought, 6

---

7 ᾠχόμην: impf.
  ἀπιὼν: pple ἀπ-έρχομαι
  ἂν ἀπέθανον, εἰ μὴ...κατελύθη: *I would
  have..., if...had not...*; contrary to fact
  condition (εἰ aor., ἂν aor.) ἀποθνῄσκω. and
  aor. pass. κατα-λύω.
  διὰ ταχέων: *in haste*
e1 ἔσονται: 3p fut. dep. εἰμί
  ὑμῖν: dat. of possession, often translated
  with the verb εἰμί: 'you will have...'
2 οἴεσθε: *Do...?*; 2p pres. mid. οἴομαι
  ἄν με...διαγενέσθαι, εἰ ἔπραττον...
  ἐβοήθουν...: *that I...would have, if...I
  were...*; ind. disc. with a contrary to fact (εἰ
  impf., ἂν aor.) with apodosis replaced
  with ἂν + aor. inf. δια-γίγνομαι
  τοσάδε ἔτη: *for...*; acc. duration
3 τὰ δημόσια: i.e.. affairs or business
4 τοῖς δικαίοις: *what is just*; 'just things'
  ὥσπερ χρὴ: almost parenthetical
  τοῦτο περὶ πλείστου ἐποιούμην: *I*

considered this of the greatest (importance)
third verb in the protasis; γε is emphatic
5 πολλοῦ γε δεῖ: *Far from it!*; idiom, 'it is
  lacking from much' gen. of separation
  οὐδὲ γὰρ ἂν (τοσάδε ἔτη διεγένετο)
  ἄλλος ἀνθρώπων οὐδείς: *nor...*; ellipsis,
  understand the apodosis from above
a1 δημοσίᾳ: *in public*; dat. of manner
2 εἴ...ἔπραξα, φανοῦμαι,: mixed condition
  (εἰ aor., fut.), fut. mid. φαίνω, 'appear,'
  (fut. φανε-)
  ἰδίᾳ: *in private*; dat. of manner
  ὁ αὐτὸς οὗτος (φανοῦμαι): (*I will
  appear*)...; nom. pred.; explained in the next
  line; attributive αὐτὸς means 'same'
3 συγχωρήσας: (*namely*)...; nom. sg. aor.
  pple, explaining τοιοῦτος and ὁ αὐτὸς
  οὐδὲν: *at all*; adv. acc. (inner acc.: 'making
  no yield'), here made positive by οὐδενὶ
  παρὰ τὸ δίκαιον: *contrary to what is just*;
  'the just'

οὔτε ἄλλῳ οὔτε τούτων οὐδενὶ οὓς δὴ διαβάλλοντες ἐμέ
φασιν ἐμοὺς μαθητὰς εἶναι. ἐγὼ δὲ διδάσκαλος μὲν οὐδενὸς   5
πώποτ' ἐγενόμην· εἰ δέ τίς μου λέγοντος καὶ τὰ ἐμαυτοῦ
πράττοντος ἐπιθυμοῖ ἀκούειν, εἴτε νεώτερος εἴτε πρεσβύτερος,
οὐδενὶ πώποτε ἐφθόνησα, οὐδὲ χρήματα μὲν λαμβάνων διαλέ-
γομαι μὴ λαμβάνων δὲ οὔ, ἀλλ' ὁμοίως καὶ πλουσίῳ καὶ   b
πένητι παρέχω ἐμαυτὸν ἐρωτᾶν, καὶ ἐάν τις βούληται
ἀποκρινόμενος ἀκούειν ὧν ἂν λέγω. καὶ τούτων ἐγὼ εἴτε
τις χρηστὸς γίγνεται εἴτε μή, οὐκ ἂν δικαίως τὴν αἰτίαν
ὑπέχοιμι, ὧν μήτε ὑπεσχόμην μηδενὶ μηδὲν πώποτε μάθημα   5
μήτε ἐδίδαξα· εἰ δέ τίς φησι παρ' ἐμοῦ πώποτέ τι μαθεῖν ἢ

αἰτία, ἡ: cause, responsibility, blame, 3
δια-βάλλω: to slander; pass over, 4
δια-λέγομαι: to converse with, discuss, 8
διδάσκαλος, ὁ: teacher
δικαίως: justly, rightly, lawfully, fairly, 2
ἐπι-θυμέω: to desire, long for, 2
ἐρωτάω: to ask, inquire, question, 4
λαμβάνω: to take, receive, catch, grasp, 9
μάθημα, -ατος, τό: instruction, teaching
μαθητής, -οῦ ὁ: learner, student, pupil
μανθάνω: to learn, understand, 6

ὁμοίως: similarly, 2
παρ-έχω: to provide, furnish, supply, 8
πένης, πένητος, ὁ: poor (man), day-laborer, 2
πλούσιος, -η, -ον: wealthy, rich, 2
πρεσβύτης (πρέσβυς), ὁ: old (man), elder, 8
ὑπ-ισχνέομαι: to promise
ὑπ-έχω: to bear, suffer, undergo
φθονέω: begrudge, refuse (from ill-will)
(dat.)
χρηστός, -ή, -όν: good, worthy, 2

4 οὔτε ἄλλῳ οὔτε...οὐδενὶ: neither... nor
anyone...; in apposition to οὐδενὶ in line 3
οὓς δὴ: just whom..., precisely whom...,;
relative is acc. subject of ἐμοὺς μαθητὰς
εἶναι
5 φασιν: 3p pres. φημί
6 ἐγενόμην: was
εἰ...ἐπιθυμοῖ, ἐφθόνησα: if ever...; a past
general condition (εἰ opt., aor.), translate the
opt. as simple past
μου: gen. of source with complementary
pples
τὰ ἐμαυτοῦ: my own (business)
7 εἴτε ... εἴτε ...: whether...or...; in
apposition to τις; comparative, νέος and
πρέσβυς.
b1 μὴ (χρήματα) λαμβάνων δὲ οὔ
(διαλέγομαι): but if not...I do not...;
ellipsis; the pple is conditional (thus, μὴ
rather than οὔ)
ἀλλὰ: rather; as often after neg. clause
2 ἐρωτᾶν...ἀκούειν: to question and...to
hear; inf. of purpose (S2009) governed by

παρέχω
ἐάν τις βούληται (ἀκούειν) ἀποκρινόμενος
if...; pres. general condition (ἐάν subj, pres.)
3 ὧν ἂν λέγω: whatever...; '(these things)
which,' (τούτων) ἃ; general relative
clause, acc. obj. attracted into gen. of source
of missing antecedent
τούτων: partitive with τις
εἴτε ... εἴτε ...: whether...or...
4 ἂν...ὑπέχοιμι: would...; potential opt.
5 ὧν: of whom...; partitive gen. and relative
with τούτων as antecendent
μήτε...μηδενὶ μηδὲν...μήτε: neither...to
anyone anything...nor.; an emphatic denial,
while we expect the pronouns to be positive
in English, preserving the negation conveys
the force of Socrates' words: 'neither...to
no one nothing...nor...'
ὑπεσχόμην: aor. ὑπ-ισχνέομαι
6 φησι: 3s pres εἰμί
παρ(ὰ) ἐμοῦ: from...; place from which
μαθεῖν: that (he)...; ind. disc,, aor. inf.

ἀκοῦσαι ἰδίᾳ ὅ τι μὴ καὶ οἱ ἄλλοι πάντες, εὖ ἴστε ὅτι οὐκ
ἀληθῆ λέγει.

ἀλλὰ διὰ τί δή ποτε μετ᾽ ἐμοῦ χαίρουσί τινες πολὺν
χρόνον διατρίβοντες; ἀκηκόατε, ὦ ἄνδρες Ἀθηναῖοι, πᾶσαν   c
ὑμῖν τὴν ἀλήθειαν ἐγὼ εἶπον· ὅτι ἀκούοντες χαίρουσιν
ἐξεταζομένοις τοῖς οἰομένοις μὲν εἶναι σοφοῖς, οὖσι δ᾽ οὔ.
ἔστι γὰρ οὐκ ἀηδές. ἐμοὶ δὲ τοῦτο, ὡς ἐγώ φημι, προστέ-
τακται ὑπὸ τοῦ θεοῦ πράττειν καὶ ἐκ μαντείων καὶ ἐξ ἐνυπνίων   5
καὶ παντὶ τρόπῳ ᾧπέρ τίς ποτε καὶ ἄλλη θεία μοῖρα ἀνθρώπῳ
καὶ ὁτιοῦν προσέταξε πράττειν. ταῦτα, ὦ ἄνδρες Ἀθηναῖοι,

ἀ-ηδής, -ές: unpleasant, disagreeable, 2
ἀλήθεια, ἡ: truth, 8
δια-τρίβω: to spend time, waste time, 2
ἐν-υπνίον, τό: dream, vision
θεῖος, -α, -ον: holy, divine, sent by gods, 3
ἴδιος, -α, -ον: one's own; ἰδίᾳ, in private, 7

μαντεῖον, τό: oracle, 2
μοῖρα, ἡ: fate, lot; providence, will
ὅστισ-οῦν, ἥτισουν, ὅτι-οῦν: whatsoever, 4
προσ-τάττω: to order, appoint (dat.), 4
τρόπος, ὁ: manner, way; turn, direction, 5
χαίρω: to rejoice in, delight in (dat); greet, 3

7 ἀκοῦσαι: *that (he)*...; second verb in ind.
disc., aor. inf.
ἰδίᾳ: dat. of manner
ὅ τι μὴ καὶ οἱ ἄλλοι πάντες (ἤκουσαν):
which...; relative clause with neut. acc. sg.
ὅστις with a missing verb that can be
supplied from context; a relative with an
indefinite antecedent takes μὴ instead of οὐ
ἴστε: 2p imperative, οἶδα
8 ἀληθῆ: ἀληθέ-α, i.e. the truth
9 διὰ τί: *on account of...?*; i.e. 'why?' a
common interrogative
δή: *just, precisely*; intensive with τί
ποτε: *in the world*; τί ποτε is an idiom
expressing impatience, incredulity, or
surprise in the question
χαίρουσι: *enjoy* + complementary pple
πολὺν χρόνον: *for*...; acc. duration
c1 ἀκηκόατε: 2p pf.
πᾶσαν...ἐγὼ εἶπον: 1s aor. λέγω; the
lack of conjunction with the previous verb
makes Socrates' claim more emphatically
2 ὅτι: *(it is) because*...; responding to διὰ τί
χαίρουσιν: *enjoy* + complementary pple
3 ἐξεταζομένοις...σοφοῖς: a gen. of source

obj. of ἀκούοντες attracted into the dat. obj.
(dat. cause) usually found with χαίρουσιν
ἐξεταζομένοις...: *(when)*...; pass. pple
modifying what follows
τοῖς οἰομένοις: *(those)*...; pple, οἴομαι
οὖσι δ᾽ οὔ (σοφοῖς): *but*...; pple, εἰμί
4 ἐμοὶ: *for*...; dat. interest, emphatic by
position
τοῦτο...πράττειν: *to do this*; subject inf.,
also made emphatic by hyperbaton
ὡς ἐγώ φημι: *as*...; parenthetical
προστέτακται: pf. pass.
5 ὑπὸ τοῦ θεοῦ: *by*...; expressing agency
καὶ...καὶ...καὶ: *both...and...and*...
6 παντὶ τρόπῳ: *in*...; dat. manner
ᾧπέρ: *in which*...; relative, dat. manner
τίς ποτε καὶ ἄλλη: *at any time, any other*...
also; τις is indefinite, and καὶ is adverbial in
the common phrase τις καὶ ἄλλος
θεία μοῖρα: *divine will*; μοῖρα is not an
easy word to interpret
καὶ ὁτιοῦν: *whatsoever at all*; acc. obj.;
καὶ is adverbial (S2884); Socrates makes the
clause as indefinite (general) as possible
to cover every possible θεία μοῖρα

καὶ ἀληθῆ ἐστιν καὶ εὐέλεγκτα. εἰ γὰρ δὴ ἔγωγε τῶν νέων

τοὺς μὲν διαφθείρω τοὺς δὲ διέφθαρκα, χρῆν δήπου, εἴτε   d

τινὲς αὐτῶν πρεσβύτεροι γενόμενοι ἔγνωσαν ὅτι νέοις οὖσιν

αὐτοῖς ἐγὼ κακὸν πώποτέ τι συνεβούλευσα, νυνὶ αὐτοὺς

ἀναβαίνοντας ἐμοῦ κατηγορεῖν καὶ τιμωρεῖσθαι· εἰ δὲ μὴ

αὐτοὶ ἤθελον, τῶν οἰκείων τινὰς τῶν ἐκείνων, πατέρας καὶ   5

ἀδελφοὺς καὶ ἄλλους τοὺς προσήκοντας, εἴπερ ὑπ' ἐμοῦ τι

κακὸν ἐπεπόνθεσαν αὐτῶν οἱ οἰκεῖοι, νῦν μεμνῆσθαι καὶ

τιμωρεῖσθαι. πάντως δὲ πάρεισιν αὐτῶν πολλοὶ ἐνταυθοῖ

οὓς ἐγὼ ὁρῶ, πρῶτον μὲν Κρίτων οὑτοσί, ἐμὸς ἡλικιώτης

ἀδελφός, ὁ: brother, 8
ἀνα-βαίνω: to come up, climb, mount, 5
γιγνώσκω: to learn, realize; know, 6
δή-που: perhaps, I suppose, surely, 8
ἐθέλω: to be willing, wish, want, 6
ἐνταυθοῖ: here, to here, hither, 3
εὐ-έλεγκτος, -ον: easy to refute, easy to test
ἡλικιώτης, -ου, ὁ: an equal in age, peer
Κρίτων, ὁ: Crito, 2
μιμνήσκω: to recall, remember, 2
νυν-ί: just now; as it is, 5

οἰκεῖος, -α, -ον: one's own; kin, related, 9
ὁράω: to see, look, behold, 9
πάντως: entirely, absolutely 4
πάρ-ειμι: to be near, be present, be at hand, 4
πατήρ, πατρός, ὁ: a father, 6
πρεσβύτης (πρέσβυς), ὁ: old (man), elder, 8
προσ-ήκων, -οντος, ὁ, ἡ: relative, kin, 2
πρῶτος, -η, -ον: first, earliest, 8
συμ-βουλεύω: consult/deliberate with, 3
τιμωρέω: to avenge, exact vengeance, 5
χρή: it is necessary, fitting; must, ought, 6

---

8 **καὶ ἀληθέα...καὶ εὐέλεγκτα:** *both...and...*
εἰ...δὴ: *if indeed*; emphatic, cf. εἴπερ
d1 **τοὺς μὲν...τοὺς δὲ:** *some...others...*
   διέφθαρκα: 1s pf.
(ἂν) χρῆν..., εἴτε...ἔγνωσαν: *it would be necessary, if...*; contrary to fact (εἰ aor., ἄν impf.); ἄν may be omitted in the apodosis when the verb is impersonal impf. and expresses unfulled obligation or possibility (S2313); 3s impf. χρή; εἴ-τε is answered by εἰ δὲ below
2 **τινὲς αὐτῶν:** i.e. the οἱ νέοι noted above
   πρεσβύτεροι: nom. pred. of aor. pple
   ὅτι...συνεβούλευσα: ind. disc.
   νέοις οὖσιν: *(while)...* ; dat. pple εἰμί modifying αὐτοῖς
3 **αὐτοῖς:** *with...*;; dat. of compound verb
   νυνὶ αὐτοὺς...τιμωρεῖσθαι: *that they...*;

governed by the apodosis χρῆν
4 **ἐμοῦ:** obj. of κατηγορεῖν
5 **(χρῆν) τῶν οἰκείων τινὰς...μεμνῆσθαι καὶ τιμωρεῖσθαι:** *(it would be necessary) that some...*; ind. disc. (acc. subj. and inf.) again governed by χρῆν
   πατέρας...: in apposition to τινὰς
6 **εἴπερ...ἐπεπόνθεσαν:** *if really...*; 3p plpf. πάσχω, expressing incredulity
   ὑπ' ἐμοῦ: *by...*; gen. expressing agency or cause
7 **αὐτῶν:** i.e. the οἱ νέοι
   μεμνῆσθαι: pf. mid. inf. μιμνήσκω, see l. 5
8 **πάρεισιν:** 3p pres. πάρ-ειμι
   αὐτῶν: i.e. the οἱ νέοι
9 **πρῶτον μὲν:** *first, first of all*; adv. acc.
   οὑτοσ-ὶ: *this here one*; deictic iota; Socrates is likely pointing in the crowd

καὶ δημότης, Κριτοβούλου τοῦδε πατήρ, ἔπειτα Λυσανίας ὁ e
Σφήττιος, Αἰσχίνου τοῦδε πατήρ, ἔτι δ᾽ Ἀντιφῶν ὁ Κηφι-
σιεὺς οὑτοσί, Ἐπιγένους πατήρ, ἄλλοι τοίνυν οὗτοι ὦν οἱ
ἀδελφοὶ ἐν ταύτῃ τῇ διατριβῇ γεγόνασιν, Νικόστρατος
Θεοζοτίδου, ἀδελφὸς Θεοδότου--καὶ ὁ μὲν Θεόδοτος τετε- 5
λεύτηκεν, ὥστε οὐκ ἂν ἐκεῖνός γε αὐτοῦ καταδεηθείη—καὶ
Παράλιος ὅδε, ὁ Δημοδόκου, οὗ ἦν Θεάγης ἀδελφός· ὅδε δὲ
Ἀδείμαντος, ὁ Ἀρίστωνος, οὗ ἀδελφὸς οὑτοσὶ Πλάτων, καὶ 34

Ἀδείμαντος, ὁ: Adeimantus
ἀδελφός, ὁ: brother, 8
Αἴσχινος, ὁ: Aeschines
Ἀντιφῶν, ὁ: Antiphon
Ἀρίστων, Ἀρίστωνος, ὁ: Ariston
Δημοδόκος, ὁ: Demodocus
δημότης, ὁ: fellow demesman (same deme)
δια-τριβή, ἡ: pastime; pursuit, 3
ἔπειτα: then, next, secondly, 7
Ἐπιγένης, -εος, ὁ: Epigenes
ἔτι: still, besides, further; in addition, 8
Θεάγης, ὁ: Theages
Θεόδοτος, ὁ: Theodotus, 2

Θεοζοτίδης, -ου, ὁ: Theozotides
κατα-δέομαι: overcome in entreaty (gen.)
Κηφισεύς, ὁ: of Cephesia (deme)
Κριτόβουλος, ὁ: Critobolus, 2
Λυσανίας, ὁ: Lysanias
Νικόστρατος, ὁ: Nicostratus
Παράλιος, ὁ: Paralus
πατήρ, πατρός, ὁ: a father, 6
Πλάτων, ὁ: Plato, 2
Σφήττιος, -α, -ον: of Sphettus (deme)
τελευτάω: to end, complete, finish; die, 5
τοί-νυν: therefore, accordingly; well then, 2

e1 **πατήρ**: in apposition to Κρίτων
τοῦδε...τοῦδε: ὅδε is used to point out
individuals in the court
Λυσανίας ὁ Σφήττιος: *Lysanius of
Sphettus*; as often, Athenians are identified
by their name and their deme
2 **πατήρ**: in apposition to Λυσανίας
οὑτοσ-ὶ: *this here one*; deictic iota
3 **Ἐπιγένους**: Ἐπιγένε-ος, gen. sg.
ὦν...γεγόνασιν: *whose...*; relative is gen.
possession, 3p pf. γίγνομαι
4 **ἐν ταύτῃ τῇ διατριβῇ**: i.e. philosophical
conversations

5 (**υός**) **Θεοζοτίδου**: *(son) of...*
τετελεύτηκεν: pf.
6 **ἂν ἐκεῖνός γε αὐτοῦ καταδεηθείη**: *that one
(Theodotus) at least could not overcome
him (Nicostratus) with entreaties*; i.e.
Nicostratus came of his own will and was
not compelled to do so by Theodotus; 3s aor
pass. dep. potential opt.
7 **ὁ (υός) Δημοδόκου**: *(son) of...*
οὗ ἦν...: *whose...*; relative, impf. εἰμί
ὅδε δὲ (ἐστίν)...:
a1 **ὁ (υός) Ἀρίστωνος**: *(son) of...*
οὗ ἀδελφὸς (ἐστίν)...: *whose...*

Αἰαντόδωρος, οὗ Ἀπολλόδωρος ὅδε ἀδελφός. καὶ ἄλλους
πολλοὺς ἐγὼ ἔχω ὑμῖν εἰπεῖν, ὧν τινα ἐχρῆν μάλιστα μὲν ἐν
τῷ ἑαυτοῦ λόγῳ παρασχέσθαι Μέλητον μάρτυρα· εἰ δὲ τότε
ἐπελάθετο, νῦν παρασχέσθω—ἐγὼ παραχωρῶ—καὶ λεγέτω   5
εἴ τι ἔχει τοιοῦτον. ἀλλὰ τούτου πᾶν τοὐναντίον εὑρήσετε,
ὦ ἄνδρες, πάντας ἐμοὶ βοηθεῖν ἑτοίμους τῷ διαφθείροντι, τῷ
κακὰ ἐργαζομένῳ τοὺς οἰκείους αὐτῶν, ὥς φασι Μέλητος καὶ
Ἄνυτος. αὐτοὶ μὲν γὰρ οἱ διεφθαρμένοι τάχ᾽ ἂν λόγον   b
ἔχοιεν βοηθοῦντες· οἱ δὲ ἀδιάφθαρτοι, πρεσβύτεροι ἤδη
ἄνδρες, οἱ τούτων προσήκοντες, τίνα ἄλλον ἔχουσι λόγον

ἀδελφός, ὁ: brother, 8
ἀδιάφθαρτος, ον: uncorrupted 1
Αἰαντόδωρος, -ου, ὁ: Aeantodorus
Ἀπολλόδωρος, ὁ: Apollodorus, 2
βοηθέω: to help, come to aid, assist (dat), 5
ἐναντίος -α -ον: opposite, contrary (gen.), 6
ἐπι-λανθάνομαι: to forget, 2
ἐργάζομαι: to do, work, accomplish, 8
ἑτοῖμος, -η, -ον: ready, prepared, at hand, 3
εὑρίσκω: to find, discover, devise, invent, 7

μάρτυς, μάρτυρος. ὁ, ἡ: a witness, 6
οἰκεῖος, -α, -ον: one's own; kin, related, 9
παρα-χωρέω: to yield, give way, concede
παρ-έχω: to provide, furnish, supply, 8
πρεσβύτης (πρέσβυς), ὁ: old (man), elder, 8
προσ-ήκων, -οντος, ὁ, ἡ: relative, kin, 2
τάχα: perhaps; quickly, 5
τότε: at that time, then, 6
χρή: it is necessary, fitting; must, ought, 6

2 οὗ (ἐστίν)...ἀδελφός: whose...
3 ἔχω: am able + inf.
ὧν τινα...παρασχέσθαι Μέλητον: one of
whom...; ind. disc.; Μέλητον is acc. subject
of the aor. inf.
ἐχρῆν: it...; = χρῆν, impf. χρή (χρῆν is the
contraction of χρή ἦν, 'it was necessary,'
but the Greeks often failed to see the
contraction and added the augment: ἐχρῆν)
μάρτυρα: as...; predicative following τινα
4 εἰ δὲ τότε ἐπελάθετο: aor. mid.
παρασχέσθω: let...; 3rd pers. aor. imper.
add as object τινα μάρτυρα
λεγέτω: let...; 3rd pers. pres. imper.
6 τι: i.e. something important to say
εὑρήσετε: fut. (stem: εὑρε-)
πᾶν τ(ὸ) ἐναντίον: entirely the opposite;
both are adverbial acc.
7 πάντας ἐμοὶ βοηθεῖν ἑτοίμους: that...;
ind. disc.
τῷ διαφθείροντι: the one (supposedly)...;
in apposition to ἐμοί; pres. pple; Socrates is

not confessing to corrupting the young but
merely mocking Meletus' accusation
τῷ ἐργαζομένῳ: the one (supposedly)...;
in apposition; the verb governs two acc.:
'do (acc) to (acc)' αὐτῶν refers to the
πάντας ἑτοίμους
8 ὥς φασι: as...; parenthetical, 3p φημί
b1 αὐτοὶ: themselves; intensive
οἱ διεφθαρμένοι: those...; pf. pass. pple
διαφθείρω.
ἂν λόγον ἔχοιεν: might have a reason; 3p
potential opt.
2 βοηθοῦντες (ἐμοὶ)
οἱ δὲ ἀδιάφθαρτοι: those...; i.e. those
around the corrupted young
πρεσβύτεροι ἄνδρες: in apposition
οἱ τούτων προσήκοντες: in apposition;
τούτων refers to the οἱ νέοι
τίνα ἄλλον ἔχουσι λόγον: what other...;
the sentence suddenly becomes an
interrogative

βοηθοῦντες ἐμοὶ ἀλλ᾽ ἢ τὸν ὀρθόν τε καὶ δίκαιον, ὅτι
συνίσασι Μελήτῳ μὲν ψευδομένῳ, ἐμοὶ δὲ ἀληθεύοντι; 5
εἶεν δή, ὦ ἄνδρες· ἃ μὲν ἐγὼ ἔχοιμ᾽ ἂν ἀπολογεῖσθαι,
σχεδόν ἐστι ταῦτα καὶ ἄλλα ἴσως τοιαῦτα. τάχα δ᾽ ἄν τις
ὑμῶν ἀγανακτήσειεν ἀναμνησθεὶς ἑαυτοῦ, εἰ ὁ μὲν καὶ ἐλάττω c
τουτουῒ τοῦ ἀγῶνος ἀγῶνα ἀγωνιζόμενος ἐδεήθη τε καὶ
ἱκέτευσε τοὺς δικαστὰς μετὰ πολλῶν δακρύων, παιδία τε
αὐτοῦ ἀναβιβασάμενος ἵνα ὅτι μάλιστα ἐλεηθείη, καὶ ἄλλους
τῶν οἰκείων καὶ φίλων πολλούς, ἐγὼ δὲ οὐδὲν ἄρα τούτων 5
ποιήσω, καὶ ταῦτα κινδυνεύων, ὡς ἂν δόξαιμι, τὸν ἔσχατον

ἀγανακτέω: be annoyed, troubled, vexed, 3
ἀγών, ἀγῶνος, ὁ: contest, lawsuit, 3
ἀγωνίζομαι: to contend, compete, fight
ἀληθεύω: to speak the truth
ἀνα-βιβάζω: to bring forward, bring up, 3
ἀνα-μιμνήσκω: remind; mid. recall, remember (gen.)
ἄρα: it turns out, it seems; then, therefore, 9
βοηθέω: to help, come to aid, assist (dat), 5
δάκρυον, τό: tear
εἶεν: well then! (opt. εἰμί 'let them be so'), 4
ἐλάττων, -ον: smaller, fewer

ἐλεέω: to have pity, show mercy
ἔσχατος, -η, -ον: extreme, last, utmost, 2
ἱκετεύω: to beseech, beg
κινδυνεύω: run the risk of, be likely to (inf), 9
οἰκεῖος, -α, -ον: one's own; kin, related, 9
ὀρθός, -ή, -όν: straight, upright, right
παιδίον, τό: child, a little or young child, 2
σύν-οιδα: be conscious of, know with, 3
σχεδόν: nearly, pretty much, just about, 2
τάχα: perhaps; quickly, 5
φίλος -η -ον: dear, friendly; friend, kin 5
ψεύδομαι: to deceive with lies; mid. lie, 6

4 ἀλλ(ο) ἢ
τὸν (λόγον) ὀρθόν τε καὶ δίκαιον
ὅτι: *(namely) that…*; in apposition
5 συνίσασι: 3s pf. σύν-οιδα (pres. in sense)
Μελήτῳ: *along with…*; dat. of compound
μὲν ψευδομένῳ: *that (he)…*; ind. disc.: complementary pple having the same force as acc. + inf. (S2108)
ἐμοὶ δὲ ἀληθεύοντι: *and (along with) me that I…*; dat. of compound and ind. disc. (complementary pple) just as above (S2108)
6 εἶεν δή: *very well!*; exclamation originally 3p pres. opt. of wish, εἰμί: 'let them be so!'
ἃ μὲν ἐγὼ ἔχοιμ(ι) ἂν: *what I might be able…*; + inf., (ταῦτα) ἃ, the missing neut. pl. antecedent is subject of 3s ἐστι.
7 ἄλλα τοιαῦτα: substantive, add 'things'
ἂν ἀγανακτήσειεν: *would…*; aor. potential opt.
c1 ἀναμνησθεὶς: *(when)…*; aor. pass. dep. pple
ἑαυτοῦ: i.e. the jurors' own conduct in

this situation, as described below
εἰ ὁ μὲν…ἐδεήθη…ἱκέτευσε: *if he…*; 3s aor. pass. dep. δέομαι; verbs of feeling, such as ἀγανακτέω, often use εἰ/ἐάν instead of ὅτι, 'because,' to state the cause (S2247)
καὶ ἐλάττο(ν)α…ἀγῶνα: *even a lesser law contest*; cognate acc. sg. with pple
τουτουῒ τοῦ ἀγῶνος: gen. of comparison
4 αὐτοῦ: (ἑ)αυτοῦ, reflexive
ἵνα…ἐλεηθείη: *so that…might…*; purpose with 3s aor. pass. opt. in secondary seq.
ὅτι μάλιστα: *just as* ὡς, ὅτι + superlative is equiv. to 'as…as possible'
6 καὶ ταῦτα: *and what is more*; 'and in respect to these things,' acc. of respect
ὡς ἂν δόξαιμι,: *as…might…*; parenthetical and aor. potential opt. explaining what follows
τὸν ἔσχατον κίνδυνον: i.e. death; cognate acc. obj. of κινδυνεύων

κίνδυνον. τάχ᾽ ἂν οὖν τις ταῦτα ἐννοήσας αὐθαδέστερον
ἂν πρός με σχοίη καὶ ὀργισθεὶς αὐτοῖς τούτοις θεῖτο ἂν μετ᾽
ὀργῆς τὴν ψῆφον. εἰ δή τις ὑμῶν οὕτως ἔχει—οὐκ ἀξιῶ d
μὲν γὰρ ἔγωγε, εἰ δ᾽ οὖν—ἐπιεικῆ ἄν μοι δοκῶ πρὸς τοῦτον
λέγειν λέγων ὅτι "ἐμοί, ὦ ἄριστε, εἰσὶν μέν πού τινες καὶ
οἰκεῖοι· καὶ γὰρ τοῦτο αὐτὸ τὸ τοῦ Ὁμήρου, οὐδ᾽ ἐγὼ 'ἀπὸ
δρυὸς οὐδ᾽ ἀπὸ πέτρης᾽ πέφυκα ἀλλ᾽ ἐξ ἀνθρώπων, ὥστε 5
καὶ οἰκεῖοί μοί εἰσι καὶ ὑεῖς γε, ὦ ἄνδρες Ἀθηναῖοι, τρεῖς, εἷς
μὲν μειράκιον ἤδη, δύο δὲ παιδία· ἀλλ᾽ ὅμως οὐδένα αὐτῶν

ἀξιόω: deem right, think worthy of (gen), 6
ἀπό: from, away from. (+ gen.), 6
ἄριστος, -η, -ον: best, very good, noblest, 5
αὐθάδης, -ες: stubborn, unfeeling, harsh
δρῦς, δρυός, ἡ: oak tree
δύο: two, 3
ἐν-νοέω: to have in mind, notice, 2
ἐπι-εικής, -ές: honorable, reasonable, fair, 3
κίνδυνος, ὁ: risk, danger, venture, 7
μειράκιον, τό: young man, juvenile, 3
οἰκεῖος, -α, -ον: one's own; kin, related, 9
Ὅμηρος, ὁ: Homer, 2

ὅμως: nevertheless, however, yet, 5
ὀργή, ἡ: anger
ὀργίζω: make angry; mid. be angry at (dat) 2
παιδίον, τό: child, a little or young child, 2
πέτρα, ἡ: rock
που: anywhere, somewhere; I suppose, 7
τάχα: perhaps; quickly, 5
τίθημι: to set forth; put, place, 2
τρεῖς, τρία: three
υἱός (ὑός), -οῦ ὁ: son, 8
φύω: to bring forth, beget, be by nature
ψῆφος, ὁ: vote; pebble (used to vote), 4

---

7 ἄν: duplicated ἄν, in anticipation of the use
in the next line
αὐθαδέστερον: more...; comparative adv.
with σχοίη
8 ἄν...σχοίη: might...; 3s aor. potential opt.;
ἔχω ('holds' or 'is disposed') + adv. is
equiv. to εἰμί + pred. adj.
πρός με: toward...
αὐτοῖς τούτοις: dat. of means
θεῖτο ἄν: would...; aor. mid. potential opt.
τίθημι; i.e. cast a vote
d1 εἰ δή: if indeed...; expressing incredulity
οὕτως ἔχει: see note for line 8
2 εἰ δ(ὲ) οὖν: but at any rate, if so; Socrates
imagines a situation he does not believe is
true
ἐπιεικῆ: reasonable (things); ἐπιεικέ(α)
ἄν...λέγειν: that (I) would...; ind. disc.,
ἄν + inf. equiv. to potential opt.
πρός τοῦτον: toward...; i.e. the imaginary
interlocutor
3 ἐμοί...εἰσὶν: dat. of possession: translate as
either (1) 'there are to me' or (2) 'I have'

καὶ: also
4 καὶ γὰρ: for in fact; καί is adv.
τοῦτο αὐτὸ (ἐστίν) τὸ τοῦ Ὁμήρου: this
itself (is) the (saying) of Homer; 'that of
Homer,' some interpret this expression as
a single acc. of respect
οὐδ᾽ ἐγὼ...πέφυκα: I too am born not...;
adv. οὐδέ is here equiv. to οὐ and adv. καί;
1s pf. φύω
5 'ἀπὸ δρυὸς οὐδ᾽ ἀπὸ πέτρης': i.e. Socrates
is human just as everyone else; the 2nd οὐδὲ
is the conjunction 'nor;' In Odyssey 19.163
Penelope uses these words in a question
posed to the disguised Odysseus
6 καὶ (1): also; repeating the comment in d3
μοί εἰσι: again, dat. of possession
καὶ...γε: sons in fact, sons actually; in
apposition to οἰκεῖοί; καὶ...γε often
emphasizes the intervening word and καί is
here an adv.: 'actually' 'in fact'
εἷς (ἐστίν)
7 δύο (εἰσίν)

δεῦρο ἀναβιβασάμενος δεήσομαι ὑμῶν ἀποψηφίσασθαι." τί
δὴ οὖν οὐδὲν τούτων ποιήσω; οὐκ αὐθαδιζόμενος, ὦ ἄνδρες
Ἀθηναῖοι, οὐδ' ὑμᾶς ἀτιμάζων, ἀλλ' εἰ μὲν θαρραλέως ἐγὼ   e
ἔχω πρὸς θάνατον ἢ μή, ἄλλος λόγος, πρὸς δ' οὖν δόξαν καὶ
ἐμοὶ καὶ ὑμῖν καὶ ὅλῃ τῇ πόλει οὔ μοι δοκεῖ καλὸν εἶναι ἐμὲ
τούτων οὐδὲν ποιεῖν καὶ τηλικόνδε ὄντα καὶ τοῦτο τοὔνομα
ἔχοντα, εἴτ' οὖν ἀληθὲς εἴτ' οὖν ψεῦδος, ἀλλ' οὖν δεδογμένον   5
γέ ἐστί τῳ Σωκράτη διαφέρειν τῶν πολλῶν ἀνθρώπων. εἰ   35
οὖν ὑμῶν οἱ δοκοῦντες διαφέρειν εἴτε σοφίᾳ εἴτε ἀνδρείᾳ
εἴτε ἄλλῃ ἡτινιοῦν ἀρετῇ τοιοῦτοι ἔσονται, αἰσχρὸν ἂν εἴη·

αἰσχρός, -ά, -όν: shameful, disgraceful, 5
ἀνα-βιβάζω: to bring forward, bring up, 3
ἀνδρεία, ἡ: manliness, bravery, courage
ἀπο-ψηφίζομαι: vote (away) to acquit, 2
ἀ-τιμάζω: to dishonor, insult, slight, 2
αὐθαδίζομαι: to be stubborn, unfeeling, harsh
δεῦρο: here, to this point, hither, 6

δια-φέρω: surpass, be superior to; differ, 5
δόξα, ἡ: reputation; opinion, 3
θαρραλέως: confidently, audaciously
ὅλος, -η, -ον: whole, entire, complete, 2
ὅστισ-οῦν, ἥτισουν, ὅτι-οῦν: whatsoever, 4
τηλικόσδε, -ήδε, -όνδε: of this age, 3
ψεῦδος, τό: falsehood, lie

8 ἀναβιβασάμενος: *(while)...*; aor. mid. pple
  δεήσομαι: fut. δέομαι
  ὑμῶν: *from...*; gen. of source
  τί δὴ: *just why?, precisely why?*; 'in respect
  to what?' τί can mean 'what?' or as an acc.
  of respect often mean 'why?'
  αὐθαδιζόμενος...ἀτιμάζων: *because of...*;
  pples are causal in sense
e1 εἰ μὲν...ἢ...: *whether...or...*; an indirect
  question that is subject of the sentence
  θαρραλέως...ἔχω: ἔχω ('holds' or 'is
  disposed') + adv. is equiv. to εἰμί + adj.
2 πρὸς...: *in regard to...*
  (ἐστίν) ἄλλος λόγος: nom. pred.; λόγος
  here mean 'consideration,' 'matter,' or
  'quaestion'
  πρὸς...δόξαν: *in regard to reputation*
  δ' οὖν: *but at any rate* (S2959)
3 καὶ ἐμοὶ καὶ...καὶ...: *both..and...and...*; dat.
  of possession: possessives with δόξαν
  ἐμὲ τούτων οὐδὲν ποιεῖν: *that...*
  καὶ...ὄντα καὶ...ἔχοντα,: *(while) both...
  and...*; pples modifying με
  τ(ὸ) ὄνομα: *(good) name*; i.e. likely his
  reputation as a σοφός: 'ὄνομα δὲ τοῦτο
  λέγεσθαι, σοφὸς εἶναι' (23a3)
5 εἴτ(ε)... εἴτ(ε)...: *whether...or...*; οὖν,
  'indeed' or 'certainly' is used to express the

likely alternative, and so it is significant
that Socrates uses οὖν with both options
ἀλλ' οὖν...γε: *but at any rate...indeed*;
οὖν is confirmatory and γε is emphatic
(S2957)
δεδογμένον ἐστί: *it is thought, is reputed*;
periphrastic pf. pass. (pf. pass. pple + εἰμί)
a1 τῳ: *in something*; = τινι, dat. of respect; it
could be a dat. of reference, 'to someone,'
but the next sentence suggests dat. of
respect
Σωκράτη διαφέρειν: *that...*; subject of the
sentence; Σωκράτε-α is 3rd decl. acc. subj.
the verb governs a gen. of comparison
τῶν πολλῶν ἀνθρώπων: gen. of
comparison (differing from = superior to...)
εἰ...ἔσονται,...ἂν εἴη   : *if...will, it would
...*; an emotional fut. less vivid (εἰ + opt.,
ἂν opt.), where a fut. replaces the opt. in the
protasis and expresses heightened emotion
(S2828); 3p fut. dep. and impers. opt. εἰμί
2 οἱ δοκοῦντες: *those...*; ὑμῶν is partitive
εἴτε σοφίᾳ εἴτε... εἴτε...: *whether in...or
in...or in...*; dat. of respect
3 τοιοῦτοι ἔσονται: i.e. breaking down into
tears and bringing family members before
the court to beg for mercy

οἵουσπερ ἐγὼ πολλάκις ἑώρακά τινας ὅταν κρίνωνται, δο-
κοῦντας μέν τι εἶναι, θαυμάσια δὲ ἐργαζομένους, ὡς δεινόν 5
τι οἰομένους πείσεσθαι εἰ ἀποθανοῦνται, ὥσπερ ἀθανάτων
ἐσομένων ἂν ὑμεῖς αὐτοὺς μὴ ἀποκτείνητε· οἳ ἐμοὶ δοκοῦσιν
αἰσχύνην τῇ πόλει περιάπτειν, ὥστ' ἄν τινα καὶ τῶν ξένων
ὑπολαβεῖν ὅτι οἱ διαφέροντες Ἀθηναίων εἰς ἀρετήν, οὓς b
αὐτοὶ ἑαυτῶν ἔν τε ταῖς ἀρχαῖς καὶ ταῖς ἄλλαις τιμαῖς
προκρίνουσιν, οὗτοι γυναικῶν οὐδὲν διαφέρουσιν. ταῦτα γάρ,
ὦ ἄνδρες Ἀθηναῖοι, οὔτε ὑμᾶς χρὴ ποιεῖν τοὺς δοκοῦντας
καὶ ὁπῃοῦν τι εἶναι, οὔτ', ἂν ἡμεῖς ποιῶμεν, ὑμᾶς ἐπι- 5

ἀ-θάνατος, -ον: undying, immortal, 2
αἰσχύνη, ἡ: shame, disgrace, dishonor, 3
ἀρχή, ἡ: beginning; rule, office, 9
γυνή, γυναικός ἡ: woman, wife, 2
δια-φέρω: surpass, be superior to; differ, 5
ἐπι-τρέπω: to permit; turn to, entrust (dat), 2
ἐργάζομαι: to do, work, accomplish, 8
θαυμάσιος, -α, -ον: strange, wonderful, 4
κρίνω: to choose, pick; decide, judge, 5
ξένος, ὁ: guest-friend, foreigner, stranger, 4

οἵοσπερ, οἵαπερ, οἵονπερ: which very sort, precisely which (sort), 2
ὁπη-οῦν: in any way whatsoever
ὅταν: ὅτε ἄν, whenever, 4
περι-άπτω: attach to, fasten upon, (dat)
πολλάκις: many times, often, frequently, 6
προ-κρίνω: pick before, prefer over (gen)
τιμή, ἡ: honor, 2
ὑπο-λαμβάνω: to take up, reply; suppose, 5
χρή: it is necessary, fitting; must, ought, 6

4 οἵουσπερ...τινας: these very sort (of men); 'which very sort,' a possible connective relative with τοιοῦτοι as the antecedent: Socrates marks a close transition between clauses with a relative pronoun where English prefers to use a demonstrative. This construction is far more common in Latin than in Greek. τινας emphasizes the indefiniteness of the pronoun.
ἑώρακά: 1s pf. ὁράω; main verb
ὅταν κρίνωνται: whenever...; i.e. in court; general temporal with 3p pres. pass. subj.
5 τι: something (important); i.e. reputation
θαυμάσια δὲ ἐργαζομένους: but...; i.e. acting disgracefully in court; add 'things'
ὡς...οἰομένους: on the grounds of..., in the belief that...; 'since,' ὡς + pple expressing alleged cause from the character's, point of view; acc. pl. pple agrees with οἵουσπερ
6 πείσεσθαι: fut. mid. πάσχω
εἰ ἀποθανοῦνται: fut. ἀποθνήσκω, an emotional fut. more vivid (εἰ + fut., fut.), expressing heightened emotion.
ὥσπερ ἀθανάτων ἐσομένων...: on the grounds that (they) will...; ὥσπερ + fut. mid. pple εἰμί (gen. abs.) of alleged cause;

7 (ἐ)ὰν...μὴ ἀποκτείνητε: if...; fut. more vivid (ἐάν + subj., fut.) within the alleged cause; i.e. condemn them to death
οἳ ἐμοὶ δοκοῦσιν: these men seem...; 'who seem,' another possible connective relative,
8 ὥστ' ἄν...ὑπολαβεῖν: so...would suppose; result clause; ἄν + aor. inf. is equiv. to potential opt.; τινα τῶν ξένων is acc. subj.
καὶ: even; an outsider would form the following opinion about the city of Athens
b1 Ἀθηναίων: gen. comparison (differing from = superior to..., surpassing...)
εἰς: in..., in regard to...
οὓς αὐτοὶ...προκρίνουσιν: whom they themselves...; αὐτοὶ refers to ordinary Athenians and οὓς to those who excel
ἑαυτῶν: gen. of comparison with verb
2 ἔν ταῖς ἀρχαῖς: in political offices
3 γυναικῶν: gen. of comparison (differ from)
οὐδὲν: not at all; inner acc.: 'no difference'
4 ὑμᾶς...τοὺς δοκοῦντας: you, seeming... pple in attributive position modifying ὑμᾶς
5 τι εἶναι: see note for a5 above
(ἐ)ὰν ἡμεῖς ποιῶμεν: if...; fut. more vivid with χρή replacing fut. in the apodosis
ὑμᾶς ἐπιτρέπειν: thath you not permit (it)

76

τρέπειν, ἀλλὰ τοῦτο αὐτὸ ἐνδείκνυσθαι, ὅτι πολὺ μᾶλλον
καταψηφιεῖσθε τοῦ τὰ ἐλεινὰ ταῦτα δράματα εἰσάγοντος καὶ
καταγέλαστον τὴν πόλιν ποιοῦντος ἢ τοῦ ἡσυχίαν ἄγοντος.
χωρὶς δὲ τῆς δόξης, ὦ ἄνδρες, οὐδὲ δίκαιόν μοι δοκεῖ
εἶναι δεῖσθαι τοῦ δικαστοῦ οὐδὲ δεόμενον ἀποφεύγειν, ἀλλὰ   c
διδάσκειν καὶ πείθειν. οὐ γὰρ ἐπὶ τούτῳ κάθηται ὁ δικα-
στής, ἐπὶ τῷ καταχαρίζεσθαι τὰ δίκαια, ἀλλ᾽ ἐπὶ τῷ κρίνειν
ταῦτα· καὶ ὀμώμοκεν οὐ χαριεῖσθαι οἷς ἂν δοκῇ αὐτῷ, ἀλλὰ
δικάσειν κατὰ τοὺς νόμους. οὔκουν χρὴ οὔτε ἡμᾶς ἐθίζειν   5

ἄγω: to lead, bring, carry, convey, 9
ἀπο-φεύγω: to be acquitted; flee, escape, 6
δικάζω: to pass judgment, decide, judge, 2
δόξα, ἡ: reputation; opinion, 3
δρᾶμα, -ατος ὁ: deed, act; scene, stage-effect
ἐθίζω: to accustom; *mid.* be accustomed, 4
εἰσ-άγω: to lead in, to introduce, bring in, 8
ἐλεινός, -ή, -όν: piteous, pitiable
ἐν-δείκνυμι: point out, show; inform against, 5
ἡσυχία, ἡ: silence, quiet, stillness, rest, 4
κάθ-ημαι: to sit

κατα-γέλαστος, -ον: laughable, ridiculous, 2
κατα-χαρίζομαι: judge…by showing favor
κατα-ψηφίζομαι: to vote against (gen.), 8
κρίνω: to choose, pick; decide, judge, 5
ὄμνυμι: to swear, take an oath, 2
οὔκ-ουν: therefore not, at any rate…not
χαρίζομαι: to favor, gratify (dat.)
χρή: it is necessary, fitting; must, ought, 6
χωρίς: separately; apart from, (gen)

---

6 τοῦτο αὐτὸ: acc. obj. explained below;
intensive
ἐνδείκνυσθαι: still governed by χρή
ὅτι: *(namely) that*…; in apposition
πολὺ: *far*; 'much,' adv. acc. (acc. of extent
in degree, i.e. 'more by much')
7 καταψηφιεῖσθε: fut.
τοῦ…εἰσάγοντος καὶ…ποιοῦντος…: *the
(one)*…; extended participial phrase in the
attributive position; ποιέω governs a double
acc. (obj. and pred.)
8 ἢ: *than*
τοῦ ἡσυχίαν ἄγοντος.: *the (one)*…; pple,
an idiom that means 'keep quiet'
9 οὐδὲ…οὐδὲ…: *not even…nor*…; as often,
adv. and conjunction
χωρὶς τῆς δόξης: *apart from reputation*;
Socrates concludes the discussion of
reputation that started in 34e2
c1 τοῦ δικαστοῦ: *from*…; gen. of source
2 ἐπὶ τούτῳ: *on this condition*; 'in terms of
this' not an uncommon use of ἐπί (cf. 29c6)
κάθηται: i.e. in court
3 ἐπὶ τῷ καταχαρίζεσθαι: *(namely) on the
condition of*…; in apposition; an articular

inf., best translated as a gerund (-ing)
τὰ δίκαια: *matters of justice*; or 'what is
just'
ἐπὶ τῷ κρίνειν: *on the condition of*…; see
above; ταῦτα refers to τὰ δίκαια
4 ὀμώμοκεν: pf. ὄμνυμι; ὁ δικαστής remains
the subject
χαριεῖσθαι…δικάσειν: *that (he)*…; fut.
οἷς ἂν δοκῇ αὐτῷ: *what*…; '(those things)
which' (τούτοις) ἅ; the neut. nom. pl.
relative is attracted into the dat. of the
missing antecedent
5 κατὰ: *according to*…
οὔκουν…οὔτε…οὔτε: *therefore not…
either…or…*; note that οὔκουν, 'therefore
not,' places the emphasis on the negative
(literally and figuratively) whereas οὐκοῦν,
'therefore' 'accordingly,' places the stress
on the inferential particle
ἡμᾶς ἐθίζειν: *that we*…; ; ind. disc.; the verb
in the active is transitive (takes an acc. obj.)
as well as a complementary inf. and means
'to accustom (acc.) to' or 'to make (acc)
form the habit to…'

ὑμᾶς ἐπιορκεῖν οὔθ᾽ ὑμᾶς ἐθίζεσθαι· οὐδέτεροι γὰρ ἂν ἡμῶν
εὐσεβοῖεν. μὴ οὖν ἀξιοῦτέ με, ὦ ἄνδρες Ἀθηναῖοι, τοιαῦτα
δεῖν πρὸς ὑμᾶς πράττειν ἃ μήτε ἡγοῦμαι καλὰ εἶναι μήτε
δίκαια μήτε ὅσια, ἄλλως τε μέντοι νὴ Δία πάντως καὶ ἀσε-   d
βείας φεύγοντα ὑπὸ Μελήτου τουτουΐ. σαφῶς γὰρ ἄν, εἰ
πείθοιμι ὑμᾶς καὶ τῷ δεῖσθαι βιαζοίμην ὀμωμοκότας, θεοὺς
ἂν διδάσκοιμι μὴ ἡγεῖσθαι ὑμᾶς εἶναι, καὶ ἀτεχνῶς ἀπολο-
γούμενος κατηγοροίην ἂν ἐμαυτοῦ ὡς θεοὺς οὐ νομίζω. ἀλλὰ   5
πολλοῦ δεῖ οὕτως ἔχειν· νομίζω τε γάρ, ὦ ἄνδρες Ἀθηναῖοι,
ὡς οὐδεὶς τῶν ἐμῶν κατηγόρων, καὶ ὑμῖν ἐπιτρέπω καὶ τῷ θεῷ

ἄλλως: otherwise, in another way, 3
ἀξιόω: deem right, think worthy of (gen), 6
ἀ-σέβεια, ἡ: impiety, ungodliness
ἀ-τεχνῶς: simply, absolutely, quite, 6
βιάζω: to force, overpower
ἐθίζω: to accustom; *mid.* be accustomed, 4
ἐπι-ορκέω: to break an oath, swear falsely
ἐπι-τρέπω: to permit; turn to, entrust (dat), 2
εὐ-σεβέω: to act piously

Ζεύς, Διός, ὁ: Zeus, 5
νή: (*yes*) *by* + acc. (in an oath), 4
ὄμνυμι: to swear, take an oath, 2
ὁπότερος, -α, -ον: which (of two)
ὅσιος, -α, -ον: pious, holy
πάντως: entirely, absolutely 4
σαφῶς: clearly, distinctly, reliably, 2
φεύγω: to flee, avoid; defend in court, 4

6 οὔθ᾽: οὔτε
  (χρή) ὑμᾶς ἐθίζεσθαι (ἐπιορκεῖν): ellipsis,
  the inf. is mid.: 'become accustomed'
  ἂν εὐσεβοῖεν: *would...*; 3p potential opt.
7 μὴ...ἀξιοῦτέ: neg. imperative
  με...δεῖν...πράττειν: *that it is...*; ind. disc.
  with impersonal inf. δεῖ
8 μήτε...μήτε...μήτε...: *neither...nor...nor*
d1 ἄλλως τε...καί: *especially*; 'both
  otherwise...and'
  μέντοι: *indeed, certainly*
  Δία: acc. Ζεύς
  ἀσεβείας φεύγοντα: *(when)...*; acc. pple
  modifying με above; ἀσεβείας is gen. of
  charge ('on the charge of...')
2 ὑπὸ Μελήτου τουτουΐ: *by..., at the hands
  of...*; ; ὑπό + gen. expressing agency or
  cause; the deictic iota suggests that Socrates
  is pointing as he speaks
  ἄν: duplicated ἄν; the first one anticipates
  the second in the apodosis: do not translate
  εἰ πείθοιμι..., ἂν διδάσκοιμι: *if I should...*,

would...; fut. less vivid (εἰ opt., ἄν opt.)
3 τῷ δεῖσθαι: *by...*; dat. of means and
  articular inf: translate as gerund (-ing)
  (ὑμᾶς) ὀμωμοκότας: pf. act. ὄμνυμι
  θεοὺς...εἶναι: *that the gods exist*;
  hyperbaton (exaggerated word order)
4 μὴ ἡγεῖσθαι ὑμᾶς: *that...*; ὑμᾶς is acc. subj.
  ἀπολογούμενος: *by...*; mid. pple, causal in
  sense
5 κατηγοροίην ἄν: *I would...*; in the same
  fut. less vivid apodosis
  ὡς θεοὺς οὐ νομίζω: *that...*; ind. disc.
6 πολλοῦ δεῖ: *it is far from* + inf. (translate
  as gerund -ing); idiom, 'it is lacking from
  much' gen. of separation
  οὕτως ἔχειν: ἔχω ('holds' or 'is disposed')
  + adv. is equiv. to εἰμί + pred.
  νομίζω (θεοὺς εἶναι)
7 ὡς οὐδεὶς τῶν ἐμῶν κατηγόρων
  (νομίζει): *as none of my accusers (do)*;
  ἐπιτρέπω: *entrust, turn to* + dat.

κρῖναι περὶ ἐμοῦ ὅπη μέλλει ἐμοί τε ἄριστα εἶναι καὶ ὑμῖν.

—

τὸ μὲν μὴ ἀγανακτεῖν, ὦ ἄνδρες Ἀθηναῖοι, ἐπὶ τούτῳ e
τῷ γεγονότι, ὅτι μου κατεψηφίσασθε, ἄλλα τέ μοι πολλὰ 36
συμβάλλεται, καὶ οὐκ ἀνέλπιστόν μοι γέγονεν τὸ γεγονὸς
τοῦτο, ἀλλὰ πολὺ μᾶλλον θαυμάζω ἑκατέρων τῶν ψήφων
τὸν γεγονότα ἀριθμόν. οὐ γὰρ ᾠόμην ἔγωγε οὕτω παρ'
ὀλίγον ἔσεσθαι ἀλλὰ παρὰ πολύ· νῦν δέ, ὡς ἔοικεν, εἰ 5
τριάκοντα μόναι μετέπεσον τῶν ψήφων, ἀπεπεφεύγη ἄν.
Μέλητον μὲν οὖν, ὡς ἐμοὶ δοκῶ, καὶ νῦν ἀποπέφευγα, καὶ

ἀγανακτέω: be annoyed, troubled, vexed, 3
ἀν-έλπιστος, -ον: unexpected; unhoped for
ἀπο-φεύγω: to be acquitted; flee, escape, 6
ἀριθμός, ὁ: number, amount, quantity
ἄριστος, -η, -ον: best, very good, noblest, 5
ἑκάτερος, -α, -ον: each of two, either
ἔοικα: to seem, seem likely, be like (dat.), 5
θαυμάζω: marvel at, amaze at, wonder, 4

κατα-ψηφίζομαι: to vote against (gen.), 8
κρίνω: to choose, pick; decide, judge, 5
μετα-πίπτω: to fall differently, change,
μόνος, -η, -ον: alone, only, solitary, 7
ὅπη: in which way or manner, how, 2
συμ-βάλλομαι: to contribute to (+ inf.)
τριάκοντα: thirty, 3
ψῆφος, ὁ: vote; pebble (used to vote), 4

---

9 κρῖναι: aor. inf.
    μέλλει: (things) are going to…; assume a
    general neut. pl. subject

There are two types of trials: (a) ἀγὼν
ἀτίμητος, where the jurors pass judgment
and the penalty is determined by law and (b)
ἀγὼν τίμητος, where the jurors pass
judgment and, if the defendant is found guilty,
the jurors must vote between the penalties
proposed by the prosecutor and defendant.
This current trial is the latter type.
    Socrates has just been voted guilty by the
jurors, and the *Apology* picks up as Socrates
proposes a counter-penalty.

e1 τὸ μὲν (ἐμὲ) μὴ ἀγανακτεῖν: *My not being
    troubled*; or 'that I am not troubled,' this
    articular inf. is object of συμβάλλεται
    ἐπὶ τούτῳ τῷ γεγονότι: *at this thing…*;
    i.e the verdict; ἐπί + dat. gives the
    motivation for a feeling (S1689.3.c); pf. act.
    pple γίγνομαι
a1 ὅτι…: *(namely) that…*; in apposition
    ἄλλα…πολλὰ: *many other things*; subject
    μοι: dat. of interest
2 ἀνέλπιστόν: predicative, which can often
    be translated as an adv. in English
    γέγονεν: pf. γίγνομαι

τὸ γεγονὸς: *what happened*; 'the thing
    having happened' substantive, neut. pf. pple
3 πολὺ: *far*; 'much,' adv. acc. (acc. of extent
    in degree, i.e. 'more by much')
    ἑκατέρων τῶν ψήφων: partitive, i.e. the
    votes to acquit and the votes to convict
    τὸν γεγονότα ἀριθμόν: i.e. the total vote
    count that just took place; pf. γίγνομαι
4 ᾠόμην: 1s impf. οἴομαι
    οὕτω παρ(ὰ) ὀλίγον ἔσεσθαι: *that (the
    vote) would be by so little (a margin)*; 'so
    by a little' ind. disc. with fut. dep. εἰμί in
    secondary seq.; assume τὸν γεγονότα
    ἀριθμόν above as acc. subject
5 παρὰ πολύ: *by…*; i.e. the margin between
    votes to acquit and votes to convict
    εἰ…μετέπεσον, ἀπεπεφεύγη ἄν: *if…had
    …would have…*; contrary to fact (εἰ aor., ἄν
    plpf.); 3p aor. μετα-πίπτω (aor. πεσ-) and
    1s plpf. act.; the use of the plpf stresses the
    completion of the act (cf. 31d7-6); if there
    were 500 jurors and Socrates was convicted
    by a 280-220 split, the change of 30 votes
    would result in a tie in Socrates' favor
7 μὲν οὖν: *and so*; 'accordingly;' μὲν οὖν,
    elsewhere expresses positive certainty
    καὶ: *even*; adv. modifying νῦν
    ἀποπέφευγα: pf., i.e. acquitted from…

οὐ μόνον ἀποπέφευγα, ἀλλὰ παντὶ δῆλον τοῦτό γε, ὅτι εἰ μὴ
ἀνέβη Ἄνυτος καὶ Λύκων κατηγορήσοντες ἐμοῦ, κἂν ὦφλε
χιλίας δραχμάς, οὐ μεταλαβὼν τὸ πέμπτον μέρος τῶν   b
ψήφων.

   τιμᾶται δ᾽ οὖν μοι ὁ ἀνὴρ θανάτου. εἶεν· ἐγὼ δὲ δὴ
τίνος ὑμῖν ἀντιτιμήσομαι, ὦ ἄνδρες Ἀθηναῖοι; ἢ δῆλον ὅτι
τῆς ἀξίας; τί οὖν; τί ἄξιός εἰμι παθεῖν ἢ ἀποτεῖσαι, ὅ τι   5
μαθὼν ἐν τῷ βίῳ οὐχ ἡσυχίαν ἦγον, ἀλλ᾽ ἀμελήσας ὧνπερ
οἱ πολλοί, χρηματισμοῦ τε καὶ οἰκονομίας καὶ στρατηγιῶν

ἄγω: to lead, bring, carry, convey, 9
ἀ-μελέω: have no concern for, neglect (gen) 4
ἀνα-βαίνω: to come up, climb, mount, 5
ἀντι-τιμάομαι: make a counter-proposal
ἀξία, ἡ: worth, value, desert, 2
ἀπο-τίνω: to pay back, pay in full, repay
ἀπο-φεύγω: to be acquited; flee, escape, 6
δῆλος, -η, -ον: clear, evident, 8
δραχμή, ἡ: drachma, 2
εἶεν: well then! (opt. εἰμί 'let them be so'), 4
ἡσυχία, ἡ: silence, quiet, stillness, rest, 4
Λύκων, ὁ: Lycon, 3

μανθάνω: to learn, understand, 6
μέρος, -έος, τό: a part, share, portion
μετα-λαμβάνω: receive a share of, partake 1
μόνος, -η, -ον: alone, only, solitary, 7
οἰκονομία, ἡ: management of a household
ὀφλισκάνω: owe, be liable for (acc), 3
πέμπτος, -η, -ον: fifth, 2
στρατηγία, ἡ: office of general, command
χίλιοι, -αι, -α: a thousand
χρηματισμός, ὁ: money-making
ψῆφος, ὁ: vote; pebble (used to vote), 4

8 **οὐ μόνον...ἀλλὰ**: *not only...but (also)...*;
adverbial acc.
ἀποπέφευγα: 1s pf.
δῆλον (ἐστίν) τοῦτό γε: *this at least...*;
ellipsis, γε is restrictive and emphatic
ὅτι: *(namely) that...*; in apposition
εἰ μὴ ἀνέβη..., κα(ὶ) ἂν ὦφλε: *if...had...*;
(Meletus) would have...; contrary to fact (εἰ
aor., ἂν aor.) 3s aor ἀναβαίνω, ὀφλισκάνω
b1 **μεταλαβὼν**: *by..., because of...*; aor.
pple causal in sense
τὸ πέμπτον μέρος: *one-fifth*; To discourage
frivolous suits, the Athenians penalized
accusers who did not persuade at least one-
fifth of the jurors to convict. If there were
500 jurors, Meletus had to persuade at least
100. Socrates suggests that between the 3
prosecutors, each persuaded only 93.33
votes on average, 280 altogether, and so
Meletus failed to persuade one-fifth.
3 **τιμᾶται**: *proposes (as a penalty)*; τιμῶμαι
is used very frequently below to describe
the accuser's proposed penalty, while ἀντι-
τιμῶμαι is used to describe the defendant's
counter-proposal
δ᾽ οὖν: *but at any rate* (S2959)

ὁ ἀνὴρ: likely Meletus
θανάτου: *(the penalty) of death*; gen. of
price (S1374)
εἶεν: *Well, then!*; exclamation originally
3p pres. opt. of wish, εἰμί: 'let them be so'
2 **δὴ**: *now, accordingly*; resumptive
4 **τίνος**: *What (penalty)...?*; gen,. of price
δῆλον (ἐστίν) ὅτι: *clearly...*; 'Is it clear
that...?
5 **(ἀντιτιμήσομαι):τῆς ἀξίας**: *what I deserve*;
gen. of price with the verb understood from
the previous clause
τί οὖν;: *What, then?*; resumptive,
παθεῖν ἢ ἀποτεῖσαι: explanatory
(epexegetical) infs. qualifying ἄξιός;
aor. infs. πάσχω, ἀποτίνω
(μαθὼν) ὅ τι μαθὼν: *(knowing) what I
know...*; an idiom which many agree means
'because' (τί μαθὼν means 'why') but is
difficult to decipher; ὅ τι is neut. acc. ὅστις;
it is likely, as often, that an identical verb
has been omitted via ellipsis (cf. S2064a)
6 **ἡσυχίαν ἦγον.**: an idiom that means 'keep
quiet,' 1s impf. ἀγώ
ὧνπερ (ἐπιμελοῦνται): *what...(care about)*
χρηματισμοῦ...: in apposition

καὶ δημηγοριῶν καὶ τῶν ἄλλων ἀρχῶν καὶ συνωμοσιῶν καὶ
στάσεων τῶν ἐν τῇ πόλει γιγνομένων, ἡγησάμενος ἐμαυτὸν
τῷ ὄντι ἐπιεικέστερον εἶναι ἢ ὥστε εἰς ταῦτ' ἰόντα σῴζεσθαι, c
ἐνταῦθα μὲν οὐκ ᾖα οἷ ἐλθὼν μήτε ὑμῖν μήτε ἐμαυτῷ ἔμελ-
λον μηδὲν ὄφελος εἶναι, ἐπὶ δὲ τὸ ἰδίᾳ ἕκαστον ἰὼν εὐεργε-
τεῖν τὴν μεγίστην εὐεργεσίαν, ὡς ἐγώ φημι, ἐνταῦθα ᾖα,
ἐπιχειρῶν ἕκαστον ὑμῶν πείθειν μὴ πρότερον μήτε τῶν 5
ἑαυτοῦ μηδενὸς ἐπιμελεῖσθαι πρὶν ἑαυτοῦ ἐπιμεληθείη ὅπως
ὡς βέλτιστος καὶ φρονιμώτατος ἔσοιτο, μήτε τῶν τῆς πό-
λεως, πρὶν αὐτῆς τῆς πόλεως, τῶν τε ἄλλων οὕτω κατὰ τὸν

ἀρχή, ἡ: beginning; rule, office, 9
βέλτιστος, -η, -ον: best, very good, 6
δημ-ηγορία, ἡ: public speaking
ἐπι-εικής, -ές: honorable, reasonable, fair, 3
ἐπι-χειρέω: to attempt, try, put a hand on, 5
εὐ-εργεσία, ἡ: benefit, kindness, good deed
εὐ-εργετέω: provide a benefit, benefit
ἴδιος, -α, -ον: one's own; ἰδίᾳ, in private, 7
μέγιστος, -η, -ον: greatest, most important, 7

οἷ: to where, 3
ὄφελος, ὁ: value, benefit, advantage, use, 2
πρίν: before (+ inf), until (+ subj.), 2
πρότερος, -α, -ον: previous, earlier, 4
στάσις, -εως, ἡ: faction, party, 2
συν-ωμοσία, ἡ: sworn groups, pacts
σῴζω: to save, preserve, maintain, 3
φρόνιμος, -ον: sensible, prudent, intelligent

---

8 τῶν ἄλλων ἀρχῶν: *other offices*
τῶν ἐν τῇ πόλει γιγνομένων: pple in the
attributive position modifying all the gen.
forms above
ἐμαυτὸν ἐπιεικέστερον εἶναι: *that I
myself...*; ind. disc. with comparative adj.
τῷ ὄντι: *in reality*; dat. of manner
c1 ὥστε εἰς ταῦτ(α) ἰόντα σῴζεσθαι: *to...*;
'so as to...' result clause; the pres. pple
ἔρχομαι agrees with the missing acc.
subject (ἐμαυτὸν); and ταῦτα refers to the
list of genitives above
2 ᾖα: 1s impf. ἔρχομαι
οἷ...: relative adv. modifying pple ἐλθὼν,
the antecedent is ἐνταῦθα
μήτε ὑμῖν μήτε ἐμαυτῷ: *for...*; dat. interest
3 μηδὲν: *any*; positive in English after μήτε
ἐπὶ...τὸ...εὐεργετεῖν...: *with the goal
to..., for the purpose of...*; extended
articular inf.: translate as a gerund (-ing); all
governed by the verb ᾖα (S1689.3)
ἰδίᾳ ἕκαστον ἰών: nom. sg. pple ἔρχομαι;
ἕκαστον is acc. place to which; i.e. Socrates
approaches people individually
4 τὴν μεγίστην εὐεργεσίαν: cognate acc. of
the articular inf.: 'provide...a benefit'
rather than 'benefit...a benefit'

ὡς ἐγώ φημι: parenthetical
ᾖα: 1s impf. ἔρχομαι
5 ἐπιχειρῶν: *by...*; pple causal in sense
μὴ...ἐπιμελεῖσθαι: *not to...*; complementary
inf., in wishes μὴ is used instead of οὐ
πρότερον: *previously*; a common
comparative adv.before πρὶν that is
often left untranslated in English
τῶν ἑαυτοῦ μηδενός: *for none of his own
affairs*; partitive, possessive, and obj. of inf.
genitives respectively
6 πρὶν...ἐπιμεληθείη: *before he...*; πρίν + 3s
aor. pass. dep. opt. (translate as simple past)
in secondary seq. (in primary seq., this
would be an anticipatory subj.)
ὅπως...ἔσοιτο: *that...might...*; object
clause, 3s fut. dep. opt. εἰμί in second. seq.
7 ὡς βέλτιστος...: ὡς + superlative is
translated 'as...as possible'
μήτε τῶν τῆς πόλεως (ἐπιμελεῖσθαι):
nor...for (the affairs)...; ellipsis; gen. obj.
of inf. and possessive respectively; assume
the inf. from above
8 πρὶν αὐτῆς τῆς πόλεως (ἐπιμεληθείη):
before...; ellipsis, add opt. verb from above
τῶν τε ἄλλων οὕτω: *and thus for other
things...*; obj. of ἐπιμελεῖσθαι in next line

αὐτὸν τρόπον ἐπιμελεῖσθαι--τί οὖν εἰμι ἄξιος παθεῖν τοιοῦ- d
τος ὤν; ἀγαθόν τι, ὦ ἄνδρες Ἀθηναῖοι, εἰ δεῖ γε κατὰ τὴν
ἀξίαν τῇ ἀληθείᾳ τιμᾶσθαι· καὶ ταῦτά γε ἀγαθὸν τοιοῦτον
ὅ τι ἂν πρέποι ἐμοί. τί οὖν πρέπει ἀνδρὶ πένητι εὐεργέτῃ
δεομένῳ ἄγειν σχολὴν ἐπὶ τῇ ὑμετέρᾳ παρακελεύσει; οὐκ 5
ἔσθ᾽ ὅ τι μᾶλλον, ὦ ἄνδρες Ἀθηναῖοι, πρέπει οὕτως ὡς τὸν
τοιοῦτον ἄνδρα ἐν πρυτανείῳ σιτεῖσθαι, πολύ γε μᾶλλον ἢ
εἴ τις ὑμῶν ἵππῳ ἢ συνωρίδι ἢ ζεύγει νενίκηκεν Ὀλυμπία-
σιν· ὁ μὲν γὰρ ὑμᾶς ποιεῖ εὐδαίμονας δοκεῖν εἶναι, ἐγὼ δὲ
εἶναι, καὶ ὁ μὲν τροφῆς οὐδὲν δεῖται, ἐγὼ δὲ δέομαι. εἰ e

ἄγω: to lead, bring, carry, convey, 9
ἀλήθεια, ἡ: truth, 8
ἀξία, ἡ: worth, value, desert, 2
εὐ-δαίμων, -ον: happy, fortunate, blessed, 2
εὐ-εργέτης, -ου, ὁ: benefactor
ζεῦγος, -εος, τό: harnessed team, (4 horses)
ἵππος, ὁ: a horse, 8
νικάω: to conquer, defeat, win
Ὀλυμπιάς, -ιάδος, ἡ: Olympic games
παρακελεύσις, -εως, ἡ: encouragement,

exhortation, cheering on, 1
πένης, πένητος, ὁ: poor (man), day-laborer, 2
πρέπω: be fitting, be suitable, 4
πρυτανείον, τό: prytaneum (town hall), 2
σιτέω: to take food, eat
συν-ωρίς, -ίδος, ἡ: a pair of horses; a pair
σχολή, ἡ: leisure, spare time, 3
τρόπος, ὁ: manner, way; turn, direction, 5
τροφή, ἡ: food; rearing, upbringing
ὑμέτερος, -α, -ον: your, yours, 3

d1 κατὰ τὸν αὐτὸν τρόπον: *according to..*;
αὐτός in the attributive position means
'same'
τί οὖν;: *What, then...*; resumptive, repeating
the question from 36b5
παθεῖν: explanatory (epexegetical) aor. inf.
πάσχω.
2 ἀγαθόν τι: Socrates answers his own
question: εἰμι ἄξιος παθεῖν is understood
κατά...: *according to...*
3 τῇ ἀληθείᾳ: dat. of respect as adverb
καὶ ταῦτά γε: *and what is more;*'and in
respect to these things indeed,' acc. of
respect: 'and what is more' is a common
translation for καὶ ταῦτά (cf. 27c7, 34c6)
ἀγαθὸν τοιοῦτον: in apposition to
ἀγαθόν τι above
4 ὅ τι ἂν πρέποι ἐμοί: *which...would...*; neut.
sg. ὅστις, potential opt.
τί οὖν;: *What, then...*; resumptive, as above
ἀνδρὶ πένητι: *for...*; dat. interest; πένητι
is a noun used as an adj. in a construction
called attributive apposition (S986)
εὐεργέτῃ: *as...*; predicative, i.e. '(being) an
εὐεργέτῃ'
5 ἄγειν: *to spend*; 'lead,' governed by pple
ἐπί...: *in...*

6 οὐκ ἔστ(ι) ὅ τι...: *there is not anything
which...*; relative clause with neut. sg. ὅστις
ὡς τὸν τοιοῦτον...σιτεῖσθαι,: *as (that)
such a man...*; relative clause of comparison
(correlative with οὕτως); the acc. + inf.
construction is subject of the verb (πρέπει)
which, as often, is not repeated in
comparisons
7 πολύ γε μᾶλλον (πρέπει) ἢ: *(and this)...*;
add a verb; the previous clause is subject
πολὺ: *far*; 'much,' adv. acc. (acc. of extent
in degree, i.e. 'more by much'); γε is
emphatic
8 ἵππῳ ἢ...ἢ...: *in...or in...or in...*; dat. of
respect; ἵππος here refers to a race with a
single horse
νενίκηκεν: pf. νικάω
Ὀλυμπίασιν: locative, place where
9 ὁ μὲν: *that one...*; i.e. the Olympian victor
εὐδαίμονας: pred. following δοκεῖν εἶναι
ἐγὼ δὲ (ὑμᾶς ποιῶ εὐδαίμονας) εἶναι:
ellipsis
e1 τροφῆς: *from...*; gen. separation
οὐδὲν: *not at all*; adv. acc. (inner acc. 'have
no need')
δεῖται, δέομαι: here 'needs' or 'lacks'
rather than the more common mid. 'asks'

82

οὖν δεῖ με κατὰ τὸ δίκαιον τῆς ἀξίας τιμᾶσθαι, τούτου
τιμῶμαι, ἐν πρυτανείῳ σιτήσεως.   37

ἴσως οὖν ὑμῖν καὶ ταυτὶ λέγων παραπλησίως δοκῶ λέγειν
ὥσπερ περὶ τοῦ οἴκτου καὶ τῆς ἀντιβολήσεως, ἀπαυθαδιζό-
μενος· τὸ δὲ οὐκ ἔστιν, ὦ ἄνδρες Ἀθηναῖοι, τοιοῦτον ἀλλὰ
τοιόνδε μᾶλλον. πέπεισμαι ἐγὼ ἑκὼν εἶναι μηδένα ἀδικεῖν 5
ἀνθρώπων, ἀλλὰ ὑμᾶς τοῦτο οὐ πείθω· ὀλίγον γὰρ χρόνον
ἀλλήλοις διειλέγμεθα. ἐπεί, ὡς ἐγῷμαι, εἰ ἦν ὑμῖν νόμος,
ὥσπερ καὶ ἄλλοις ἀνθρώποις, περὶ θανάτου μὴ μίαν ἡμέραν
μόνον κρίνειν ἀλλὰ πολλάς, ἐπείσθητε ἄν· νῦν δ' οὐ ῥάδιον b

ἀλλήλων: one another, 4
ἀντι-βόλησις, -εως, ἡ: entreaty, prayer
ἀπ-αυθαδίζομαι: be stubborn or unfeeling
δια-λέγομαι: to converse with, discuss, 8
ἑκών, ἑκοῦσα, ἑκόν: willing, intentionally, 4
ἐπεί: when, after; since, because, 5
ἡμέρα, ἡ: day, 6
κρίνω: to choose, pick; decide, judge, 5

μόνος, -η, -ον: alone, only, solitary, 7
οἶκτος, ὁ: lamenting, compassion
παρα-πλησίως: similarly, equally as
πρυτανείον, τό: prytaneum (town hall), 2
ῥᾴδιος, -α, -ον: easy, ready, 2
σίτησις, -εως, ἡ: being fed, eating
τοιόσδε, -άδε, -όνδε: this here sort, such, the
following sort

2 κατὰ: in accordance with...
   τιμᾶσθαι: propose (as a penalty)
   τῆς ἀξίας: what I deserve; 'gen. of price
   τούτου : gen. of price
a1 ἐν πρυτανείῳ σιτήσεως: (namely)...;
   in apposition (S988)
2 ὑμῖν: dat. of reference (point of view) with
   δοκῶ but placed at the beginning of the
   sentence for greater emphasis
   ταυτὶ: these here things; ταῦτα-ι, with a
   deictic iota; i.e. what was said abo e
3 ὥσπερ περὶ...: just as...; relative clause of
   comparison, παραπλησίως is antecedent,
   as often, the verb δοκῶ λέγειν is omitted to
   avoid repetition (cf. 34c)
   ἀπαυθαδιζόμενος: (namely)...; in
   apposition to the comparison
4 τὸ δὲ: but this is...; τό is a demonstrative
   (very common in epic, for example) and
   subject (cf. 39c7)
5 τοιόνδε: i.e. what follows, not precedes
   πέπεισμαι: 1s pf. pass. πείθω
   ἑκὼν εἶναι: willingly; 'so as to be willing,'
   a common inf. abs.: translate as an adv.

(ἐμαυτόν) μηδένα ἀδικεῖν ἀνθρώπων:
   that (I myself) ...; ind. disc., the accusative
   subject is missing but understood; μηδένα
   is acc. masc. sg. obj.
6 πείθω: governing a double acc.: 'persuade
   (acc) about (acc)'
   ὀλίγον χρόνον: for...; acc. duration
7 διειλέγμεθα: pf. mid.
   ἐπεί: (I say this) since...
   ὡς ἐγὼ (οἴο)μαι: as...; crasis, parenthetical
   εἰ ἦν... ἐπείσθητε ἄν: if there were...,
   would have...; contrary to fact (εἰ impf., ἄν
   aor.), 2p aor. pass. πείθω
   ὑμῖν: dat. of possession or interest
8 καὶ: also
   περὶ θανάτου μὴ...κρίνειν: not to...; in
   apposition to νόμος
   μίαν ἡμέραν...πολλάς (ἡμέρας): for...; or
   'over...' both are acc. duration
b1 μόνον: only, merely; adverbial acc.
   νῦν δ(ὲ): but as it is; often following a
   contrary to fact
   ῥᾴδιον (ἐστίν): (it is)...; impersonal

ἐν χρόνῳ ὀλίγῳ μεγάλας διαβολὰς ἀπολύεσθαι. πεπεισμέ-
νος δὴ ἐγὼ μηδένα ἀδικεῖν πολλοῦ δέω ἐμαυτόν γε ἀδικήσειν
καὶ κατ᾽ ἐμαυτοῦ ἐρεῖν αὐτὸς ὡς ἄξιός εἰμί του κακοῦ καὶ
τιμήσεσθαι τοιούτου τινὸς ἐμαυτῷ. τί δείσας; ἢ μὴ πάθω   5
τοῦτο οὗ Μέλητός μοι τιμᾶται, ὃ φημι οὐκ εἰδέναι οὔτ᾽ εἰ
ἀγαθὸν οὔτ᾽ εἰ κακόν ἐστιν; ἀντὶ τούτου δὴ ἕλωμαι ὧν εὖ
οἶδά τι κακῶν ὄντων τούτου τιμησάμενος; πότερον δεσμοῦ;
καὶ τί με δεῖ ζῆν ἐν δεσμωτηρίῳ, δουλεύοντα τῇ ἀεὶ καθι-   c
σταμένῃ ἀρχῇ, τοῖς ἕνδεκα; ἀλλὰ χρημάτων καὶ δεδέσθαι
ἕως ἂν ἐκτείσω; ἀλλὰ ταὐτόν μοί ἐστιν ὅπερ νυνδὴ ἔλεγον·

ἀεί: always, forever; for the time being, 7
αἱρέω: seize, take, convict; mid. choose, 7
ἀντί: instead of, in place of (gen.)
ἀπ-όλλυμι: destroy, ruin, kill; mid. perish, 2
ἀρχή, ἡ: beginning; rule, office, 9
δείδω: to fear; δέδια (pf. with pres. sense), 7
δεσμός, ὁ: imprisonment; pl. chains, bonds, 2
δεσμωτήριον, τό: prison
δέω, δήσω: to bind, enchain

δουλεύω: to be a slave to (dat.)
ἐκ-τίνω: to pay in full, pay off, 5
ἕν-δεκα: the Eleven (in charge of prisoners)
ἕως: until, as long as, 2
ζάω: to live, 9
ἤ: in truth, truly (begins open question), 3
καθ-ίστημι: to set; appoint; put into a state, 2
νυν-δή: just now
πότερος, -α, -ον: whether, which (of two)? 7

2 μεγάλας διαβολὰς ἀπολύεσθαι: pres.
   mid. inf.; the accusatives are the obj.
   πεπεισμένος: pf. mid./pass. πείθω
   δή: now, then; resumptive
   (ἐμαυτόν) μηδένα ἀδικεῖν: that (I myself)...
   ind. disc.
3 πολλοῦ δέω: I am far from + inf.; idiom: 'I
   am lacking from much,' gen. of separation;
   the fut. inf. can be expressed as 'going to X'
   ἐμαυτόν γε: object of fut. inf.
4 κατ(ὰ) ἐμαυτοῦ: against...
   ἐρεῖν: fut. λέγω
   ὡς ἄξιός εἰμί...: that...; ind. disc., ἄξιος
   + a gen. and explanatory (epexegetical) inf.
   του: τινος, neut. gen. sg. τις
5 τιμήσεσθαι: to propose (as a penalty)
   τοιούτου τινὸς: gen. of price; indefinite τις
   δείσας: nom. sg. ingressive aor. pple (i.e.
   'becoming X,' 'struck with X for,' δείδω)
   ἢ μὴ πάθω: (is it) that I not...?; or '(is it)
   lest I...' fearing clause with 1s aor. subj.
   πάσχω in response to the question
6 οὖ...μοι τιμᾶται: which...; relative and
   gen. of price, dat. of interest
   ὃ: (and) which...; a second relative clause
   with τοῦτο as antecedent; a proleptic acc.
   (anticipatory), which is best translated as
   subject in the following ind. questions

οὐ...οὔτε...οὔτε...: not...either...or...
εἰδέναι: inf. οἶδα
εἰ (ἐστίν) ἀγαθὸν: whether...; ind. question
7 δή: just, precisely; emphasing τούτου
   ἕλωμαι...τι: Am I to...?; 1s deliberative
   aor. subj; αἱρέω (stem ἑλ-); τι is object
   ὧν εὖ οἶδα...κακῶν ὄντων: of what...;
   (τούτων) ἃ εὖ οἶδα...κάκα ὄντα; '(of
   these things) which...,' acc. pl. relative
   attracted into the partitive gen. of the
   missing antecedent (the part τι is obj. of
   ἕλωμαι); the acc. complementary pple εἰμί
   and pred. (attracted into gen.) are equiv. to
   ind. disc. after the verb
   τούτου τιμησάμενος: by...; causal mid.
   pple and gen. of price (the penalty)
   δεσμοῦ: gen. of price, assume the pple
c1 τί: why?; 'in respect to what?' acc. respect
   τῇ ἀεὶ καθισταμένῃ ἀρχῇ,: to the office
   appointed for the time being
2 τοῖς ἕνδεκα: the Eleven; in apposition
   ἀλλὰ χρημάτων: well then, for money?;
   gen. of price parallel to δεσμοῦ
   (με δεῖ) δεδέσθαι: pf. pass. inf. δέω, 'bind'
3 ἕως ἂν ἐκτείσω: until...; general temporal
   clause; 1s aor. subj. ἐκτίνω
   τ(ὸ) αὐτόν: the same thing
   μοί: for...; dat. of interest

οὐ γὰρ ἔστι μοι χρήματα ὁπόθεν ἐκτείσω. ἀλλὰ δὴ φυγῆς
τιμήσωμαι; ἴσως γὰρ ἄν μοι τούτου τιμήσαιτε. πολλὴ 5
μεντἄν με φιλοψυχία ἔχοι, ὦ ἄνδρες Ἀθηναῖοι, εἰ οὕτως
ἀλόγιστός εἰμι ὥστε μὴ δύνασθαι λογίζεσθαι ὅτι ὑμεῖς μὲν
ὄντες πολῖταί μου οὐχ οἷοί τε ἐγένεσθε ἐνεγκεῖν τὰς ἐμὰς
διατριβὰς καὶ τοὺς λόγους, ἀλλ᾽ ὑμῖν βαρύτεραι γεγόνασιν d
καὶ ἐπιφθονώτεραι, ὥστε ζητεῖτε αὐτῶν νυνὶ ἀπαλλαγῆναι·
ἄλλοι δὲ ἄρα αὐτὰς οἴσουσι ῥᾳδίως; πολλοῦ γε δεῖ, ὦ ἄνδρες
Ἀθηναῖοι. καλὸς οὖν ἄν μοι ὁ βίος εἴη ἐξελθόντι τηλικῷδε
ἀνθρώπῳ ἄλλην ἐξ ἄλλης πόλεως ἀμειβομένῳ καὶ ἐξελαυνο- 5

ἀ-λόγιστος, -ον: unreasonable, thoughtless
ἀμείβομαι: to change, exchange; answer
ἀπ-αλλάττω: to set free, release from, 5
ἄρα: it turns out, it seems; then, therefore, 9
βαρύς, -εῖα, -ύ: heavy; grievous, grim, dire, 2
δια-τριβή, ἡ: pastime; pursuit, 3
δύναμαι: to be able, can, be capable, 5
ἐκ-τίνω: to pay in full, pay off, 5
ἐξ-ελαύνω: to drive out; march out, 2
ἐξ-έρχομαι: to go out, come out, 4
ἐπι-φθονός, -όν: hateful, arousing envy/hate

ζητέω: to seek, look for, investigate, 6
λογίζομαι: to calculate, count, consider, 2
νυν-ί: just now; as it is, 5
ὁπό-θεν: from where, from what place 1
πολίτης, ὁ: citizen, 3
ῥᾳδίως: easily, 5
τηλικόσδε, -ήδε, -όνδε: of this age, 3
φέρω: to carry, bring; endure, bear, 3
φιλο-ψυχία, ἡ: love of life, desire for life
φυγή, ἡ: flight, escape, exile, 2

4 ἔστι μοι: dat. of possession: translate as
either (1) 'there is to me' or (2) 'I have'
ὁπόθεν ἐκτείσω: 1s fut. ἐκ-τίνω
ἀλλὰ δή: well then; just as in 37c2, ἀλλὰ
is used after a rejected suggestion to offer a
new response and δή is resumptive
φυγῆς τιμήσωμαι: Am I to...; deliberative
aor. subj. and gen. of price
5 ἄν τιμήσαιτε: might...; aor. potential opt.
with gen. of price
6 μέντο(ι) ἄν...ἔχοι: would...; potential opt.
7 ὥστε μὴ δύνασθαι λογίζεσθαι: so as
not...; result clause
ὅτι...οἷοί τε ἐγένεσθε: that...; οἷός τε εἰμί
'be to sort to' is a common idiom for 'be
able' and the same is true for οἷός τε
γίγνομαι; cf. 31b9
ἐνεγκεῖν: aor. inf. φέρω
d1 ὑμῖν: dat. of interest
γεγόνασιν: (they) turned out to be...; pf.
γίγνομαι ; often the comparative degree
expresses excess and is translated 'too x'
2 ὥστε ζητεῖτε: so that...; a result clause

with 2p pres.
αὐτῶν: from...; gen. separation; i.e. the
διατριβαί
ἀπαλλαγῆναι: aor. pass. inf.
3 οἴσουσι: 3p fut. φέρω; the lack of
interrogative in this question suggests
surprise or, as here, incredulity
πολλοῦ γε δεῖ: Far from it!; idiom, 'it is
lacking from much' gen. of separation
4 ἄν εἴη: would...; potential opt. εἰμί ;
Socrates is expressing sarcasm and does not
believe this clause is true
ἐξελθόντι... ζῆν: to live (if)...; an
explanatory (epexegetical) inf. ζάω
modifying καλὸς (note the hyperbaton)
with a series of pples conditional in sense
modifying μοι (equiv. to protasis in a
fut. less vivid); aor. pple ἐξ-έρχομαι
τηλικῷδε ἀνθρώπῳ: as...; predicative
(equiv. to τηλικῷδε ἀνθρώπῳ ὄντι)
5 ἄλλην (πόλιν)
ἐξελαυνομένῳ: pres. pass. pple

μένῳ ζῆν. εὖ γὰρ οἶδ᾽ ὅτι ὅποι ἂν ἔλθω, λέγοντος ἐμοῦ
ἀκροάσονται οἱ νέοι ὥσπερ ἐνθάδε· κἂν μὲν τούτους ἀπ-
ελαύνω, οὗτοί με αὐτοὶ ἐξελῶσι πείθοντες τοὺς πρεσβυτέρους·
ἐὰν δὲ μὴ ἀπελαύνω, οἱ τούτων πατέρες δὲ καὶ οἰκεῖοι δι᾽   e
αὐτοὺς τούτους.

ἴσως οὖν ἄν τις εἴποι· "σιγῶν δὲ καὶ ἡσυχίαν ἄγων, ὦ
Σώκρατες, οὐχ οἷός τ᾽ ἔσῃ ἡμῖν ἐξελθὼν ζῆν;" τουτὶ δή
ἐστι πάντων χαλεπώτατον πεῖσαί τινας ὑμῶν. ἐάντε γὰρ   5

ἄγω: to lead, bring, carry, convey, 9
ἀκροάομαι: to listen to, hear, heed (gen.)
ἀπ-ελαύνω: to drive away, expel, 2
ἐάντε...ἐάντε: if...and if, 6
ἐνθάδε: hither, here; thither, there, 5
ἐξ-ελαύνω: to drive out; march out, 2
ἐξ-έρχομαι: to go out, come out, 4
ζάω: to live, 9

ἡσυχία, ἡ: silence, quiet, stillness, rest, 4
οἰκεῖος, -α, -ον: one's own; kin, related, 9
ὅποι: to which place, whither
πατήρ, πατρός, ὁ: a father, 6
πρεσβύτης (πρέσβυς), ὁ: old (man), elder, 8
σιγάω: to be silent, keep silent, 2
χαλεπός, -ά, -όν: difficult, hard, harsh, 8

6 οἶδ(α)
ὅποι ἂν ἔλθω: general relative clause with
1s aor. subj. ἔρχομαι.
λέγοντος ἐμοῦ: gen. of source and obj. of
verb
7 ὥσπερ ἐνθάδε: clause of comparison
κ(αὶ) ἐὰν ἀπελαύνω,...ἐξελῶσι: and if...;
a fut. more vivid (ἐὰν subj., fut.);
ἐξελάουσι, 3p fut. ἐξελαύνω (fut. ἐλα-)
τούτους: i.e. οἱ νέοι
8 πείθοντες: (by)...; pple causal in sense
τοὺς πρεσβυτέρους: elders
e1 οἱ...πατέρες δὲ καὶ οἰκεῖοι (με ἐξελῶσι):
supply fut. verb and object from above
δι(ὰ): for the sake of...; expressing purpose
rather than just cause ('on account of...')

2 αὐτοὺς τούτους: i.e. οἱ νέοι, intensive
3 ἄν τις εἴποι: might...; potential aor. opt.
λέγω
σιγῶν...ἄγων: if...; pples conditional in
sense; ἡσυχίαν ἄγω means 'keep quiet'
4 οὐχ οἷός τ᾽ ἔσῃ...: a question anticipating a
yes reply; ἔσῃ is ἔσε(σ)αι, 2s fut. mid. εἰμί;
and οἷός τε εἰμί, 'be to sort to' is a common
idiom for 'be able' or 'be possible'
ἡμῖν: for us; or 'please,' ethical dative
expressing strong personal interest
τουτ(ο)-ὶ δή: deictic iota and δή ('just,'
'precisely,') both emphasize the neut.
demonstrative
5 πεῖσαί: to...; explanatory (epexegetical)
aor. inf. πείθω qualifying χαλεπώτατον

λέγω ὅτι τῷ θεῷ ἀπειθεῖν τοῦτ᾽ ἐστὶν καὶ διὰ τοῦτ᾽ ἀδύνα-
τον ἡσυχίαν ἄγειν, οὐ πείσεσθέ μοι ὡς εἰρωνευομένῳ· ἐάντ᾽ 38
αὖ λέγω ὅτι καὶ τυγχάνει μέγιστον ἀγαθὸν ὂν ἀνθρώπῳ
τοῦτο, ἑκάστης ἡμέρας περὶ ἀρετῆς τοὺς λόγους ποιεῖσθαι
καὶ τῶν ἄλλων περὶ ὧν ὑμεῖς ἐμοῦ ἀκούετε διαλεγομένου καὶ
ἐμαυτὸν καὶ ἄλλους ἐξετάζοντος, ὁ δὲ ἀνεξέταστος βίος οὐ 5
βιωτὸς ἀνθρώπῳ, ταῦτα δ᾽ ἔτι ἧττον πείσεσθέ μοι λέγοντι.
τὰ δὲ ἔχει μὲν οὕτως, ὡς ἐγώ φημι, ὦ ἄνδρες, πείθειν δὲ οὐ
ῥᾴδιον. καὶ ἐγὼ ἅμα οὐκ εἴθισμαι ἐμαυτὸν ἀξιοῦν κακοῦ
οὐδενός. εἰ μὲν γὰρ ἦν μοι χρήματα, ἐτιμησάμην ἂν χρη- b

ἀ-δύνατος, -ον: incapable, impossible
ἄγω: to lead, bring, carry, convey, 9
ἅμα: at the same time; along with (dat.), 3
ἀν-εξέταστος, -ον: unexamined,
ἀξιόω: deem right, think worthy of (gen), 6
ἀ-πειθέω: to be disobedient, disobey (dat), 3
βιωτός, -όν: worth living
δια-λέγομαι: to converse with, discuss, 8
ἐάντε...ἐαντε: if...and if, 6

ἐθίζω: to accustom; be accustomed, 4
εἰρωνεύομαι: speak in jest, be sarcastic
ἔτι: still, besides, further; in addition, 8
ἡμέρα, ἡ: day, 6
ἡσυχία, ἡ: silence, quiet, stillness, rest, 4
ἥττων, -ον: weaker, less, inferior, 4
μέγιστος, -η, -ον: greatest, most important, 7
ῥᾴδιος, -α, -ον: easy, ready, 2
τυγχάνω: to chance upon, happen; attain; 9

6 **ὅτι...τοῦτ(ο) ἐστὶν**: that this is...
   ἀδύνατον (ἐστίν): (it is)...; impersonal
a1 **πείσεσθέ**: believe..., 2p fut. mid. πείθω,
   apodosis in a fut. more vivid
ὡς εἰρωνευομένῳ: on the grounds that...,
   in the belief that...; 'since;' ὡς + pple
   expresses alleged cause from a character's,
   in this case the jurors', point of view
a1 **ἐάντε αὖ λέγω...**, **πείσεσθέ**: if again...; a
   second fut. more vivid with the same verbs
2 **καὶ**: also
τυγχάνει...ὂν: happens to...; governing
   a complementary pple, neut. εἰμί
ἀνθρώπῳ: dat. interest
3 **ἑκάστης... τοὺς λόγους ποιεῖσθαι**:
   (namely) to make conversation...; in
   extended apposition following τοῦτο
ἑκάστης ἡμέρας: each day; 'during each
   day,' gen. of time within
4 **καὶ (περὶ) τῶν ἄλλων**: parallel to ἀρετῆς
περὶ ὧν: concerning what...; concerning
   (these things) which' περὶ (τούτων) ἅ; an
   acc. relative attracted into the gen. of the
   missing antecedent
5 **ὁ δὲ ἀνεξέταστος βίος (ἐστίν)**: but...; a
   new clause within the ὅτι clause

6 **ταῦτα δ(ὲ)**: *these things on the other hand*;
   an apodotic δὲ (the presence of δὲ at the
   beginning of an apodosis) is unusual but
   draws attention to the contrast between this
   apodosis and the previous one in 38a1
ἧττον: comparative adv.
πείσεσθέ: *believe*..., 2p fut. mid. πείθω
7 **τὰ δὲ**: i.e. ταῦτα
ἔχει οὕτως: ἔχω ('holds' or 'is disposed')
   + adv. is equiv. to εἰμί + pred. adj.
οὐ ῥᾴδιον (ἐστίν): *it is*...; impersonal
8 **εἴθισμαι**: pf. mid. ἐθίζω
ἀξιοῦν: o-contract pres. inf.
οὐδενός: *any*; positive following οὐκ
b1 **εἰ...ἦν, ἐτιμησάμην ἂν**: *if there were,
   would have..*; contrary to fact (εἰ impf., ἄν
   aor.), 1s aor. mid.
γὰρ: *that is to say*; explanatory γάρ
   (S2808) is not causal ('for') or anticipatory
   ('since') but here appositional ('e.g'),
   clarifying the previous statement. Socrates
   says above that he is not worthy of any evil,
   and points out in the example that he would
   pay a fine if he had money, because he does
   not consider such a fine to be a harm or evil
   to himself.

μάτων ὅσα ἔμελλον ἐκτείσειν, οὐδὲν γὰρ ἂν ἐβλάβην· νῦν
δὲ οὐ γὰρ ἔστιν, εἰ μὴ ἄρα ὅσον ἂν ἐγὼ δυναίμην ἐκτεῖσαι,
τοσούτου βούλεσθέ μοι τιμῆσαι. ἴσως δ᾽ ἂν δυναίμην ἐκ-
τεῖσαι ὑμῖν που μνᾶν ἀργυρίου· τοσούτου οὖν τιμῶμαι.   5

Πλάτων δὲ ὅδε, ὦ ἄνδρες Ἀθηναῖοι, καὶ Κρίτων καὶ
Κριτόβουλος καὶ Ἀπολλόδωρος κελεύουσί με τριάκοντα μνῶν
τιμήσασθαι, αὐτοὶ δ᾽ ἐγγυᾶσθαι· τιμῶμαι οὖν τοσούτου,
ἐγγυηταὶ δὲ ὑμῖν ἔσονται τοῦ ἀργυρίου οὗτοι ἀξιόχρεῳ.

———

οὐ πολλοῦ γ᾽ ἕνεκα χρόνου, ὦ ἄνδρες Ἀθηναῖοι, ὄνομα   c

ἀξιό-χρεως, -εων: trustworthy, credible, 2
Ἀπολλόδορος, ὁ: Apollodorus, 2
ἄρα: it turns out, it seems; then, therefore, 9
ἀργύριον, τό: silver piece, silver coin, 2
βλάπτω: to harm, hurt, 7
δύναμαι: to be able, can, be capable, 5
ἐγγυάω: to pledge, promise, guarantee
ἐγγυητής, -οῦ, ὁ: guarantor
ἐκ-τίνω: to pay in full, pay off, 5

ἕνεκα: for the sake of, for (+gen.), 5
κελεύω: to bid, order, command, 4
Κριτόβουλος, ὁ: Critobolus, 2
Κρίτων, ὁ: Crito, 2
μνᾶ, μνᾶς, ἡ: mina (=100 drachmae), 3
Πλάτων, ὁ: Plato, 2
που: anywhere, somewhere; I suppose, 7
τριάκοντα: thirty, 3

2 ἐκτείσειν: fut. inf. ἐκ-τίνω
    οὐδὲν: *not at all*; adv. acc. (inner acc.:
    'done no harm')
    ἂν ἐβλάβην: *would have...*; ἂν + 1s aor.
    pass. in the same contrary to fact
    νῦν δὲ: *but as it is*
3 οὐ γὰρ ἔστιν (χρήματα): *since...*;
    anticipatory γαρ (S2811)
    εἰ μὴ... βούλεσθέ: *unless...*
    ὅσον ἂν ἐγὼ δυναίμην ἐκτεῖσαι,
    τοσούτου: *as much as...*; 'so much...how
    much...' correlatives, τοσούτου is gen. of
    price and antecedent of the relative ὅσον;
    potential opt. and aor. inf. ἐκ-τίνω
4 τιμῆσαι: aor. act. inf.
    ἐκτεῖσαι: aor. inf. ἐκ-τίνω
5 τιμῶμαι: τιμάομαι; pres. indicative
7 τριάκοντα μνῶν: gen. of price
    αὐτοὶ δ(ὲ) (λέγουσιν) ἐγγυᾶσθαι: *and*

    they themselves...; ind. disc. with mid. inf.
    supply a main verb
9 ἔσονται: fut. dep. εἰμί
    τοῦ ἀργυρίου: *for...*; objective gen.
    οὗτοι ἀξιόχρεῳ: i.e. men; ἀξιόχρεῳ is a
    2nd decl. nom. pl. adjective (S238)

The jurors choose between the two penalities,
and the majority vote for execution. At this
moment Socrates responds. It is unknown
whether either accusers or defendants had an
opportunity to speak after the penalty was
selected.

c1 οὐ πολλοῦ γ᾽ ἕνεκα χρόνου: *for the sake
    of not a long time*; i.e. in return for cutting
    my life short just a little
    ὄνομα: i.e. reputation

ἕξετε καὶ αἰτίαν ὑπὸ τῶν βουλομένων τὴν πόλιν λοιδορεῖν
ὡς Σωκράτη ἀπεκτόνατε, ἄνδρα σοφόν--φήσουσι γὰρ δὴ
σοφὸν εἶναι, εἰ καὶ μή εἰμι, οἱ βουλόμενοι ὑμῖν ὀνειδίζειν—
εἰ γοῦν περιεμείνατε ὀλίγον χρόνον, ἀπὸ τοῦ αὐτομάτου ἂν   5
ὑμῖν τοῦτο ἐγένετο· ὁρᾶτε γὰρ δὴ τὴν ἡλικίαν ὅτι πόρρω
ἤδη ἐστὶ τοῦ βίου θανάτου δὲ ἐγγύς. λέγω δὲ τοῦτο οὐ
πρὸς πάντας ὑμᾶς, ἀλλὰ πρὸς τοὺς ἐμοῦ καταψηφισα-   d
μένους θάνατον. λέγω δὲ καὶ τόδε πρὸς τοὺς αὐτοὺς
τούτους. ἴσως με οἴεσθε, ὦ ἄνδρες Ἀθηναῖοι, ἀπορίᾳ λόγων

αἰτία, ἡ: cause, responsibility, blame, 3
ἀπό: from, away from. (+ gen.), 6
ἀ-πορία, ἡ: being at a loss; confusion, 2
αὐτομάτον, τό: mere chance; on its own, 2
γοῦν (γε οὖν): at any rate; reply: yes, well, 3
ἐγγύς: near to (gen.); adv. nearby, 3
ἡλικία, ἡ: age, time of life, 3

κατα-ψηφίζομαι: to vote against (gen.), 8
λοιδορέω: to abuse, rail against, revile
ὀνειδίζω: to object, reproach, rebuke (dat), 5
ὁράω: to see, look, behold, 9
περι-μένω: to wait around for, await
πόρρω: far along in, further in (gen); forward

2 ἕξετε: fut. ἔχω
   αἰτίαν: blame
   ὑπὸ: by those...; + gen. expressing agency
3 ὡς Σωκράτη ἀπεκτόνατε: (namely) that...
   ind. disc. in apposition to ὄνομα καὶ αἰτίαν
   with 2p pf.; Σωκράτε-α is acc. sg.
   φήσουσι: fut. φημί; with intensive δή
   γὰρ: (I say this) for...
4 (με) σοφὸν εἶναι: that...
   εἰ καί: although...; εἰ καί means 'although,'
   while καὶ εἰ means 'even if' (S2369)
   οἱ βουλόμενοι: those...;
5 εἰ περιεμείνατε, ἂν ἐγένετο: if...had...,
   would have...; contrary to fact condition (εἰ
   aor., ἄν aor.); τοῦτο refers to Socrates'
   death

ὀλίγον χρόνον: for...; acc. duration
ἀπὸ τοῦ αὐτομάτου: by chance, on its'
   own, idiom
6 δὴ: just...; emphatic with 2p imperative
   τὴν ἡλικίαν: proleptic (anticipatory) acc.
   that is best translated as subject of the
   following ind. disc.
   πόρρω...τοῦ βίου
7 θανάτου...ἐγγύς
d1 τοὺς ἐμοῦ καταψηφισαμένους: those...
2 τόδε: i.e. what follows; καί is adv.
   τοὺς αὐτοὺς τούτους: these very men
3 οἴεσθε: 2p οἴομαι
   ἀπορίᾳ: because of...; dat. of cause,
   governing λόγων as a gen. of separation

ἑαλωκέναι τοιούτων οἷς ἂν ὑμᾶς ἔπεισα, εἰ ᾤμην δεῖν
ἅπαντα ποιεῖν καὶ λέγειν ὥστε ἀποφυγεῖν τὴν δίκην.　5
πολλοῦ γε δεῖ. ἀλλ᾽ ἀπορίᾳ μὲν ἑάλωκα, οὐ μέντοι λόγων,
ἀλλὰ τόλμης καὶ ἀναισχυντίας καὶ τοῦ μὴ ἐθέλειν λέγειν
πρὸς ὑμᾶς τοιαῦτα οἷ᾽ ἂν ὑμῖν μὲν ἥδιστα ἦν ἀκούειν—
θρηνοῦντός τέ μου καὶ ὀδυρομένου καὶ ἄλλα ποιοῦντος καὶ
λέγοντος πολλὰ καὶ ἀνάξια ἐμοῦ, ὡς ἐγώ φημι, οἷα δὴ καὶ　e
εἴθισθε ὑμεῖς τῶν ἄλλων ἀκούειν. ἀλλ᾽ οὔτε τότε ᾠήθην
δεῖν ἕνεκα τοῦ κινδύνου πρᾶξαι οὐδὲν ἀνελεύθερον, οὔτε νῦν
μοι μεταμέλει οὕτως ἀπολογησαμένῳ, ἀλλὰ πολὺ μᾶλλον

ἁλίσκομαι: be taken/caught; be convicted, 4
ἀν-αισχυντία, ἡ: shamelessness
ἀν-άξιος, -ον: unworthy/undeserving (gen)
ἀν-ελεύθερος, -ον: unworthy of a free man
ἅπας, ἅπασα, ἅπαν: every, all, quite all, 8
ἀ-πορία, ἡ: being at a loss; confusion, 2
ἀπο-φεύγω: to be acquitted; flee, escape, 6
δίκη, ἡ: charge, case, trial; penalty; justice, 5
ἐθέλω: to be willing, wish, want, 6

ἐθίζω: to accustom; be accustomed, 4
ἕνεκα: for the sake of, for (+gen.), 5
ἥδιστος, -α, -ον: most pleasant, sweetest
θρηνέω: to wail, bewail; sing a dirge,
κίνδυνος, ὁ: risk, danger, venture, 7
μεταμέλει: it makes (dat) feel regreat
ὀδύρομαι: lament, bewail
τόλμη, ἡ: daring, boldness, recklessness
τότε: at that time, then, 6

4 με...ἑαλωκέναι: *that...*; pf. ἁλίσκομαι, 'be convicted,' This verb is often used as the passive of αἱρέω, which often means 'convict' in the speech.
　τοιούτων: modifying λόγων
　οἷς: *by which...*; relative and dat. of means, λόγων is antecedent
　ἂν...ἔπεισα, εἰ ᾤμην: *would have...if...*; contrary to fact (εἰ impf., ἂν aor.); πείθω, οἴομαι
　δεῖν ἅπαντα ποιεῖν...: *that it was...*; ind. disc. with impersonal δεῖ
5 ὥστε: *so as to...*; result
6 πολλοῦ γε δεῖ: *Far from it!*; idiom, 'it is lacking from much' gen. of separation
　ἀπορίᾳ: *because of...*; dat. of cause, clarified in the next clause
　ἑάλωκα: 1s pf., see note for line 4 above
　λόγων, τόλμης, ἀναισχυντίας: all gen. of separation with ἀπορίᾳ
7 τοῦ μὴ ἐθέλειν: *of...*; articular inf. and gen. of separation; translate as a gerund (-ing)
8 τοιαῦτα οἷ(α): *such things as...*; 'these

sort of things... which sort...' correlatives
　ἂν...ἦν: *would be...*; ἂν + impf. is contrary to fact (unreal potential)
　ἀκούειν: *to...*; explanatory (epexegetical) inf. qualifying ἥδιστα
9 θρηνοῦντός τέ μου...: *me...*; not gen. abs. but obj. (gen of source) of ἀκούειν and complementary pples
e1 πολλὰ καὶ ἀνάξια: omit καὶ; the two adjs. describe one and the same object
　ὡς ἐγώ φημι: parenthetical
　δή: *just, precisely*; intensive with pronoun
　καί: *also*
2 εἴθισθε: 2p pf. mid. ἐθίζω
　τῶν ἄλλων: *from...*; gen. source
　ᾠήθην: 1s aor. pass. dep. οἴομαι
3 δεῖν...ἀνελεύθερον: *that it...*; ind. disc. with impers. δεῖ
　πρᾶξαι: aor. inf.
4 πολύ: *far*; 'much,' adv. acc. (acc. of extent in degree, i.e. 'more by much')

αἱροῦμαι ὧδε ἀπολογησάμενος τεθνάναι ἢ ἐκείνως ζῆν. οὔτε 5
γὰρ ἐν δίκῃ οὔτ᾽ ἐν πολέμῳ οὔτ᾽ ἐμὲ οὔτ᾽ ἄλλον οὐδένα δεῖ
τοῦτο μηχανᾶσθαι, ὅπως ἀποφεύξεται πᾶν ποιῶν θάνατον. 39
καὶ γὰρ ἐν ταῖς μάχαις πολλάκις δῆλον γίγνεται ὅτι τό γε
ἀποθανεῖν ἄν τις ἐκφύγοι καὶ ὅπλα ἀφεὶς καὶ ἐφ᾽ ἱκετείαν
τραπόμενος τῶν διωκόντων· καὶ ἄλλαι μηχαναὶ πολλαί εἰσιν
ἐν ἑκάστοις τοῖς κινδύνοις ὥστε διαφεύγειν θάνατον, ἐάν τις 5
τολμᾷ πᾶν ποιεῖν καὶ λέγειν. ἀλλὰ μὴ οὐ τοῦτ᾽ ᾖ χαλεπόν,
ὦ ἄνδρες, θάνατον ἐκφυγεῖν, ἀλλὰ πολὺ χαλεπώτερον πονη-
ρίαν· θᾶττον γὰρ θανάτου θεῖ. καὶ νῦν ἐγὼ μὲν ἄτε βραδὺς b

αἱρέω: seize, take, convict; *mid.* choose, 7
ἀπο-φεύγω: to be acquitted; flee, escape, 6
ἄτε: inasmuch as, since (+ pple.), 3
ἀφ-ίημι: let go, release, acquit, send forth, 6
βραδύς, -εῖα, -ύ: slow, 2
δῆλος, -η, -ον: clear, evident, 8
δια-φεύγω: to slip through, flee away, 2
δίκη, ἡ: charge, case, trial; penalty; justice, 5
διώκω: to pursue, follow; prosecute
ἐκείνως: in that way, in that case
ἐκ-φεύγω: to flee out away, escape, 2
ζάω: to live, 9
θάττων, θᾶττον: faster, quicker, swifter, 2
θέω: to run

ἱκετεία, ἡ: supplication, begging mercy
κίνδυνος, ὁ: risk, danger, venture, 7
μάχη, ἡ: battle, fight, combat
μηχανάομαι: to devise, contrive
μηχανή, ἡ: means, way; contrivance, 2
ὅπλον, τό: arms; shield
πόλεμος, ὁ: war
πολλάκις: many times, often, frequently, 6
πονηρία, ἡ: wickedness, vice
τολμάω: to dare, venture, endure, 3
τρέπω: to turn, 2
χαλεπός, -ά, -όν: difficult, hard, harsh, 8
ὧδε: in this way, in the following way, 2

---

5 αἱροῦμαι: mid.
  τεθνάναι: pf. inf. ἀποθνήσκω
  ἐκείνως (ἀπολογησάμενος)
  ζῆν: inf. ζάω
  οὔτε...οὔτε...οὔτε...οὔτε...οὐδένα:
  neither...nor...(that) either...or...anyone...;
  ἐμὲ, ἄλλον οὐδένα are acc. subj. of inf.
6 ἐν δίκῃ: *in court*
a1 ὅπως ἀποφεύξεται: *so that...*; object
  clause with fut. mid.
  πᾶν ποιῶν: *doing any and everything*; this
  phrase, just as the term παν-οῦργος,
  'rascal,' refers to people who are willing to
  do anything shameless to achieve their goal
2 καὶ γὰρ: *for in fact*; καί is adv.
  δῆλον γίγνεται: *it...*; impersonal
  τό γε ἀποθανεῖν: articular aor. inf.:
  translate as a gerund (-ing)
  ἄν...ἐκφύγοι: *might...*; potential aor. opt.
3 καὶ... καὶ...: *both by...and by...*; aor. pples
  causal in sense: aor. act. ἀφ-ίημι and aor.
  mid. τρέπω; It was considered shameful to
  drop one's shield and turn to run in retreat.

Socrates modifies this imagery to fit his
current situation by having the shameful
one turn to the enemy and plead for mercy.
ἐπ(ὶ) ἱκετείαν...τῶν διωκόντων: *for..., for
the purpose of...*; here with objective gen.
4 εἰσιν: *there are*
5 ἐν ἑκάστοις τοῖς κινδύνοις: *in each and all
dangers, in individual dangers*
  ὥστε: *so as to..*; + inf. result clause
6 ἐάν...τολμᾷ: *if ever...*; 3s pres. subj. in a
  present general condition (ἐάν subj. pres.)
  πᾶν ποιεῖν καὶ λέγειν: see note for 39a1
  μὴ οὐ τοῦτ᾽ ᾖ χαλεπόν: *Surely this is not
  difficult,*' μὴ οὐ + pres. subj. (3s εἰμί)
  expressing a doubtful denial (S1801)
7 θάνατον ἐκφυγεῖν: *(namely)...*; apposition
  πολὺ χαλεπώτερον (ἐστίν ἐκφυγεῖν)
  πονηρίαν: *(it is)...*; impersonal; πολὺ is
  adv. acc. (acc. of extent in degree: 'far') ·
b1 θᾶττον: comparative adv.
  θανάτου: gen. of comparison
  ἄτε: *inasmuch as...*; see note on next page

ὧν καὶ πρεσβύτης ὑπὸ τοῦ βραδυτέρου ἑάλων, οἱ δ' ἐμοὶ
κατήγοροι ἅτε δεινοὶ καὶ ὀξεῖς ὄντες ὑπὸ τοῦ θάττονος, τῆς
κακίας. καὶ νῦν ἐγὼ μὲν ἄπειμι ὑφ' ὑμῶν θανάτου δίκην
ὀφλών, οὗτοι δ' ὑπὸ τῆς ἀληθείας ὠφληκότες μοχθηρίαν   5
καὶ ἀδικίαν. καὶ ἐγώ τε τῷ τιμήματι ἐμμένω καὶ οὗτοι.
ταῦτα μέν που ἴσως οὕτως καὶ ἔδει σχεῖν, καὶ οἶμαι αὐτὰ
μετρίως ἔχειν.

τὸ δὲ δὴ μετὰ τοῦτο ἐπιθυμῶ ὑμῖν χρησμῳδῆσαι, ὦ κατα-   c
ψηφισάμενοί μου· καὶ γάρ εἰμι ἤδη ἐνταῦθα ἐν ᾧ μάλιστα

ἀ-δικία, ἡ: wrong-doing, injustice
ἀλήθεια, ἡ: truth, 8
ἀλίσκομαι: be taken/caught; be convicted, 4
ἀπ-έρχομαι: to go away, depart, 5
ἅτε: inasmuch as, since (+ pple.), 3
βραδύς, -εῖα, -ύ: slow, 2
δίκη, ἡ: charge, case, trial; penalty; justice, 5
ἐμ-μένω: to abide by or in; remain fixed
ἐπι-θυμέω: to desire, long for, 2
θάττων, θᾶττον: faster, quicker, swifter, 2

κακία, ἡ: vice, wickedness, cowardice
κατα-ψηφίζομαι: to vote against (gen.), 8
μετρίος, -α, -ον: fair, moderately, reasonable
μοχθηρία, ἡ: depravity, badness,
ὀξύς, -εῖα, -υ: sharp, keen
ὀφλισκάνω: owe, be liable for (acc), 3
που: anywhere, somewhere; I suppose, 7
πρεσβύτης (πρέσβυς), ὁ: old (man), elder, 8
τιμήμα, -ατος, τό: penalty, punishment
χρησμῳδέω: to deliver an oracle/prophecy, 2

2 ἅτε...ὢν...: *inasmuch as*...; 'since,' ἅτε +
pple εἰμί, expressing cause from the
narrator's point of view (cf. ὡς + pple of
alleged cause)
ὑπὸ τοῦ βραδυτέρου: *by (someone)*...; i.e.
θάνατος; expressing agency with a verb
act. in form but passive in meaning
ἑάλων: 1s aor. ἀλίσκομαι, often used as
the passive of αἱρέω, which means
'convict' in the speech.
ἐμοὶ: dat. of possession
3 ἅτε...ὄντες: *inasmuch as*...; 'since,' ἅτε +
pple εἰμί expressing cause from the
narrator's point of view
ὑπὸ τοῦ θάττονος (ἑάλων): *(are caught)
by (someone)*...; ellipsis; see b2; ἑάλα-ον,
1s and 3p aor. ἀλίσκομαι are the same form
τῆς κακίας.: in apposition
4 ἄπειμι: fut. ἀπ-έρχομαι
ὑπ(ὸ) ὑμῶν: *because of..., by*...; expressing
cause or agency

5 ὀφλών: nom. sg. aor. pple ὀφλισκάνω
a verb often used to describe one who has
lost a suit; δίκην here means 'penalty'
ὑπὸ: *because of..., by*...; expressing cause
ὠφληκότες: pf. act. pple ὀφλισκάνω
6 τῷ τιμήματι: *in*...; dat. of compound verb
καὶ οὗτοι: *and those (do in theirs)*; ellipsis;
τῷ τιμήματι ἐμμένουσι is understood
7 ταῦτα οὕτως...σχεῖν: *that*...; ind. disc.
governed by ἔδει; aor. inf. ἔχω ('holds' or
'is disposed')+ adv. is equiv. to εἰμί + adj.
αὐτὰ μετρίως ἔχειν: *that they*...; see above
c1 τὸ μετὰ τοῦτο: *as for the next thing*; 'in
respect to that after this' acc. of respect
δὲ δὴ: *and now*; δὴ is temporal, resumptive
ὦ καταψηφισάμενοί: *O (you)*...; vocative,
direct address; aor. mid. pple
2 καὶ γὰρ: *for in fact*; καί is adv.
ἐνταῦθα: *at that time*; here indicating time
rather than place
ἐν ᾧ: *in*...; relative

ἄνθρωποι χρησμῳδοῦσιν, ὅταν μέλλωσιν ἀποθανεῖσθαι. φημὶ
γάρ, ὦ ἄνδρες οἳ ἐμὲ ἀπεκτόνατε, τιμωρίαν ὑμῖν ἥξειν εὐθὺς
μετὰ τὸν ἐμὸν θάνατον πολὺ χαλεπωτέραν νὴ Δία ἢ οἵαν 5
ἐμὲ ἀπεκτόνατε· νῦν γὰρ τοῦτο εἴργασθε οἰόμενοι μὲν ἀπαλ-
λάξεσθαι τοῦ διδόναι ἔλεγχον τοῦ βίου, τὸ δὲ ὑμῖν πολὺ
ἐναντίον ἀποβήσεται, ὡς ἐγώ φημι. πλείους ἔσονται ὑμᾶς
οἱ ἐλέγχοντες, οὓς νῦν ἐγὼ κατεῖχον, ὑμεῖς δὲ οὐκ ᾐσθά- d
νεσθε· καὶ χαλεπώτεροι ἔσονται ὅσῳ νεώτεροί εἰσιν, καὶ
ὑμεῖς μᾶλλον ἀγανακτήσετε. εἰ γὰρ οἴεσθε ἀποκτείνοντες
ἀνθρώπους ἐπισχήσειν τοῦ ὀνειδίζειν τινὰ ὑμῖν ὅτι οὐκ

ἀγανακτέω: be annoyed, troubled, vexed, 3
αἰσθάνομαι: to perceive, feel, learn, realize, 3
ἀπ-αλλάττω: to set free, release from, 5
ἀπο-βαίνω: to turn out, result; disembark
δίδωμι: to give, offer, grant, provide, 3
ἔλεγχος, ὁ: account, examination, scrutiny
ἐλέγχω: cross-examine, question; refute, 6
ἐναντίος, -α, -ον: opposite, contrary (dat.), 6
ἐπί-σχω (ἐπ-έχω): to keep, prevent from
ἐργάζομαι: to do, work, accomplish, 8
εὐθύς -εῖα, -ύ: straight; adv. straight away, 2

Ζεύς, Διός, ὁ: Zeus, 5
ἥκω: to have come, be present, 2
κατ-έχω: hold back, hold fast; possess
νή: (yes) by + acc. (in an oath), 4
ὀνειδίζω: to object, reproach, rebuke (dat), 5
ὅταν: ὅτε ἄν, whenever, 4
πλείων, πλέων (-ονος) ὁ, ἡ: more, 5
τιμωρία, ἡ: retribution, vengeance
χαλεπός, -ά, -όν: difficult, hard, harsh, 8
χρησμ-ῳδέω: deliver an oracle/prophecy, 2

3 ὅταν μέλλωσιν: general temporal clause
with 3p pres. subj.
  ἀποθανεῖσθαι: fut. mid. ἀποθνήσκω (fut.
  stem θανε-)
4 ἀπεκτόνατε: pf. ἀποκτείνω, 'condemn' or
'kill;' 2p because the antecedent of the
relative is voc. direct address
  τιμωρίαν ὑμῖν ἥξειν: that...; fut. ἥκω
5 πολὺ: far; 'much,' adv. acc. (acc. of extent
in degree, i.e. 'more by much')
  χαλεπωτέραν: modifying τιμωρίαν
  Δία: acc. Ζεύς
  οἵαν ἐμὲ ἀπεκτόνατε·: which you have
  condemned me...; the antecedent is
  τιμωρίαν
6 εἴργασθε: pf. ἐργάζομαι
7 τοῦ διδόναι: from...; gen. separation and
articular inf.: translate as gerund (-ing)
  τὸ δὲ: but this...; τό is a demonstrative
  (very common in epic, for example) and

subject (cf. 37a4)
8 ἀποβήσεται: fut. mid.; ἐναντίον is the
nom. pred.
  ὡς ἐγώ φημι: as...; parenthetical
  πλείο(ν)ες: nom. pl
  ἔσονται: fut. mid. εἰμί
d1 κατεῖχον: impf.
  ᾐσθάνεσθε: impf.
2 ὅσῳ νεώτεροί εἰσιν: the younger...; 'by
how much younger...,' dat. of degree of
difference
3 οἴεσθε: 2p οἴομαι
  ἀποκτείνοντες...: by...; pple, causal
  (ὑμᾶς) ἐπισχήσειν ...τινά: that (you)...;
  ind. disc. with fut. inf.; τινὰ is acc. obj.
  τοῦ ὀνειδίζειν: from...; gen. separation and
  articular inf.: translate as gerund (-ing)
  ὅτι: because

93

ὀρθῶς ζῆτε, οὐ καλῶς διανοεῖσθε· οὐ γάρ ἐσθ' αὕτη ἡ ἀπαλ- 5
λαγὴ οὔτε πάνυ δυνατὴ οὔτε καλή, ἀλλ' ἐκείνη καὶ καλλίστη
καὶ ῥᾴστη, μὴ τοὺς ἄλλους κολούειν ἀλλ' ἑαυτὸν παρασκευά-
ζειν ὅπως ἔσται ὡς βέλτιστος. ταῦτα μὲν οὖν ὑμῖν τοῖς
καταψηφισαμένοις μαντευσάμενος ἀπαλλάττομαι.

τοῖς δὲ ἀποψηφισαμένοις ἡδέως ἂν διαλεχθείην ὑπὲρ τοῦ e
γεγονότος τουτουΐ πράγματος, ἐν ᾧ οἱ ἄρχοντες ἀσχολίαν
ἄγουσι καὶ οὔπω ἔρχομαι οἷ ἐλθόντα με δεῖ τεθνάναι. ἀλλά
μοι, ὦ ἄνδρες, παραμείνατε τοσοῦτον χρόνον· οὐδὲν γὰρ
κωλύει διαμυθολογῆσαι πρὸς ἀλλήλους ἕως ἔξεστιν. ὑμῖν 5

ἄγω: to lead, bring, carry, convey, 9
ἀλλήλων: one another, 4
ἀπ-αλλαγή, ἡ: escape; relief, release
ἀπ-αλλάττω: to set free, release from, 5
ἀπο-ψηφίζομαι: vote (away) to acquit, 2
ἄρχω: to begin; rule, be leader of (gen), 7
ἀ-σχολία, ἡ: business, occupation, 2
βέλτιστος, -η, -ον: best, very good, 6
δια-λέγομαι: to converse with, discuss, 8
δια-μυθολογέω: converse
δια-νοέομαι: to think, consider, 2
δυνατός, -ή, -όν: possible; capable, strong
ἔξ-εστι: it is allowed, is possible, 3
ἕως: until, as long as, 2
ζάω: to live, 9

ἡδέως: pleasantly, gladly, sweetly
κάλλιστος, -η, -ον: most noble or beautiful
καλῶς: well, nobly, 3
κατα-ψηφίζομαι: to vote against (gen.), 8
κολούω: cut short, curtail, suppress
κωλύω: to hinder, prevent
μαντεύομαι: to prophesy, consult an oracle, 2
οἷ: to where, 3
ὀρθῶς: rightly, correctly, 4
οὔ-πω: not yet
παρα-μένω: to abide, stay near
παρα-σκευάζω: to get ready, prepare
ῥᾷστος, -η, -ον: easiest, very easy
ὑπέρ: on behalf of, about (gen.); beyond, 8

5 ἐστ(ίν)
αὕτη ἡ ἀπαλλαγὴ: *this (mode) of escape, this (kind) of relief*; i.e. what was just explained, the former
6 ἐκείνη (ἡ ἀπαλλαγὴ ἐστίν): *that (mode) of escape is)*; i.e. the latter, explained below
7 μὴ τοὺς ἄλλους κολούειν: *(namely) not to…*; in apposition to ἐκείνη
8 ὅπως ἔσται ὡς βέλτιστος: *so that (one)…*; obj. clause with fut.
ὡς βέλτιστος…: ὡς + superlative is translated 'as…as possible'
οὖν: *and so, accordingly*
9 μαντευσάμενος: governs an acc. obj. and dat. ind. obj.
ἀπαλλάττομαι: *I am leaving*; 'I release myself' a common translation for the mid. voice, which is reflexive in sense
e1 τοῖς δὲ ἀποψηφισαμένοις: *with (those)…*; dat. of association with main verb
ἂν διαλεχθείην: *would…*; potential opt., 1s

aor. pass. dep.
ὑπὲρ: *about…*; here equiv. to περί
2 γεγονότος: gen. pf. act. pple γίγνομαι, 'happen'
ἐν ᾧ: *while…*; 'in which (time)'
οἱ ἄρχοντες: *leaders*; i.e. the Eleven, mentioned in 37c2, who will oversee the detention and execution
ἄγουσι: *manage, carry out*
3 οἷ ἐλθόντα με δεῖ τεθνάναι: *to where….*; relative adv. with the aor. pple ἔρχομαι
τεθνάναι: pf. inf. ἀποθνῄσκω
4 μοι: *with…*; or 'along with…' dat. of compound verb
τοσοῦτον χρόνον: *for…*; acc. duration
5 κωλύει (ἡμᾶς): verb governs acc. obj. and inf., supply the obj.
διαμυθολογῆσαι: *from…*; complementary inf. (aor.) after a verb of hindering is often translated as a gerund (-ing)
ὑμῖν: *to…*; dat. ind. obj.

γὰρ ὡς φίλοις οὖσιν ἐπιδεῖξαι ἐθέλω τὸ νυνί μοι συμβεβη- 40
κὸς τί ποτε νοεῖ. ἐμοὶ γάρ, ὦ ἄνδρες δικασταί—ὑμᾶς γὰρ
δικαστὰς καλῶν ὀρθῶς ἂν καλοίην--θαυμάσιόν τι γέγονεν.
ἡ γὰρ εἰωθυῖά μοι μαντικὴ ἡ τοῦ δαιμονίου ἐν μὲν τῷ
πρόσθεν χρόνῳ παντὶ πάνυ πυκνὴ ἀεὶ ἦν καὶ πάνυ ἐπὶ 5
σμικροῖς ἐναντιουμένη, εἴ τι μέλλοιμι μὴ ὀρθῶς πράξειν.
νυνὶ δὲ συμβέβηκέ μοι ἅπερ ὁρᾶτε καὶ αὐτοί, ταυτὶ ἅ γε δὴ
οἰηθείη ἄν τις καὶ νομίζεται ἔσχατα κακῶν εἶναι· ἐμοὶ δὲ
οὔτε ἐξιόντι ἕωθεν οἴκοθεν ἠναντιώθη τὸ τοῦ θεοῦ σημεῖον, b

ἀεί: always, forever; for the time being, 7
δαιμόνιος, α, ον: divine; *neut.* divine being, 9
ἐθέλω: to be willing, wish, want, 6
εἴωθα: to be accustomed, 5
ἐναντιόομαι: to oppose, contradict (dat.), 9
ἐξ-έρχομαι: to go out, come out, 4
ἐπι-δείκνυμι: show, demonstrate, point out 4
ἔσχατος, -η, -ον: extreme, last, utmost, 2
ἕω-θεν: from dawn, at dawn
θαυμάσιος, -α, -ον: strange, wonderful, 4
καλέω: to call, summon, invite, 2
μαντική (τέχνη), ἡ: prophetic art, prophecy

νοέω: mean, signify
νυν-ί: just now; as it is, 5
οἴκο-θεν: from home
ὁράω: to see, look, behold, 9
ὀρθῶς: rightly, correctly, 4
πρόσ-θεν: before, previous
πυκνός ἡ, όν: frequent; crowded
σημεῖον, τό: sign, 3
σμικρός, -ά, -όν: small, little, 5
συμ-βαίνω: to happen, occur, result, 4
φίλος -η -ον: dear, friendly; friend, kin 5

a1 ὡς φίλοις οὖσιν: *on the grounds that...*,
   in the belief that...; 'since;' ὡς + pple εἰμί
   τὸ...συμβεβηκὸς: *what happened*; 'the
   thing having happened,' a proleptic acc.
   (anticipatory) best translated as subject of
   the following clause; a substantive formed
   from the neut. pf. act. of συμβαίνω
2 τί ποτε: *what in the world...?*; common
   idiom in an ind. question where one expects
   the ind. interrogative pronoun ὅ τι
   ὦ ἄνδρες δικασταί: Socrates has not
   addresses the jurors as δικασταί up to this
   point
3 καλῶν: (*if*)...; pple governing a double acc.
   (obj. and pred.), conditional in sense
   ἂν καλοίην: *would...*; potential opt.
   γέγονεν: pf. γίγνομαι
4 εἰωθυῖά: fem. nom. pf. act. pple
   ἡ τοῦ δαιμονίου: in the attibutive position
   modifying μαντική
5 ἦν: impf. εἰμί
   καὶ πάνυ ἐπὶ σμικροῖς: *even in quite small*

matters
6 ἐναντιουμένη (μοι): object is assumed
   εἴ τι μέλλοιμι: *if ever...*; a past general
   condition (εἴ opt., impf.); translate the opt.
   as simple past; μέλλω governs fut. inf.
   μὴ: modifies ὀρθῶς
7 συμβέβηκέ: pf. συμβαίνω; ταυτὶ subject
   ἅπερ ὁρᾶτε καὶ αὐτοί: *the very things
   which...*; ταυτὶ is antecedent; αὐτοί is 2p
   intensive and καί is an adv.
   ταυτὶ: *these here things*; ταῦτα-ι, with
   deictic iota; neut. pl. subject of 3s main verb
   ἅ γε δὴ...εἶναι: *which certainly in fact*; γε
   δή together are strongly emphatic (S2828,
   D245)
8 οἰηθείη ἄν: *would...*; potential opt. aor.
   pass. dep. οἴομαι
   νομίζεται: *is...*; pres. pass.
b1 οὔτε ἐξιόντι ἕωθεν οἴκοθεν: *neither
   (while)...*; dat. pple ἐξ-έρχομαι
   ἠναντιώθη: 3s aor. pass. dep.: translate act.

οὔτε ἡνίκα ἀνέβαινον ἐνταυθοῖ ἐπὶ τὸ δικαστήριον, οὔτε ἐν
τῷ λόγῳ οὐδαμοῦ μέλλοντί τι ἐρεῖν. καίτοι ἐν ἄλλοις λόγοις
πολλαχοῦ δή με ἐπέσχε λέγοντα μεταξύ· νῦν δὲ οὐδαμοῦ
περὶ ταύτην τὴν πρᾶξιν οὔτ᾽ ἐν ἔργῳ οὐδενὶ οὔτ᾽ ἐν λόγῳ   5
ἠναντίωταί μοι. τί οὖν αἴτιον εἶναι ὑπολαμβάνω; ἐγὼ
ὑμῖν ἐρῶ· κινδυνεύει γάρ μοι τὸ συμβεβηκὸς τοῦτο ἀγαθὸν
γεγονέναι, καὶ οὐκ ἔσθ᾽ ὅπως ἡμεῖς ὀρθῶς ὑπολαμβάνομεν,
ὅσοι οἰόμεθα κακὸν εἶναι τὸ τεθνάναι. μέγα μοι τεκμήριον   c
τούτου γέγονεν· οὐ γὰρ ἔσθ᾽ ὅπως οὐκ ἠναντιώθη ἄν μοι τὸ
εἰωθὸς σημεῖον, εἰ μή τι ἔμελλον ἐγὼ ἀγαθὸν πράξειν.

αἴτιον, τό: cause, reason, 3
ἀνα-βαίνω: to come up, climb, mount, 5
δικαστήριον, τό: court, 3
εἴωθα: to be accustomed, 5
ἐναντιόομαι: to oppose, contradict, 9
ἐνταυθοῖ: here, to here, hither, 3
ἐπ-έχω (ἐπί-σχω): to keep, prevent from
ἔργον, τό: deed, act; work; result, effect, 5
ἡνίκα: at which time, when, since
καί-τοι: and yet, and indeed, and further, 7

κινδυνεύω: run the risk of, be likely to (inf), 9
μεταξύ: between, inbetween
ὀρθῶς: rightly, correctly, 4
οὐδαμοῦ: nowhere, in no way, 3
πολλα-χοῦ: in many places, 2
πρᾶξις, -εως, ἡ: a action, deed, transaction
σημεῖον, τό: sign, 3
συμ-βαίνω: to happen, occur, result, 4
τεκμήριον, τό: indication, evidence, sign, 4
ὑπο-λαμβάνω: to take up, reply; suppose, 5

2 ἐν τῷ λόγῳ οὐδαμοῦ: i.e. during the
   speech
3 μέλλοντί τι ἐρεῖν: pple modifying ἐμοὶ with
   fut. inf. λέγω᾽
   ἐν ἄλλοις λόγοις: i.e. previous
   conversations
4 δή: quite; intensive with adv.
   λέγοντα μεταξύ: i.e. in the middle of
5 περὶ ταύτην τὴν πρᾶξιν: concerning... ;
   i.e. the trial and speeches
   οὔτ(ε)...οὐδενὶ οὔτ(ε): either...any...or...;
   positive following οὐδαμοῦ
6 ἠναντίωταί: 3s pf. mid., τὸ σημεῖον
   above is understood subject
   τί οὖν;: What then...; resumptive; acc.
   subject; αἴτιον is pred.
7 ἐρῶ: fut. λέγω
   τὸ...συμβεβηκὸς τοῦτο: what happened

here; neut. pf. act. of συμβαίνω
8 γεγονέναι: pf. inf. γίγνομαι
   οὐ ἔστ(ι) ὅπως: it is not possible that;
   'there is no way how'
c1 ὅσοι: all of us who...; relative, the
   antecedent is the 1p subject
   κακὸν εἶναι τὸ τεθνάναι: that...; ind. disc.
   articular inf. pf. ἀποθνῄσκω: translate as a
   gerund (-ing)
   μοι...γέγονεν: I come to have; 'there has
   come to be to me,' dat. of possession
2 οὐ...ἔστ(ι) ὅπως: it is not possible that;
   'there is no way how'
   ἠναντιώθη: 3s aor. pass. dep.: translate act.
3 εἰωθὸς: neut. sg. pf. pple εἴωθα
   εἰ μή...: unless...; μέλλω governs fut. inf.;
   the object is τι ἀγαθὸν

ἐννοήσωμεν δὲ καὶ τῇδε ὡς πολλὴ ἐλπίς ἐστιν ἀγαθὸν

αὐτὸ εἶναι. δυοῖν γὰρ θάτερόν ἐστιν τὸ τεθνάναι· ἢ γὰρ 5

οἷον μηδὲν εἶναι μηδὲ αἴσθησιν μηδεμίαν μηδενὸς ἔχειν τὸν

τεθνεῶτα, ἢ κατὰ τὰ λεγόμενα μεταβολή τις τυγχάνει

οὖσα καὶ μετοίκησις τῇ ψυχῇ τοῦ τόπου τοῦ ἐνθένδε εἰς

ἄλλον τόπον. καὶ εἴτε δὴ μηδεμία αἴσθησίς ἐστιν ἀλλ'

οἷον ὕπνος ἐπειδάν τις καθεύδων μηδ' ὄναρ μηδὲν ὁρᾷ, θαυ- d

μάσιον κέρδος ἂν εἴη ὁ θάνατος--ἐγὼ γὰρ ἂν οἶμαι, εἴ τινα

ἐκλεξάμενον δέοι ταύτην τὴν νύκτα ἐν ᾗ οὕτω κατέδαρθεν

ὥστε μηδὲ ὄναρ ἰδεῖν, καὶ τὰς ἄλλας νύκτας τε καὶ ἡμέρας

αἴσθησις, -εως, ἡ: perception, 2
δύο: two, 3
ἐκ-λέγω: to pick out, select, choose
ἐλπίς, -ίδος, ἡ: hope, expectation
ἐνθένδε: from here, from this place, 3
ἐν-νοέω: to have in mind, notice, 2
ἐπειδάν: whenever, 5
ἕτερος, -α, -ον: other, one...other, different, 8
ἡμέρα, ἡ: day, 6
θαυμάσιος, -α, -ον: strange, wonderful, 4
καθ-εύδω: to lie down to sleep, sleep, 2
κατα-δαρθάνω: to fall asleep

κέρδος, -εος, τό: gain; advantage, profit, 2
μετα-βολή, ἡ: change
μετ-οίκησις, -εως, ἡ: migration
μη-δέ: not even, nor; but not, 8
νύξ, νυκτός, ἡ: a night, 7
ὄναρ, τό: a dream, vision in sleep, 2
ὁράω: to see, look, behold, 9
τόπος, ὁ: place, region, 3
τυγχάνω: to chance upon, happen; attain; 9
ὕπνος, ὁ: sleep, slumber
ψυχή, ἡ: soul, spirit; breath, life, 3

4 ἐννοήσωμεν: *let*...; hortatory aor. subj.
τῇδε: *in the following way*; 'in this here way,' common dat. of manner as adv.
ὡς...: *that*...
ἀγαθὸν αὐτὸ εἶναι: *that*...; in apposition to ἐλπίς
5 δυοῖν: dual. partitive gen.
θάτερόν: τὸ ἕτερον; crasis, nom. pred.
τὸ τεθνάναι: articular inf. pf. ἀποθνῄσκω; the pf. denotes a state: 'being Xed'
ἢ... ἢ...: *either...or...*
(ἐστίν) οἷον μηδὲν εἶναι: *(it is) such as to be nothing*...; acc. of respect ('in respect to such') + inf. is a result clause (S2497), some make τὸν τεθνεῶτα the acc. subject
μηδὲ...μηδεμίαν μηδενὸς...ἔχειν τὸν τεθνεῶτα: *and such that...not... any...of anything*...; a second inf. with acc. subject governed by οἷον expressing result (S2497)
τὸν τεθνεῶτα: *the one*...; pf. ἀποθνῄσκω
7 κατὰ: *according to*...
τυγχάνει οὖσα: *happens to*; + pple εἰμί
8 καὶ μετοίκησις: the addition of a second subject with a 3s verb suggests that the subjects are one and the same in Socrates'

mind and the second clarifies the first
τῇ ψυχῇ: dat. of interest
τοῦ τόπου τοῦ ἐνθένδε: *from*...; gen. separation; ἐνθένδε modifies τόπου in the attributive position
εἴτε δὴ: *if indeed*...; emphatic; instead of a corresponding εἴτε , there is εἰ δ' αὖ in e4
d1 οἷον: *such as, like*; 'in respect to such,' often used as 'for example' or 'for instance'
ἐπειδάν...ὁρᾷ: *whenever*...; general temporal clause with 3s pres. subj.
μηδ(ὲ)...μηδὲν: *not even any*...
2 ἂν εἴη: *would*...; potential opt. εἰμί
ἐγὼ γὰρ...οἶμαι: *for as I suppose*; parenthetical, do not translate the duplicated ἂν which looks forward to ἂν εὑρεῖν in e1
εἴ...δέοι...ἂν εὑρεῖν: *if it should be*...; impers. opt. δεῖ in extended fut. less vivid
τινα ἐκλεξάμενον...εἰπεῖν: *that someone*...; ind. disc. governed by δέοι
3 ταύτην τὴν νύκτα: *for*...; acc. of duration
4 ὥστε μηδὲ...,: *so as not even*...; result with aor. inf. ὁράω, a dreamless sleep
τὰς ἄλλας νύκτας: *for*...; acc. duration

τὰς τοῦ βίου τοῦ ἑαυτοῦ ἀντιπαραθέντα ταύτῃ τῇ νυκτὶ δέοι   5
σκεψάμενον εἰπεῖν πόσας ἄμεινον καὶ ἥδιον ἡμέρας καὶ
νύκτας ταύτης τῆς νυκτὸς βεβίωκεν ἐν τῷ ἑαυτοῦ βίῳ, οἶμαι
ἂν μὴ ὅτι ἰδιώτην τινά, ἀλλὰ τὸν μέγαν βασιλέα εὐαριθμή-
τους ἂν εὑρεῖν αὐτὸν ταύτας πρὸς τὰς ἄλλας ἡμέρας καὶ   e
νύκτας--εἰ οὖν τοιοῦτον ὁ θάνατός ἐστιν, κέρδος ἔγωγε
λέγω· καὶ γὰρ οὐδὲν πλείων ὁ πᾶς χρόνος φαίνεται οὕτω
δὴ εἶναι ἢ μία νύξ. εἰ δ' αὖ οἷον ἀποδημῆσαί ἐστιν ὁ
θάνατος ἐνθένδε εἰς ἄλλον τόπον, καὶ ἀληθῆ ἐστιν τὰ   5

ἀμείνων, -ον (-ονος): better, 6
ἀντι-παρα-τίθημι: compare (acc) with (dat),
place over and against
ἀπο-δημέω: to go abroad; be away
βασιλεύς, -έως ὁ: king, chief
βιόω: to live, 2
ἐνθένδε: from here, from this place, 3
εὐ-αρίθμητος, -ον: easy to count (i.e. few)
εὑρίσκω: to find, discover, devise, invent, 7
ἡδίων, ἥδιον: more pleasant, sweeter

ἡμέρα, ἡ: day, 6
ἰδιώτης, -ου ὁ: private citizen (non-political)
κέρδος, -εος, τό: gain; advantage, profit, 2
νύξ, νυκτός, ἡ: a night, 7
πλείων, πλέων (-ονος) ὁ, ἡ: more, 5
πόσος, -α, -ον: how much, many or great, 4
σκέπτομαι: to examine, consider, look at, 3
τόπος, ὁ: place, region, 3
φαίνω: show; mid. appear, seem, 7

5 **τὰς τοῦ βίου τοῦ ἑαυτοῦ**: *of his own life*;
i.e. while awake; in the attributive position
modifying νύκτας and ἡμέρας
ἀντιπαραθέντα: aor. act. pple modifying
acc. subj. τινα; the acc. object is τὰς ἄλλας
νύκτας τε καὶ ἡμέρας...τοῦ ἑαυτοῦ
ταύτῃ τῇ νυκτί: *with*...; dat. of compound
i.e. the night of dreamless sleep
δέοι: leave untranslated, the verb is repeated
from d3 because it is so far removed from
the inf.
6 **σκεψάμενον**: *(after)*...; aor. mid. modifying
acc. subj. τινα in d2
εἰπεῖν: aor. inf. λέγω governed by δέοι
πόσας ἡμέρας καὶ νύκτας: *for how
many*...; ind. question with acc. of duration
ἄμεινον καὶ ἥδιον...βεβίωκεν: comparative
advs. with 3s pf.
7 **ταύτης τῆς νυκτός**: gen. of comparison
οἴ(ο)μαι ἂν ...ἰδιώτην...ἂν εὑρεῖν: *I
believe that...a private citizen...would
find...*; the apodosis of the lengthy protasis
above (c9-d7) is in ind. disc. governed by
οἴομαι; this second duplicated ἂν
anticipates ἂν εὑρεῖν and should be left

untranslated; ἂν + aor. inf. is equiv. to ἂν +
opt. in a fut. less. vivid
8 **μὴ ὅτι...ἀλλά**: *not only...but (even)...*; or
'not to mention...but' μὴ ὅτι is likely
elliptical expression with omitted verb
equiv. to μὴ (λέγωμεν) ὅτι, 'let us not
mention that'
τὸν μέγαν βασιλέα...αὐτόν: *the Great
King of Persia himself*, acc. subject
εὐαριθμήτους ἂν εὑρεῖν...ταύτας: *would
find* (x) (y); aor. inf. εὑρίσκω governs a
double acc. (obj. and pred.)
e1 **πρός...**: *compared to...*; 'in regard to...'
2 **(θάνατον εἶναι) κέρδος**: ellipsis
καὶ γάρ: *for in fact*; καί is adv.
ὁ πᾶς χρόνος: *all of time*
4 **δή**: *just, precisely*; intensive with οὕτω ;
ἤ: *than...*; clause of comparison
εἰ δ' αὖ: *if again on the other hand...*;
corresponding to εἴτε in c9
οἷον: *such as, like*; an acc. of respect ('in
respect to such')
ἀποδημῆσαί: aor. inf.
5 **ἀληθῆ**: ἀληθέ-α, neut. nom. pl.

98

λεγόμενα, ὡς ἄρα ἐκεῖ εἰσι πάντες οἱ τεθνεῶτες, τί μεῖζον
ἀγαθὸν τούτου εἴη ἄν, ὦ ἄνδρες δικασταί; εἰ γάρ τις
ἀφικόμενος εἰς Ἅιδου, ἀπαλλαγεὶς τουτωνὶ τῶν φασκόντων   41
δικαστῶν εἶναι, εὑρήσει τοὺς ὡς ἀληθῶς δικαστάς, οἵπερ
καὶ λέγονται ἐκεῖ δικάζειν, Μίνως τε καὶ Ῥαδάμανθυς καὶ
Αἰακὸς καὶ Τριπτόλεμος καὶ ἄλλοι ὅσοι τῶν ἡμιθέων δίκαιοι
ἐγένοντο ἐν τῷ ἑαυτῶν βίῳ, ἆρα φαύλη ἂν εἴη ἡ ἀποδημία;   5
ἢ αὖ Ὀρφεῖ συγγενέσθαι καὶ Μουσαίῳ καὶ Ἡσιόδῳ καὶ
Ὁμήρῳ ἐπὶ πόσῳ ἄν τις δέξαιτ᾽ ἂν ὑμῶν; ἐγὼ μὲν γὰρ
πολλάκις ἐθέλω τεθνάναι εἰ ταῦτ᾽ ἔστιν ἀληθῆ. ἐπεὶ

Αἰακός, ὁ: Aeacus
Ἅιδης, Ἅιδου, ὁ: Hades, 2
ἀληθῶς: truly, 3
ἀπ-αλλάττω: to set free, release from, 5
ἀπο-δημία, ἡ: being abroad, going abroad
ἄρα: introduces a yes/no question, 3
ἄρα: it turns out, it seems; then, therefore, 9
ἀφ-ικνέομαι: to come, arrive, 5
δέχομαι: to accept, take, receive, 3
δικάζω: to pass judgment, decide, judge, 2
ἐθέλω: to be willing, wish, want, 6
ἐκεῖ: there, in that place, 7
ἐπεί: when, after; since, because, 5
εὑρίσκω: to find, discover, devise, invent, 7

ἡμί-θεος, -ου, ὁ: half-god, demigod, hero, 2
Ἡσίοδος, ὁ: Hesiod
μείζων, μεῖζον: larger, greater, 4
Μίνως, ὁ: Minos
Μούσαιος, -ου, ὁ: Musaeus
Ὅμηρος, ὁ: Homer, 2
Ὀρφεύς, ὁ: Orpheus
πολλάκις: many times, often, frequently, 6
πόσος, -α, -ον: how much, many or great, 4
Ῥαδάμανυς, ὁ: Rhadamanthus
συγ-γίγνομαι: to be with, associate with, 2
Τριπτόλεμος, ὁ: Triptolemus
φάσκω: to claim, say, affirm, 3
φαῦλος, -η, -ον: worthless, of low rank, 4

6 τὰ λεγόμενα: *the things said*
ὡς...εἰσι: *(namely) that...*; in apposition
οἱ τεθνεῶτες: *those...*; pf. ἀποθνήσκω; pf.
denotes a state: 'being Xed'
7 τούτου: gen. of comparison
εἴη ἄν: *would...*; potential opt. εἰμί
a1 εἰς Ἅιδου: *at (the house) of Hades*; 'at
Hades'' this gen. is common after εἰς
ἀπαλλαγείς: nom. sg. aor. pass. pple
τουτωνὶ τῶν φασκόντων: *from...*; i.e. the
jurors, abl. of separation
δικαστῶν εἶναι: *that...*; the pred. is
attracted into the case of τουτωνὶ
2 εὑρήσει: fut.
ὡς ἀληθῶς: *truly*; lit. 'thus truly'
5 ἆρα...ἂν εἴη: *would...?*; potential opt. εἰμί;

ἆρα, untranslated, introduces a yes/no
question
6 συγγενέσθαι: *to associate with...*+ dat.
of compound verbs; inf. of purpose (S2009)
with a verb of receiving: δέξαιτο
ἐπὶ πόσῳ: *for how much...?*; 'on how great
a condition,' an interrogative introducing a
question; this use of of ἐπί is used
elsewhere in the speech (e.g. ἐπὶ τούτῳ:
'on this condition,' 29c6) and is equiv. to
gen. of price πόσου (cf. 20b8)
7 ἂν δέξαιτ(ο): *would receive (in exchange)*;
aor. potential opt.
τεθνάναι: pf. inf. ἀποθνήσκω
8 ἀληθῆ: ἀληθέ-α, neut. pl.
ἐπεί: *(I say this) since...*

99

ἔμοιγε καὶ αὐτῷ θαυμαστὴ ἂν εἴη ἡ διατριβὴ αὐτόθι, ὁπότε b
ἐντύχοιμι Παλαμήδει καὶ Αἴαντι τῷ Τελαμῶνος καὶ εἴ τις
ἄλλος τῶν παλαιῶν διὰ κρίσιν ἄδικον τέθνηκεν, ἀντιπαρα-
βάλλοντι τὰ ἐμαυτοῦ πάθη πρὸς τὰ ἐκείνων—ὡς ἐγὼ οἶμαι,
οὐκ ἂν ἀηδὲς εἴη—καὶ δὴ τὸ μέγιστον, τοὺς ἐκεῖ ἐξετάζοντα 5
καὶ ἐρευνῶντα ὥσπερ τοὺς ἐνταῦθα διάγειν, τίς αὐτῶν σοφός
ἐστιν καὶ τίς οἴεται μέν, ἔστιν δ' οὔ. ἐπὶ πόσῳ δ' ἄν τις,
ὦ ἄνδρες δικασταί, δέξαιτο ἐξετάσαι τὸν ἐπὶ Τροίαν ἀγαγόντα
τὴν πολλὴν στρατιὰν ἢ Ὀδυσσέα ἢ Σίσυφον ἢ ἄλλους c
μυρίους ἄν τις εἴποι καὶ ἄνδρας καὶ γυναῖκας, οἷς ἐκεῖ

ἄγω: to lead, bring, carry, convey, 9
ἄ-δικος, -ον: unjust, wrong, 5
ἀ-ηδής, -ές: unpleasant, disagreeable, 2
Αἴας, -αντος, ὁ: Ajax
ἀντι-παρα-τίθημι: compare (acc) to (acc), place over and against
αὐτό-θι: there, in that very spot
γυνή, γυναικός ἡ: woman, wife, 2
δέχομαι: to accept, take, receive, 3
δι-άγω: to live, pass time, keep on (+ pple)
δια-τριβή, ἡ: pastime; pursuit, 3
ἐκεῖ: there, in that place, 7
ἐν-τυγχάνω: to chance upon, meet (dat.), 3
ἐρευνάω: to seek for, search for, track, 2

θαυμαστός, -ή, -όν: wonderful, marvelous
κρίσις, -εως, ἡ: judgment, decision
μέγιστος, -η, -ον: greatest, most important, 7
μυρίος, -η, -ον: countless, infinite, vast, 2
Ὀδυσσεύς, ὁ: Odysseus
ὁπότε: when, at what time 1
πάθος, -εος, τό: experience, suffering, 2
παλαιός, -ά, -όν: old, aged, ancient, 2
Παλαμήδης, ὁ: Palamedes
πόσος, -α, -ον: how much, many or great, 4
Σίσυφος, ὁ: Sisyphus
στρατιά, ἡ: army
Τελαμών, Τελαμῶνος, ὁ: Telamon
Τροία, ἡ: Troy, 2

---

b1 ἔμοι-γε καὶ αὐτῷ: dat. of reference (point of view), καί is adverbial, and intensive αὐτῷ modifies ἔμοιγε
ἂν εἴη: would...; potential opt. εἰμί
ὁπότε ἐντύχοιμι...: whenever I should...; otherwise a past general temporal clause with aor. opt. (translate as simple past) but here equiv. to a protasis in a fut. less vivid: 'if ever I should...'
2 τῷ Τελαμῶνος: (son) of Telamon; gen. in the attributive position
εἴ τις ἄλλος: i.e. whosoever else
3 τέθνηκεν: 3s pf. ἀποθνήσκω
ἀντιπαραβάλλοντι: pple agrees with dat. ἔμοι-γε
4 πρὸς τὰ ἐκείνων (πάθη): ellipsis, πάθε-α
ὡς ἐγὼ οἶμαι: parenthetical
5 οὐκ ἂν ἀηδὲς εἴη: it would... impersonal potential opt.; ἀηδές is neut. nom. pred.
καὶ δή: and indeed; 'and above all,' setting up a climax (S2847); compare καὶ δὴ καί, 'and in particular' ('and indeed also')

τὸ μέγιστον (ἐστίν) διάγειν: the greatest thing (is) to...
τοὺς ἐκεῖ: those...; adv. in the attributive position; obj. of pple
ἐξετάζοντα, ἐρευνῶντα complementary pples of διάγειν ('keep on/pass time' + pple) modifying the missing acc. subj. ἐμέ
6 τοὺς ἐνταῦθα: those...; attributive position
τίς...τίς...: ind. questions governed by both pples above
7 τίς οἴεται μέν (σοφὸς εἶναι), ἔστιν δ' οὔ (σοφός): ellipsis
ἐπὶ πόσῳ...ἂν δέξαιτο: for how much... would...?; a repeated question from 41a6-7
8 ἐξετάσαι: to...; aor. inf.
τὸν...ἀγαγόντα: the one...; aor. pple ἄγω i.e. Agamemnon
ἐπί: against...
c2 (ἐ)άν τις εἴποι: if one might mention; crasis, parenthetical
καί...καί: both...and; appositive to μυρίους
οἷς: with whom; relative, dat. of association

διαλέγεσθαι καὶ συνεῖναι καὶ ἐξετάζειν ἀμήχανον ἂν εἴη
εὐδαιμονίας; πάντως οὐ δήπου τούτου γε ἕνεκα οἱ ἐκεῖ
ἀποκτείνουσι· τά τε γὰρ ἄλλα εὐδαιμονέστεροί εἰσιν οἱ ἐκεῖ   5
τῶν ἐνθάδε, καὶ ἤδη τὸν λοιπὸν χρόνον ἀθάνατοί εἰσιν, εἴπερ
γε τὰ λεγόμενα ἀληθῆ.

    ἀλλὰ καὶ ὑμᾶς χρή, ὦ ἄνδρες δικασταί, εὐέλπιδας εἶναι
πρὸς τὸν θάνατον, καὶ ἕν τι τοῦτο διανοεῖσθαι ἀληθές, ὅτι
οὐκ ἔστιν ἀνδρὶ ἀγαθῷ κακὸν οὐδὲν οὔτε ζῶντι οὔτε τελευ-   d
τήσαντι, οὐδὲ ἀμελεῖται ὑπὸ θεῶν τὰ τούτου πράγματα·

ἀ-θάνατος, -ον: undying, immortal, 2
ἀ-μελέω: have no concern for, neglect (gen) 4
ἀ-μήχανος, -ον: impossible, inconceivable
δή-που: perhaps, I suppose, surely, 8
δια-λέγομαι: to converse with, discuss, 8
δια-νοέομαι: to think, consider, 2
ἐκεῖ: there, in that place, 7
ἕνεκα: for the sake of, for (+gen.), 5
ἐνθάδε: hither, here; thither, there, 5

εὐ-δαιμονία, ἡ: happiness, good fortune, 2
εὐ-δαίμων, -ον: happy, fortunate, blessed, 2
εὐ-έλπις, -ιδος, ὁ, ἡ: hopeful, cheerful
ζάω: to live, 9
λοιπός, -ή, -όν: remaining, the rest,
πάντως: entirely, absolutely 4
σύν-ειμι: to be with, associate with (dat.), 6
τελευτάω: to end, complete, finish; die, 5
χρή: it is necessary, fitting; must, ought, 6

3 ἀμήχανον ἂν εἴη εὐδαιμονίας: *it would
be an inconceivable (amount) of happiness*;
impersonal with partitive gen.
4 οὐ δήπου: *surely...not*; 'not...I suppose,' as
on early occasions, expressing surprise or
incredulity
  τούτου γε ἕνεκα: i.e. philosophical
conversations outlined in c3 above
  οἱ ἐκεῖ: *those...*; adv. in attributive position
5 τά...ἄλλα: *in other respects*; acc. respect
  εἰσιν: 3p εἰμί
6 τῶν ἐνθάδε: *those...*; gen. of comparison,
as above, adv. in the attributive position
  τὸν λοιπὸν χρόνον: *for...*; i.e. the future,
acc. of duration
  εἴπερ γε: *if really indeed...*

7 τὰ λεγόμενα (ἐστίν): *the things...*; neut.
substantive, supply verb
8 καὶ: *also*; adv. with ὑμᾶς
  ὑμᾶς...εἶναι...καὶ...διανοεῖσθαι: *that...*;
ind. disc. governed by χρή; διανοεῖσθαι
governs a double acc. (obj. and pred.)
9 πρὸς: *in regard to...*
  ἕν τι τοῦτο: neut. εἷς; first of double acc.
  ὅτι...ἔστιν: *(namely) that there is...*
d1 οὐκ...οὐδὲν οὔτε...οὔτε: *not...any...
either...or...*; the series of negatives adds
emphasis that is difficult to replicate
  ἀνδρὶ ἀγαθῷ: dat. interest
2 ὑπὸ θεῶν: *by...*; expressing agency
  τὰ τούτου πράγματα: i.e. of a good man,
nom. subj.

οὐδὲ τὰ ἐμὰ νῦν ἀπὸ τοῦ αὐτομάτου γέγονεν, ἀλλά μοι
δῆλόν ἐστι τοῦτο, ὅτι ἤδη τεθνάναι καὶ ἀπηλλάχθαι πρα-
γμάτων βέλτιον ἦν μοι. διὰ τοῦτο καὶ ἐμὲ οὐδαμοῦ ἀπέτρεψεν   5
τὸ σημεῖον, καὶ ἔγωγε τοῖς καταψηφισαμένοις μου καὶ τοῖς
κατηγόροις οὐ πάνυ χαλεπαίνω. καίτοι οὐ ταύτῃ τῇ διανοίᾳ
κατεψηφίζοντό μου καὶ κατηγόρουν, ἀλλ' οἰόμενοι βλάπτειν·
τοῦτο αὐτοῖς ἄξιον μέμφεσθαι. τοσόνδε μέντοι αὐτῶν   e
δέομαι· τοὺς ὑεῖς μου, ἐπειδὰν ἡβήσωσι, τιμωρήσασθε, ὦ
ἄνδρες, ταὐτὰ ταῦτα λυποῦντες ἅπερ ἐγὼ ὑμᾶς ἐλύπουν, ἐὰν
ὑμῖν δοκῶσιν ἢ χρημάτων ἢ ἄλλου του πρότερον ἐπι-

ἀπ-αλλάττω: to set free, release from, 5
ἀπο-τρέπω: to turn away, avert, deter, 2
ἀπό: from, away from. (+ gen.), 6
αὐτομάτον, τό: mere chance; on its own, 2
βελτίων, -ον (-ονος): better, 8
βλάπτω: to harm, hurt, 7
δῆλος, -η, -ον: clear, evident, 8
διάνοια, ἡ: thought, intention, purpose
ἐπειδάν: whenever, 5
ἡβάω: to grow up, attain puberty; be young
καί-τοι: and yet, and indeed, and further, 7

κατα-ψηφίζομαι: to vote against (gen.), 8
λυπέω: cause pain or grief; mid. grieve, 3
μέμφομαι: to blame (acc) on (dat), blame
οὐδαμοῦ: nowhere, in no way, 3
πρότερος, -α, -ον: previous, earlier, 4
σημεῖον, τό: sign, 3
τιμωρέω: to avenge, exact vengeance, 5
τοσόσδε, -ήδε, -όνδε: so great, much, many
υἱός (ὑός), -οῦ ὁ: son, 8
χαλεπαίνω: be difficult, sore, angry at (dat)

3 τὰ ἐμὰ (πράγματα): my own affairs
ἀπὸ τοῦ αὐτομάτου: by chance, on their own; an idiom
γέγονεν: pf. γίγνομαι
4 ὅτι...βέλτιον ἦν: (namely) that it...; in apposition to τοῦτο
τεθνάναι: inf. pf. ἀποθνήσκω; denoting a state rather than activity: 'to be Xed'
ἀπηλλάχθαι: pf. pass. with gen. of separation
5 καί: in fact, actually; adv.
6 τοῖς καταψηφισαμένοις μου: at those...; verbs of feeling often govern a dat. of cause
7 ταύτῃ τῇ διανοίᾳ: with...; dat. of cause in contrast with οἰόμενοι βλάπτειν
8 οἰόμενοι βλάπτειν (ἐμέ): by...; pple is cause in sense; add obj.
e1 τοῦτο αὐτοῖς...μέμφεσθαι: to...; logical subject inf. governing an acc. and dat.; τοῦτο refers to οἰόμενοι βλάπτειν (ἐμέ)

ἄξιον (ἐστίν): (it is)...; impersonal
τοσόνδε: this much; i.e. what follows
αὐτῶν: from...; abl. of source, i.e. those who voted against him
2 ἐπειδὰν ἡβήσωσι: general temporal clause, 3p aor. subj.
τιμωρήσασθε: aor. imperative
3 τ(ὰ) αὐτὰ ταῦτα: these same pains; inner acc., αὐτός in the attributive position means 'same'
ἅπερ...: relative and inner acc. of ἐλύπουν
ἐλύπουν: would..., used to...; customary impf.
ἐὰν...δοκῶσιν: if...; 3p subj. in the equiv. of a fut. more vivid with the apodosis replaced by an imperative
4 ἢ...ἢ...: either...or...; gen. obj. of the inf.
του: something; τινος, neut. gen. sg. τις
πρότερον...ἤ: before, earlier than...; i.e in preference to...; comparative adv.

μελεῖσθαι ἢ ἀρετῆς, καὶ ἐὰν δοκῶσί τι εἶναι μηδὲν ὄντες, 5
ὀνειδίζετε αὐτοῖς ὥσπερ ἐγὼ ὑμῖν, ὅτι οὐκ ἐπιμελοῦνται ὧν
δεῖ, καὶ οἴονταί τι εἶναι ὄντες οὐδενὸς ἄξιοι. καὶ ἐὰν
ταῦτα ποιῆτε, δίκαια πεπονθὼς ἐγὼ ἔσομαι ὑφ' ὑμῶν αὐτός 42
τε καὶ οἱ ὑεῖς. ἀλλὰ γὰρ ἤδη ὥρα ἀπιέναι, ἐμοὶ μὲν
ἀποθανουμένῳ, ὑμῖν δὲ βιωσομένοις· ὁπότεροι δὲ ἡμῶν
ἔρχονται ἐπὶ ἄμεινον πρᾶγμα, ἄδηλον παντὶ πλὴν ἢ
τῷ θεῷ. 5

ἄ-δηλος, -ον: unclear, unknown, obscure
ἀμείνων, -ον (-ονος): better, 6
ἀπ-έρχομαι: to go away, depart, 5
βιόω: to live, 2
ὀνειδίζω: to object, reproach, rebuke (dat), 5

ὁπότερος, -α, -ον: which (of two)
πλήν: except, but (gen.), 3
υἱός (ὑός), -οῦ ὁ: son, 8
ὥρα, ἡ: season, time, period of time

5 **ἐὰν δοκῶσιν**: *if*...; i.e. the sons, as before, equiv. of a fut. more vivid with the fut. apodosis replaced by an imperative
τι: *something*; i.e. worth something, something important or worthwhile; again the contrast between being and seeming
μηδὲν ὄντες: *(while)*...; pple εἰμί concessive in sense; i.e. worth nothing, nothing important
6 **ὥσπερ ἐγὼ (ὀνειδίζω) ὑμῖν**: as often in clauses of comparison, the repeated verb is omittted
ὅτι: *because*...
ὧν δεῖ: *what*...; '(those things) which,' (τούτων) ὧν; the missing antecedent is gen.obj. of ἐπιμελοῦνται while the relative is gen. obj. of the missing inf. ἐπιμελεῖσθαι in the relative clause
7 **τι**: see note for e5 above
ὄντες οὐδενὸς ἄξιοι: *(while)*...; concessive

pple, see note for e5
ἐὰν ποιῆτε,... πεπονθὼς ἔσομαι: *if*...; fut. more vivid (εἰ subj., fut. pf.)
a1 **πεπονθὼς ἔσομαι**: *I will have*...; periphrastic fut. pf. act., πάσχω (pf. act. pple + fut. εἰμί) (S600)
ὑπ(ὸ) ὑμῶν: *by*..., *at the hands of*...; expressing agency
αὐτός: *I myself*; note that the subject is 1p while the verb is 1s, as if the sons are an afterthought: 'and my sons as well'
2 **ἀλλὰ γάρ**: *but since*...; anticipatory γάρ
ὥρα (ἐστίν): *(it is)*...; impersonal
ἐμοὶ μὲν...ὑμῖν δ: *for*...; both dat. interest, both participles are fut. expressing purpose
4 **ἐπὶ ἄμεινον πρᾶγμα:**, *to a better situation, to better circumstances, to a better lot*
ἄδηλον (ἐστί): *it is*...; impersonal
παντί: i.e. to people
πλὴν ἢ: *except*; ἢ adds nothing to the sense

Greek Text

For Classroom Use

ΑΠΟΛΟΓΙΑ ΣΩΚΡΑΤΟΥΣ

ὅ τι μὲν ὑμεῖς, ὦ ἄνδρες Ἀθηναῖοι, πεπόνθατε ὑπὸ τῶν   17a
ἐμῶν κατηγόρων, οὐκ οἶδα· ἐγὼ δ᾽ οὖν καὶ αὐτὸς ὑπ᾽ αὐτῶν
ὀλίγου ἐμαυτοῦ ἐπελαθόμην, οὕτω πιθανῶς ἔλεγον. καίτοι
ἀληθές γε ὡς ἔπος εἰπεῖν οὐδὲν εἰρήκασιν. μάλιστα δὲ
αὐτῶν ἓν ἐθαύμασα τῶν πολλῶν ὧν ἐψεύσαντο, τοῦτο ἐν ᾧ   5
ἔλεγον ὡς χρῆν ὑμᾶς εὐλαβεῖσθαι μὴ ὑπ᾽ ἐμοῦ ἐξαπατηθῆτε
ὡς δεινοῦ ὄντος λέγειν. τὸ γὰρ μὴ αἰσχυνθῆναι ὅτι αὐτίκα   b
ὑπ᾽ ἐμοῦ ἐξελεγχθήσονται ἔργῳ, ἐπειδὰν μηδ᾽ ὁπωστιοῦν
φαίνωμαι δεινὸς λέγειν, τοῦτό μοι ἔδοξεν αὐτῶν ἀναισχυν-
τότατον εἶναι, εἰ μὴ ἄρα δεινὸν καλοῦσιν οὗτοι λέγειν τὸν
τἀληθῆ λέγοντα· εἰ μὲν γὰρ τοῦτο λέγουσιν, ὁμολογοίην ἂν   5
ἔγωγε οὐ κατὰ τούτους εἶναι ῥήτωρ. οὗτοι μὲν οὖν, ὥσπερ
ἐγὼ λέγω, ἤ τι ἢ οὐδὲν ἀληθὲς εἰρήκασιν, ὑμεῖς δέ μου ἀκού-
σεσθε πᾶσαν τὴν ἀλήθειαν—οὐ μέντοι μὰ Δία, ὦ ἄνδρες
Ἀθηναῖοι, κεκαλλιεπημένους γε λόγους, ὥσπερ οἱ τούτων,
ῥήμασί τε καὶ ὀνόμασιν οὐδὲ κεκοσμημένους, ἀλλ᾽ ἀκού-   c
σεσθε εἰκῇ λεγόμενα τοῖς ἐπιτυχοῦσιν ὀνόμασιν—πιστεύω
γὰρ δίκαια εἶναι ἃ λέγω—καὶ μηδεὶς ὑμῶν προσδοκησάτω
ἄλλως· οὐδὲ γὰρ ἂν δήπου πρέποι, ὦ ἄνδρες, τῇδε τῇ
ἡλικίᾳ ὥσπερ μειρακίῳ πλάττοντι λόγους εἰς ὑμᾶς εἰσιέναι.   5
καὶ μέντοι καὶ πάνυ, ὦ ἄνδρες Ἀθηναῖοι, τοῦτο ὑμῶν δέομαι

καὶ παρίεμαι· ἐὰν διὰ τῶν αὐτῶν λόγων ἀκούητέ μου ἀπο-
λογουμένου δι' ὧνπερ εἴωθα λέγειν καὶ ἐν ἀγορᾷ ἐπὶ τῶν
τραπεζῶν, ἵνα ὑμῶν πολλοὶ ἀκηκόασι, καὶ ἄλλοθι, μήτε
θαυμάζειν μήτε θορυβεῖν τούτου ἕνεκα. ἔχει γὰρ οὑτωσί. d
νῦν ἐγὼ πρῶτον ἐπὶ δικαστήριον ἀναβέβηκα, ἔτη γεγονὼς
ἑβδομήκοντα· ἀτεχνῶς οὖν ξένως ἔχω τῆς ἐνθάδε λέξεως.
ὥσπερ οὖν ἄν, εἰ τῷ ὄντι ξένος ἐτύγχανον ὤν, συνεγιγνώ-
σκετε δήπου ἄν μοι εἰ ἐν ἐκείνῃ τῇ φωνῇ τε καὶ τῷ τρόπῳ 5
ἔλεγον ἐν οἷσπερ ἐτεθράμμην, καὶ δὴ καὶ νῦν τοῦτο ὑμῶν 18
δέομαι δίκαιον, ὥς γέ μοι δοκῶ, τὸν μὲν τρόπον τῆς λέξεως
ἐᾶν—ἴσως μὲν γὰρ χείρων, ἴσως δὲ βελτίων ἂν εἴη—αὐτὸ
δὲ τοῦτο σκοπεῖν καὶ τούτῳ τὸν νοῦν προσέχειν, εἰ δίκαια
λέγω ἢ μή· δικαστοῦ μὲν γὰρ αὕτη ἀρετή, ῥήτορος δὲ 5
τἀληθῆ λέγειν.

πρῶτον μὲν οὖν δίκαιός εἰμι ἀπολογήσασθαι, ὦ ἄνδρες
Ἀθηναῖοι, πρὸς τὰ πρῶτά μου ψευδῆ κατηγορημένα καὶ τοὺς
πρώτους κατηγόρους, ἔπειτα δὲ πρὸς τὰ ὕστερον καὶ τοὺς
ὑστέρους. ἐμοῦ γὰρ πολλοὶ κατήγοροι γεγόνασι πρὸς ὑμᾶς b
καὶ πάλαι πολλὰ ἤδη ἔτη καὶ οὐδὲν ἀληθὲς λέγοντες, οὓς
ἐγὼ μᾶλλον φοβοῦμαι ἢ τοὺς ἀμφὶ Ἄνυτον, καίπερ ὄντας
καὶ τούτους δεινούς· ἀλλ' ἐκεῖνοι δεινότεροι, ὦ ἄνδρες, οἳ
ὑμῶν τοὺς πολλοὺς ἐκ παίδων παραλαμβάνοντες ἔπειθόν 5
τε καὶ κατηγόρουν ἐμοῦ μᾶλλον οὐδὲν ἀληθές, ὡς ἔστιν τις
Σωκράτης σοφὸς ἀνήρ, τά τε μετέωρα φροντιστὴς καὶ τὰ
ὑπὸ γῆς πάντα ἀνεζητηκὼς καὶ τὸν ἥττω λόγον κρείττω
ποιῶν. οὗτοι, ὦ ἄνδρες Ἀθηναῖοι, <οἳ> ταύτην τὴν φήμην c
κατασκεδάσαντες, οἱ δεινοί εἰσίν μου κατήγοροι· οἱ γὰρ
ἀκούοντες ἡγοῦνται τοὺς ταῦτα ζητοῦντας οὐδὲ θεοὺς νομίζειν.
ἔπειτά εἰσιν οὗτοι οἱ κατήγοροι πολλοὶ καὶ πολὺν χρόνον

ἤδη κατηγορηκότες, ἔτι δὲ καὶ ἐν ταύτῃ τῇ ἡλικίᾳ λέγοντες 5
πρὸς ὑμᾶς ἐν ᾗ ἂν μάλιστα ἐπιστεύσατε, παῖδες ὄντες ἔνιοι
ὑμῶν καὶ μειράκια, ἀτεχνῶς ἐρήμην κατηγοροῦντες ἀπολο-
γουμένου οὐδενός. ὃ δὲ πάντων ἀλογώτατον, ὅτι οὐδὲ τὰ
ὀνόματα οἷόν τε αὐτῶν εἰδέναι καὶ εἰπεῖν, πλὴν εἴ τις   d
κωμῳδοποιὸς τυγχάνει ὤν. ὅσοι δὲ φθόνῳ καὶ διαβολῇ
χρώμενοι ὑμᾶς ἀνέπειθον—οἱ δὲ καὶ αὐτοὶ πεπεισμένοι
ἄλλους πείθοντες—οὗτοι πάντες ἀπορώτατοί εἰσιν· οὐδὲ γὰρ
ἀναβιβάσασθαι οἷόν τ᾽ ἐστὶν αὐτῶν ἐνταυθοῖ οὐδ᾽ ἐλέγξαι   5
οὐδένα, ἀλλ᾽ ἀνάγκη ἀτεχνῶς ὥσπερ σκιαμαχεῖν ἀπολογού-
μενόν τε καὶ ἐλέγχειν μηδενὸς ἀποκρινομένου. ἀξιώσατε
οὖν καὶ ὑμεῖς, ὥσπερ ἐγὼ λέγω, διττούς μου τοὺς κατηγόρους
γεγονέναι, ἑτέρους μὲν τοὺς ἄρτι κατηγορήσαντας, ἑτέρους δὲ
τοὺς πάλαι οὓς ἐγὼ λέγω, καὶ οἰήθητε δεῖν πρὸς ἐκείνους   e
πρῶτόν με ἀπολογήσασθαι· καὶ γὰρ ὑμεῖς ἐκείνων πρότερον
ἠκούσατε κατηγορούντων καὶ πολὺ μᾶλλον ἢ τῶνδε τῶν
ὕστερον.

εἶεν· ἀπολογητέον δή, ὦ ἄνδρες Ἀθηναῖοι, καὶ ἐπιχειρη-
τέον ὑμῶν ἐξελέσθαι τὴν διαβολὴν ἣν ὑμεῖς ἐν πολλῷ χρόνῳ   19
ἔσχετε ταύτην ἐν οὕτως ὀλίγῳ χρόνῳ. βουλοίμην μὲν οὖν
ἂν τοῦτο οὕτως γενέσθαι, εἴ τι ἄμεινον καὶ ὑμῖν καὶ ἐμοί,
καὶ πλέον τί με ποιῆσαι ἀπολογούμενον· οἶμαι δὲ αὐτὸ
χαλεπὸν εἶναι, καὶ οὐ πάνυ με λανθάνει οἷόν ἐστιν. ὅμως   5
τοῦτο μὲν ἴτω ὅπῃ τῷ θεῷ φίλον, τῷ δὲ νόμῳ πειστέον καὶ
ἀπολογητέον.

ἀναλάβωμεν οὖν ἐξ ἀρχῆς τίς ἡ κατηγορία ἐστὶν ἐξ ἧς
ἡ ἐμὴ διαβολὴ γέγονεν, ᾗ δὴ καὶ πιστεύων Μέλητός με ἐγρά-   b
ψατο τὴν γραφὴν ταύτην. εἶεν· τί δὴ λέγοντες διέβαλλον
οἱ διαβάλλοντες; ὥσπερ οὖν κατηγόρων τὴν ἀντωμοσίαν
δεῖ ἀναγνῶναι αὐτῶν· "Σωκράτης ἀδικεῖ καὶ περιεργάζεται
ζητῶν τά τε ὑπὸ γῆς καὶ οὐράνια καὶ τὸν ἥττω λόγον κρείττω   5

ποιῶν καὶ ἄλλους ταὐτὰ ταῦτα διδάσκων." τοιαύτη τίς ἐστιν· c
ταῦτα γὰρ ἑωρᾶτε καὶ αὐτοὶ ἐν τῇ Ἀριστοφάνους κωμῳδίᾳ,
Σωκράτη τινὰ ἐκεῖ περιφερόμενον, φάσκοντά τε ἀεροβατεῖν
καὶ ἄλλην πολλὴν φλυαρίαν φλυαροῦντα, ὧν ἐγὼ οὐδὲν οὔτε
μέγα οὔτε μικρὸν πέρι ἐπαΐω. καὶ οὐχ ὡς ἀτιμάζων λέγω 5
τὴν τοιαύτην ἐπιστήμην, εἴ τις περὶ τῶν τοιούτων σοφός
ἐστιν—μή πως ἐγὼ ὑπὸ Μελήτου τοσαύτας δίκας φεύγοιμι—
ἀλλὰ γὰρ ἐμοὶ τούτων, ὦ ἄνδρες Ἀθηναῖοι, οὐδὲν μέτεστιν.
μάρτυρας δὲ αὖ ὑμῶν τοὺς πολλοὺς παρέχομαι, καὶ ἀξιῶ d
ὑμᾶς ἀλλήλους διδάσκειν τε καὶ φράζειν, ὅσοι ἐμοῦ πώποτε
ἀκηκόατε διαλεγομένου—πολλοὶ δὲ ὑμῶν οἱ τοιοῦτοί εἰσιν—
φράζετε οὖν ἀλλήλοις εἰ πώποτε ἢ μικρὸν ἢ μέγα ἤκουσέ
τις ὑμῶν ἐμοῦ περὶ τῶν τοιούτων διαλεγομένου, καὶ ἐκ 5
τούτου γνώσεσθε ὅτι τοιαῦτ' ἐστὶ καὶ τἆλλα περὶ ἐμοῦ ἃ οἱ
πολλοὶ λέγουσιν.

ἀλλὰ γὰρ οὔτε τούτων οὐδέν ἐστιν, οὐδέ γ' εἴ τινος
ἀκηκόατε ὡς ἐγὼ παιδεύειν ἐπιχειρῶ ἀνθρώπους καὶ χρήματα
πράττομαι, οὐδὲ τοῦτο ἀληθές. ἐπεὶ καὶ τοῦτό γέ μοι δοκεῖ e
καλὸν εἶναι, εἴ τις οἷός τ' εἴη παιδεύειν ἀνθρώπους ὥσπερ
Γοργίας τε ὁ Λεοντῖνος καὶ Πρόδικος ὁ Κεῖος καὶ Ἱππίας ὁ
Ἠλεῖος. τούτων γὰρ ἕκαστος, ὦ ἄνδρες, οἷός τ' ἐστὶν ἰὼν
εἰς ἑκάστην τῶν πόλεων τοὺς νέους—οἷς ἔξεστι τῶν ἑαυτῶν 5
πολιτῶν προῖκα συνεῖναι ᾧ ἂν βούλωνται—τούτους πείθουσι
τὰς ἐκείνων συνουσίας ἀπολιπόντας σφίσιν συνεῖναι χρή- 20
ματα διδόντας καὶ χάριν προσειδέναι. ἐπεὶ καὶ ἄλλος ἀνήρ
ἐστι Πάριος ἐνθάδε σοφὸς ὃν ἐγὼ ᾐσθόμην ἐπιδημοῦντα·
ἔτυχον γὰρ προσελθὼν ἀνδρὶ ὃς τετέλεκε χρήματα σοφισταῖς

πλείω ἢ σύμπαντες οἱ ἄλλοι, Καλλίᾳ τῷ Ἱππονίκου· τοῦτον 5
οὖν ἀνηρόμην—ἐστὸν γὰρ αὐτῷ δύο ὑεῖ—"ὦ Καλλία," ἦν
δ' ἐγώ, "εἰ μέν σου τὼ ὑεῖ πώλω ἢ μόσχω ἐγενέσθην,
εἴχομεν ἂν αὐτοῖν ἐπιστάτην λαβεῖν καὶ μισθώσασθαι ὃς
ἔμελλεν αὐτὼ καλώ τε κἀγαθὼ ποιήσειν τὴν προσήκουσαν b
ἀρετήν, ἦν δ' ἂν οὗτος ἢ τῶν ἱππικῶν τις ἢ τῶν γεωργικῶν·
νῦν δ' ἐπειδὴ ἀνθρώπω ἐστόν, τίνα αὐτοῖν ἐν νῷ ἔχεις
ἐπιστάτην λαβεῖν; τίς τῆς τοιαύτης ἀρετῆς, τῆς ἀνθρωπίνης
τε καὶ πολιτικῆς, ἐπιστήμων ἐστίν; οἶμαι γάρ σε ἐσκέφθαι 5
διὰ τὴν τῶν ὑέων κτῆσιν. ἔστιν τις," ἔφην ἐγώ, "ἢ οὔ;"
"πάνυ γε," ἦ δ' ὅς. "τίς," ἦν δ' ἐγώ, "καὶ ποδαπός, καὶ
πόσου διδάσκει;" "Εὔηνος," ἔφη, "ὦ Σώκρατες, Πάριος,
πέντε μνῶν." καὶ ἐγὼ τὸν Εὔηνον ἐμακάρισα εἰ ὡς ἀληθῶς
ἔχοι ταύτην τὴν τέχνην καὶ οὕτως ἐμμελῶς διδάσκει. ἐγὼ c
γοῦν καὶ αὐτὸς ἐκαλλυνόμην τε καὶ ἡβρυνόμην ἂν εἰ ἠπιστάμην
ταῦτα· ἀλλ' οὐ γὰρ ἐπίσταμαι, ὦ ἄνδρες Ἀθηναῖοι.

ὑπολάβοι ἂν οὖν τις ὑμῶν ἴσως· "ἀλλ', ὦ Σώκρατες,
τὸ σὸν τί ἐστι πρᾶγμα; πόθεν αἱ διαβολαί σοι αὗται γεγό- 5
νασιν; οὐ γὰρ δήπου σοῦ γε οὐδὲν τῶν ἄλλων περιττότερον
πραγματευομένου ἔπειτα τοσαύτη φήμη τε καὶ λόγος γέγονεν,
εἰ μή τι ἔπραττες ἀλλοῖον ἢ οἱ πολλοί. λέγε οὖν ἡμῖν τί
ἐστιν, ἵνα μὴ ἡμεῖς περὶ σοῦ αὐτοσχεδιάζωμεν". ταυτί μοι d
δοκεῖ δίκαια λέγειν ὁ λέγων, κἀγὼ ὑμῖν πειράσομαι ἀπο-
δεῖξαι τί ποτ' ἐστὶν τοῦτο ὃ ἐμοὶ πεποίηκεν τό τε ὄνομα
καὶ τὴν διαβολήν. ἀκούετε δή. καὶ ἴσως μὲν δόξω τισὶν
ὑμῶν παίζειν· εὖ μέντοι ἴστε, πᾶσαν ὑμῖν τὴν ἀλήθειαν 5
ἐρῶ. ἐγὼ γάρ, ὦ ἄνδρες Ἀθηναῖοι, δι' οὐδὲν ἀλλ' ἢ διὰ
σοφίαν τινὰ τοῦτο τὸ ὄνομα ἔσχηκα. ποίαν δὴ σοφίαν
ταύτην; ἥπερ ἐστὶν ἴσως ἀνθρωπίνη σοφία· τῷ ὄντι γὰρ
κινδυνεύω ταύτην εἶναι σοφός. οὗτοι δὲ τάχ' ἂν, οὓς ἄρτι

ἔλεγον, μείζω τινὰ ἢ κατ' ἄνθρωπον σοφίαν σοφοὶ εἶεν, ἢ   e
οὐκ ἔχω τί λέγω· οὐ γὰρ δὴ ἔγωγε αὐτὴν ἐπίσταμαι, ἀλλ'
ὅστις φησὶ ψεύδεταί τε καὶ ἐπὶ διαβολῇ τῇ ἐμῇ λέγει. καί
μοι, ὦ ἄνδρες Ἀθηναῖοι, μὴ θορυβήσητε, μηδ' ἐὰν δόξω τι
ὑμῖν μέγα λέγειν· οὐ γὰρ ἐμὸν ἐρῶ τὸν λόγον ὃν ἂν λέγω,   5
ἀλλ' εἰς ἀξιόχρεων ὑμῖν τὸν λέγοντα ἀνοίσω. τῆς γὰρ
ἐμῆς, εἰ δή τίς ἐστιν σοφία καὶ οἵα, μάρτυρα ὑμῖν παρέξομαι
τὸν θεὸν τὸν ἐν Δελφοῖς. Χαιρεφῶντα γὰρ ἴστε που. οὗτος
ἐμός τε ἑταῖρος ἦν ἐκ νέου καὶ ὑμῶν τῷ πλήθει ἑταῖρός τε   21
καὶ συνέφυγε τὴν φυγὴν ταύτην καὶ μεθ' ὑμῶν κατῆλθε.
καὶ ἴστε δὴ οἷος ἦν Χαιρεφῶν, ὡς σφοδρὸς ἐφ' ὅ τι ὁρμήσειεν.
καὶ δή ποτε καὶ εἰς Δελφοὺς ἐλθὼν ἐτόλμησε τοῦτο μαντεύ-
σασθαι—καί, ὅπερ λέγω, μὴ θορυβεῖτε, ὦ ἄνδρες—ἤρετο γὰρ   5
δὴ εἴ τις ἐμοῦ εἴη σοφώτερος. ἀνεῖλεν οὖν ἡ Πυθία μηδένα
σοφώτερον εἶναι. καὶ τούτων πέρι ὁ ἀδελφὸς ὑμῖν αὐτοῦ
οὑτοσὶ μαρτυρήσει, ἐπειδὴ ἐκεῖνος τετελεύτηκεν.

σκέψασθε δὴ ὧν ἕνεκα ταῦτα λέγω· μέλλω γὰρ ὑμᾶς διδά-   b
ξειν ὅθεν μοι ἡ διαβολὴ γέγονεν. ταῦτα γὰρ ἐγὼ ἀκούσας
ἐνεθυμούμην οὑτωσί· "τί ποτε λέγει ὁ θεός, καὶ τί ποτε
αἰνίττεται; ἐγὼ γὰρ δὴ οὔτε μέγα οὔτε σμικρὸν σύνοιδα
ἐμαυτῷ σοφὸς ὤν· τί οὖν ποτε λέγει φάσκων ἐμὲ σοφώ-   5
τατον εἶναι οὐ γὰρ δήπου ψεύδεταί γε· οὐ γὰρ θέμις
αὐτῷ." καὶ πολὺν μὲν χρόνον ἠπόρουν τί ποτε λέγει·
ἔπειτα μόγις πάνυ ἐπὶ ζήτησιν αὐτοῦ τοιαύτην τινὰ ἐτραπό-
μην. ἦλθον ἐπί τινα τῶν δοκούντων σοφῶν εἶναι, ὡς
ἐνταῦθα εἴπερ που ἐλέγξων τὸ μαντεῖον καὶ ἀποφανῶν τῷ   c
χρησμῷ ὅτι "οὑτοσὶ ἐμοῦ σοφώτερός ἐστι, σὺ δ' ἐμὲ ἔφησθα."
διασκοπῶν οὖν τοῦτον—ὀνόματι γὰρ οὐδὲν δέομαι λέγειν,
ἦν δέ τις τῶν πολιτικῶν πρὸς ὃν ἐγὼ σκοπῶν τοιοῦτόν τι

ἔπαθον, ὦ ἄνδρες Ἀθηναῖοι, καὶ διαλεγόμενος αὐτῷ—ἔδοξέ 5
μοι οὗτος ὁ ἀνὴρ δοκεῖν μὲν εἶναι σοφὸς ἄλλοις τε πολλοῖς
ἀνθρώποις καὶ μάλιστα ἑαυτῷ, εἶναι δ' οὔ· κἄπειτα ἐπειρώ-
μην αὐτῷ δεικνύναι ὅτι οἴοιτο μὲν εἶναι σοφός, εἴη δ' οὔ.
ἐντεῦθεν οὖν τούτῳ τε ἀπηχθόμην καὶ πολλοῖς τῶν παρόντων· d
πρὸς ἐμαυτὸν δ' οὖν ἀπιὼν ἐλογιζόμην ὅτι τούτου μὲν τοῦ
ἀνθρώπου ἐγὼ σοφώτερός εἰμι· κινδυνεύει μὲν γὰρ ἡμῶν
οὐδέτερος οὐδὲν καλὸν κἀγαθὸν εἰδέναι, ἀλλ' οὗτος μὲν
οἴεταί τι εἰδέναι οὐκ εἰδώς, ἐγὼ δέ, ὥσπερ οὖν οὐκ οἶδα, 5
οὐδὲ οἴομαι· ἔοικα γοῦν τούτου γε σμικρῷ τινι αὐτῷ τούτῳ
σοφώτερος εἶναι, ὅτι ἃ μὴ οἶδα οὐδὲ οἴομαι εἰδέναι. ἐντεῦθεν
ἐπ' ἄλλον ᾖα τῶν ἐκείνου δοκούντων σοφωτέρων εἶναι καί
μοι ταὐτὰ ταῦτα ἔδοξε, καὶ ἐνταῦθα κἀκείνῳ καὶ ἄλλοις e
πολλοῖς ἀπηχθόμην.

μετὰ ταῦτ' οὖν ἤδη ἐφεξῆς ᾖα, αἰσθανόμενος μὲν [καὶ]
λυπούμενος καὶ δεδιὼς ὅτι ἀπηχθανόμην, ὅμως δὲ ἀναγκαῖον
ἐδόκει εἶναι τὸ τοῦ θεοῦ περὶ πλείστου ποιεῖσθαι—ἰτέον 5
οὖν, σκοποῦντι τὸν χρησμὸν τί λέγει, ἐπὶ ἅπαντας τούς τι
δοκοῦντας εἰδέναι. καὶ νὴ τὸν κύνα, ὦ ἄνδρες Ἀθηναῖοι— 22
δεῖ γὰρ πρὸς ὑμᾶς τἀληθῆ λέγειν—ἦ μὴν ἐγὼ ἔπαθόν τι
τοιοῦτον· οἱ μὲν μάλιστα εὐδοκιμοῦντες ἔδοξάν μοι ὀλίγου
δεῖν τοῦ πλείστου ἐνδεεῖς εἶναι ζητοῦντι κατὰ τὸν θεόν,
ἄλλοι δὲ δοκοῦντες φαυλότεροι ἐπιεικέστεροι εἶναι ἄνδρες 5
πρὸς τὸ φρονίμως ἔχειν. δεῖ δὴ ὑμῖν τὴν ἐμὴν πλάνην
ἐπιδεῖξαι ὥσπερ πόνους τινὰς πονοῦντος ἵνα μοι καὶ ἀν-
έλεγκτος ἡ μαντεία γένοιτο. μετὰ γὰρ τοὺς πολιτικοὺς ᾖα
ἐπὶ τοὺς ποιητὰς τούς τε τῶν τραγῳδιῶν καὶ τοὺς τῶν
διθυράμβων καὶ τοὺς ἄλλους, ὡς ἐνταῦθα ἐπ' αὐτοφώρῳ b
καταληψόμενος ἐμαυτὸν ἀμαθέστερον ἐκείνων ὄντα. ἀνα-
λαμβάνων οὖν αὐτῶν τὰ ποιήματα ἅ μοι ἐδόκει μάλιστα
πεπραγματεῦσθαι αὐτοῖς, διηρώτων ἂν αὐτοὺς τί λέγοιεν,

ἵν᾽ ἅμα τι καὶ μανθάνοιμι παρ᾽ αὐτῶν. αἰσχύνομαι οὖν 5
ὑμῖν εἰπεῖν, ὦ ἄνδρες, τἀληθῆ· ὅμως δὲ ῥητέον. ὡς ἔπος
γὰρ εἰπεῖν ὀλίγου αὐτῶν ἅπαντες οἱ παρόντες ἂν βέλτιον
ἔλεγον περὶ ὧν αὐτοὶ ἐπεποιήκεσαν. ἔγνων οὖν αὖ καὶ
περὶ τῶν ποιητῶν ἐν ὀλίγῳ τοῦτο, ὅτι οὐ σοφίᾳ ποιοῖεν
ἃ ποιοῖεν, ἀλλὰ φύσει τινὶ καὶ ἐνθουσιάζοντες ὥσπερ οἱ c
θεομάντεις καὶ οἱ χρησμῳδοί· καὶ γὰρ οὗτοι λέγουσι μὲν
πολλὰ καὶ καλά, ἴσασιν δὲ οὐδὲν ὧν λέγουσι. τοιοῦτόν
τί μοι ἐφάνησαν πάθος καὶ οἱ ποιηταὶ πεπονθότες, καὶ
ἅμα ᾐσθόμην αὐτῶν διὰ τὴν ποίησιν οἰομένων καὶ τἆλλα 5
σοφωτάτων εἶναι ἀνθρώπων ἃ οὐκ ἦσαν. ἀπῇα οὖν καὶ
ἐντεῦθεν τῷ αὐτῷ οἰόμενος περιγεγονέναι ᾧπερ καὶ τῶν
πολιτικῶν.

τελευτῶν οὖν ἐπὶ τοὺς χειροτέχνας ᾖα· ἐμαυτῷ γὰρ
συνῄδη οὐδὲν ἐπισταμένῳ ὡς ἔπος εἰπεῖν, τούτους δέ γ᾽ ᾔδη d
ὅτι εὑρήσοιμι πολλὰ καὶ καλὰ ἐπισταμένους. καὶ τούτου
μὲν οὐκ ἐψεύσθην, ἀλλ᾽ ἠπίσταντο ἃ ἐγὼ οὐκ ἠπιστάμην
καί μου ταύτῃ σοφώτεροι ἦσαν. ἀλλ᾽, ὦ ἄνδρες Ἀθηναῖοι,
ταὐτόν μοι ἔδοξαν ἔχειν ἁμάρτημα ὅπερ καὶ οἱ ποιηταὶ καὶ 5
οἱ ἀγαθοὶ δημιουργοί—διὰ τὸ τὴν τέχνην καλῶς ἐξεργά-
ζεσθαι ἕκαστος ἠξίου καὶ τἆλλα τὰ μέγιστα σοφώτατος
εἶναι—καὶ αὐτῶν αὕτη ἡ πλημμέλεια ἐκείνην τὴν σοφίαν
ἀποκρύπτειν· ὥστε με ἐμαυτὸν ἀνερωτᾶν ὑπὲρ τοῦ χρησμοῦ e
πότερα δεξαίμην ἂν οὕτως ὥσπερ ἔχω ἔχειν, μήτε τι σοφὸς
ὢν τὴν ἐκείνων σοφίαν μήτε ἀμαθὴς τὴν ἀμαθίαν, ἢ ἀμ-
φότερα ἃ ἐκεῖνοι ἔχουσιν ἔχειν. ἀπεκρινάμην οὖν ἐμαυτῷ
καὶ τῷ χρησμῷ ὅτι μοι λυσιτελοῖ ὥσπερ ἔχω ἔχειν. 5

ἐκ ταυτησὶ δὴ τῆς ἐξετάσεως, ὦ ἄνδρες Ἀθηναῖοι,
πολλαὶ μὲν ἀπέχθειαί μοι γεγόνασι καὶ οἷαι χαλεπώταται 23

καὶ βαρύταται, ὥστε πολλὰς διαβολὰς ἀπ᾽ αὐτῶν γεγονέναι,
ὄνομα δὲ τοῦτο λέγεσθαι, σοφὸς εἶναι· οἴονται γάρ με
ἑκάστοτε οἱ παρόντες ταῦτα αὐτὸν εἶναι σοφὸν ἃ ἂν ἄλλον
ἐξελέγξω. τὸ δὲ κινδυνεύει, ὦ ἄνδρες, τῷ ὄντι ὁ θεὸς 5
σοφὸς εἶναι, καὶ ἐν τῷ χρησμῷ τούτῳ τοῦτο λέγειν, ὅτι ἡ
ἀνθρωπίνη σοφία ὀλίγου τινὸς ἀξία ἐστὶν καὶ οὐδενός. καὶ
φαίνεται τοῦτον λέγειν τὸν Σωκράτη, προσκεχρῆσθαι δὲ
τῷ ἐμῷ ὀνόματι, ἐμὲ παράδειγμα ποιούμενος, ὥσπερ ἂν   b
⟨εἰ⟩ εἴποι ὅτι "οὗτος ὑμῶν, ὦ ἄνθρωποι, σοφώτατός ἐστιν,
ὅστις ὥσπερ Σωκράτης ἔγνωκεν ὅτι οὐδενὸς ἄξιός ἐστι τῇ
ἀληθείᾳ πρὸς σοφίαν". ταῦτ᾽ οὖν ἐγὼ μὲν ἔτι καὶ νῦν
περιιὼν ζητῶ καὶ ἐρευνῶ κατὰ τὸν θεὸν καὶ τῶν ἀστῶν καὶ 5
ξένων ἄν τινα οἴωμαι σοφὸν εἶναι· καὶ ἐπειδάν μοι μὴ
δοκῇ, τῷ θεῷ βοηθῶν ἐνδείκνυμαι ὅτι οὐκ ἔστι σοφός. καὶ
ὑπὸ ταύτης τῆς ἀσχολίας οὔτε τι τῶν τῆς πόλεως πρᾶξαί
μοι σχολὴ γέγονεν ἄξιον λόγου οὔτε τῶν οἰκείων, ἀλλ᾽ ἐν
πενίᾳ μυρίᾳ εἰμὶ διὰ τὴν τοῦ θεοῦ λατρείαν.   c
    πρὸς δὲ τούτοις οἱ νέοι μοι ἐπακολουθοῦντες—οἷς μά-
λιστα σχολή ἐστιν, οἱ τῶν πλουσιωτάτων—αὐτόματοι,
χαίρουσιν ἀκούοντες ἐξεταζομένων τῶν ἀνθρώπων, καὶ αὐτοὶ
πολλάκις ἐμὲ μιμοῦνται, εἶτα ἐπιχειροῦσιν ἄλλους ἐξετάζειν· 5
κἄπειτα οἶμαι εὑρίσκουσι πολλὴν ἀφθονίαν οἰομένων μὲν
εἰδέναι τι ἀνθρώπων, εἰδότων δὲ ὀλίγα ἢ οὐδέν. ἐντεῦθεν
οὖν οἱ ὑπ᾽ αὐτῶν ἐξεταζόμενοι ἐμοὶ ὀργίζονται, οὐχ αὑτοῖς,
καὶ λέγουσιν ὡς Σωκράτης τίς ἐστι μιαρώτατος καὶ δια-   d
φθείρει τοὺς νέους· καὶ ἐπειδάν τις αὐτοὺς ἐρωτᾷ ὅ τι ποιῶν
καὶ ὅ τι διδάσκων, ἔχουσι μὲν οὐδὲν εἰπεῖν ἀλλ᾽ ἀγνοοῦσιν,

ἵνα δὲ μὴ δοκῶσιν ἀπορεῖν, τὰ κατὰ πάντων τῶν φιλοσο-
φούντων πρόχειρα ταῦτα λέγουσιν, ὅτι "τὰ μετέωρα καὶ 5
τὰ ὑπὸ γῆς" καὶ "θεοὺς μὴ νομίζειν" καὶ "τὸν ἥττω
λόγον κρείττω ποιεῖν". τὰ γὰρ ἀληθῆ οἴομαι οὐκ ἂν
ἐθέλοιεν λέγειν, ὅτι κατάδηλοι γίγνονται προσποιούμενοι
μὲν εἰδέναι, εἰδότες δὲ οὐδέν. ἅτε οὖν οἶμαι φιλότιμοι
ὄντες καὶ σφοδροὶ καὶ πολλοί, καὶ συντεταμένως καὶ πι- e
θανῶς λέγοντες περὶ ἐμοῦ, ἐμπεπλήκασιν ὑμῶν τὰ ὦτα καὶ
πάλαι καὶ σφοδρῶς διαβάλλοντες. ἐκ τούτων καὶ Μέλητός
μοι ἐπέθετο καὶ Ἄνυτος καὶ Λύκων, Μέλητος μὲν ὑπὲρ τῶν
ποιητῶν ἀχθόμενος, Ἄνυτος δὲ ὑπὲρ τῶν δημιουργῶν καὶ 5
τῶν πολιτικῶν, Λύκων δὲ ὑπὲρ τῶν ῥητόρων· ὥστε, ὅπερ 24
ἀρχόμενος ἐγὼ ἔλεγον, θαυμάζοιμ᾽ ἂν εἰ οἷός τ᾽ εἴην ἐγὼ
ὑμῶν ταύτην τὴν διαβολὴν ἐξελέσθαι ἐν οὕτως ὀλίγῳ χρόνῳ
οὕτω πολλὴν γεγονυῖαν. ταῦτ᾽ ἔστιν ὑμῖν, ὦ ἄνδρες Ἀθη-
ναῖοι, τἀληθῆ, καὶ ὑμᾶς οὔτε μέγα οὔτε μικρὸν ἀποκρυψά- 5
μενος ἐγὼ λέγω οὐδ᾽ ὑποστειλάμενος. καίτοι οἶδα σχεδὸν
ὅτι αὐτοῖς τούτοις ἀπεχθάνομαι, ὃ καὶ τεκμήριον ὅτι ἀληθῆ
λέγω καὶ ὅτι αὕτη ἐστὶν ἡ διαβολὴ ἡ ἐμὴ καὶ τὰ αἴτια
ταῦτά ἐστιν. καὶ ἐάντε νῦν ἐάντε αὖθις ζητήσητε ταῦτα, b
οὕτως εὑρήσετε.

περὶ μὲν οὖν ὧν οἱ πρῶτοί μου κατήγοροι κατηγόρουν
αὕτη ἔστω ἱκανὴ ἀπολογία πρὸς ὑμᾶς· πρὸς δὲ Μέλητον
τὸν ἀγαθὸν καὶ φιλόπολιν, ὥς φησι, καὶ τοὺς ὑστέρους 5
μετὰ ταῦτα πειράσομαι ἀπολογήσασθαι. αὖθις γὰρ δή,
ὥσπερ ἑτέρων τούτων ὄντων κατηγόρων, λάβωμεν αὖ τὴν
τούτων ἀντωμοσίαν. ἔχει δέ πως ὧδε· Σωκράτη φησὶν

ἀδικεῖν τούς τε νέους διαφθείροντα καὶ θεοὺς οὓς ἡ πόλις
νομίζει οὐ νομίζοντα, ἕτερα δὲ δαιμόνια καινά. τὸ μὲν δὴ   c
ἔγκλημα τοιοῦτόν ἐστιν· τούτου δὲ τοῦ ἐγκλήματος ἓν
ἕκαστον ἐξετάσωμεν.

φησὶ γὰρ δὴ τοὺς νέους ἀδικεῖν με διαφθείροντα. ἐγὼ δέ
γε, ὦ ἄνδρες Ἀθηναῖοι, ἀδικεῖν φημι Μέλητον, ὅτι σπουδῇ   5
χαριεντίζεται, ῥᾳδίως εἰς ἀγῶνα καθιστὰς ἀνθρώπους, περὶ
πραγμάτων προσποιούμενος σπουδάζειν καὶ κήδεσθαι ὧν οὐδὲν
τούτῳ πώποτε ἐμέλησεν· ὡς δὲ τοῦτο οὕτως ἔχει, πειράσομαι
καὶ ὑμῖν ἐπιδεῖξαι. καί μοι δεῦρο, ὦ Μέλητε, εἰπέ· ἄλλο τι ἢ
περὶ πλείστου ποιῇ ὅπως ὡς βέλτιστοι οἱ νεώτεροι ἔσονται;   d
ἔγωγε.
ἴθι δή νυν εἰπὲ τούτοις, τίς αὐτοὺς βελτίους ποιεῖ;
δῆλον γὰρ ὅτι οἶσθα, μέλον γέ σοι. τὸν μὲν γὰρ δια-
φθείροντα ἐξευρών, ὡς φῄς, ἐμέ, εἰσάγεις τουτοισὶ καὶ κατη-   5
γορεῖς· τὸν δὲ δὴ βελτίους ποιοῦντα ἴθι εἰπὲ καὶ μήνυσον
αὐτοῖς τίς ἐστιν.—ὁρᾷς, ὦ Μέλητε, ὅτι σιγᾷς καὶ οὐκ
ἔχεις εἰπεῖν; καίτοι οὐκ αἰσχρόν σοι δοκεῖ εἶναι καὶ ἱκανὸν
τεκμήριον οὗ δὴ ἐγὼ λέγω, ὅτι σοι οὐδὲν μεμέληκεν; ἀλλ᾽
εἰπέ, ὠγαθέ, τίς αὐτοὺς ἀμείνους ποιεῖ;   10
οἱ νόμοι.
ἀλλ᾽ οὐ τοῦτο ἐρωτῶ, ὦ βέλτιστε, ἀλλὰ τίς ἄνθρωπος,   e
ὅστις πρῶτον καὶ αὐτὸ τοῦτο οἶδε, τοὺς νόμους;
οὗτοι, ὦ Σώκρατες, οἱ δικασταί.
πῶς λέγεις, ὦ Μέλητε; οἴδε τοὺς νέους παιδεύειν οἷοί
τέ εἰσι καὶ βελτίους ποιοῦσιν;   5
μάλιστα.
πότερον ἅπαντες, ἢ οἱ μὲν αὐτῶν, οἱ δ᾽ οὔ;
ἅπαντες.

εὖ γε νὴ τὴν Ἥραν λέγεις καὶ πολλὴν ἀφθονίαν τῶν
ὠφελούντων. τί δὲ δή; οἱ δὲ ἀκροαταὶ βελτίους ποιοῦσιν 10
ἢ οὔ;   25

καὶ οὗτοι.

τί δέ, οἱ βουλευταί;

καὶ οἱ βουλευταί.

ἀλλ᾽ ἄρα, ὦ Μέλητε, μὴ οἱ ἐν τῇ ἐκκλησίᾳ, οἱ ἐκκλη- 5
σιασταί, διαφθείρουσι τοὺς νεωτέρους; ἢ κἀκεῖνοι βελτίους
ποιοῦσιν ἅπαντες;

κἀκεῖνοι.

πάντες ἄρα, ὡς ἔοικεν, Ἀθηναῖοι καλοὺς κἀγαθοὺς
ποιοῦσι πλὴν ἐμοῦ, ἐγὼ δὲ μόνος διαφθείρω. οὕτω λέγεις; 10
πάνυ σφόδρα ταῦτα λέγω.

πολλήν γέ μου κατέγνωκας δυστυχίαν. καί μοι ἀπό-
κριναι· ἦ καὶ περὶ ἵππους οὕτω σοι δοκεῖ ἔχειν; οἱ μὲν
βελτίους ποιοῦντες αὐτοὺς πάντες ἄνθρωποι εἶναι, εἷς δέ b
τις ὁ διαφθείρων; ἢ τοὐναντίον τούτου πᾶν εἷς μέν τις ὁ
βελτίους οἷός τ᾽ ὢν ποιεῖν ἢ πάνυ ὀλίγοι, οἱ ἱππικοί, οἱ δὲ
πολλοὶ ἐάνπερ συνῶσι καὶ χρῶνται ἵπποις, διαφθείρουσιν;
οὐχ οὕτως ἔχει, ὦ Μέλητε, καὶ περὶ ἵππων καὶ τῶν ἄλλων 5
ἁπάντων ζῴων; πάντως δήπου, ἐάντε σὺ καὶ Ἄνυτος οὐ
φῆτε ἐάντε φῆτε· πολλὴ γὰρ ἄν τις εὐδαιμονία εἴη περὶ
τοὺς νέους εἰ εἷς μὲν μόνος αὐτοὺς διαφθείρει, οἱ δ᾽ ἄλλοι
ὠφελοῦσιν. ἀλλὰ γάρ, ὦ Μέλητε, ἱκανῶς ἐπιδείκνυσαι c
ὅτι οὐδεπώποτε ἐφρόντισας τῶν νέων, καὶ σαφῶς ἀποφαί-
νεις τὴν σαυτοῦ ἀμέλειαν, ὅτι οὐδέν σοι μεμέληκεν περὶ ὧν
ἐμὲ εἰσάγεις.

ἔτι δὲ ἡμῖν εἰπέ, ὦ πρὸς Διὸς Μέλητε, πότερόν ἐστιν 5
οἰκεῖν ἄμεινον ἐν πολίταις χρηστοῖς ἢ πονηροῖς; ὦ τάν, ἀπό-
κριναι· οὐδὲν γάρ τοι χαλεπὸν ἐρωτῶ. οὐχ οἱ μὲν πονηροὶ

κακόν τι ἐργάζονται τοὺς ἀεὶ ἐγγυτάτω αὑτῶν ὄντας, οἱ δ᾽
ἀγαθοὶ ἀγαθόν τι;

πάνυ γε.	10

ἔστιν οὖν ὅστις βούλεται ὑπὸ τῶν συνόντων βλάπτεσθαι	d
μᾶλλον ἢ ὠφελεῖσθαι; ἀποκρίνου, ὦ ἀγαθέ· καὶ γὰρ ὁ νόμος
κελεύει ἀποκρίνεσθαι. ἔσθ᾽ ὅστις βούλεται βλάπτεσθαι;
οὐ δῆτα.

φέρε δή, πότερον ἐμὲ εἰσάγεις δεῦρο ὡς διαφθείροντα τοὺς	5
νέους καὶ πονηροτέρους ποιοῦντα ἑκόντα ἢ ἄκοντα;
ἑκόντα ἔγωγε.

τί δῆτα, ὦ Μέλητε; τοσοῦτον σὺ ἐμοῦ σοφώτερος εἶ τη-
λικούτου ὄντος τηλικόσδε ὤν, ὥστε σὺ μὲν ἔγνωκας ὅτι οἱ
μὲν κακοὶ κακόν τι ἐργάζονται ἀεὶ τοὺς μάλιστα πλησίον	10
ἑαυτῶν, οἱ δὲ ἀγαθοὶ ἀγαθόν, ἐγὼ δὲ δὴ εἰς τοσοῦτον ἀμα-	e
θίας ἥκω ὥστε καὶ τοῦτ᾽ ἀγνοῶ, ὅτι ἐάν τινα μοχθηρὸν
ποιήσω τῶν συνόντων, κινδυνεύσω κακόν τι λαβεῖν ὑπ᾽ αὐτοῦ,
ὥστε τοῦτο ⟨τὸ⟩ τοσοῦτον κακὸν ἑκὼν ποιῶ, ὡς φῂς σύ;
ταῦτα ἐγώ σοι οὐ πείθομαι, ὦ Μέλητε, οἶμαι δὲ οὐδὲ ἄλλον	5
ἀνθρώπων οὐδένα· ἀλλ᾽ ἢ οὐ διαφθείρω, ἢ εἰ διαφθείρω,
ἄκων, ὥστε σύ γε κατ᾽ ἀμφότερα ψεύδῃ. εἰ δὲ ἄκων δια-	26
φθείρω τῶν τοιούτων [καὶ ἀκουσίων] ἁμαρτημάτων οὐ δεῦρο
νόμος εἰσάγειν ἐστίν, ἀλλὰ ἰδίᾳ λαβόντα διδάσκειν καὶ νου-
θετεῖν· δῆλον γὰρ ὅτι ἐὰν μάθω, παύσομαι ὅ γε ἄκων ποιῶ.
σὺ δὲ συγγενέσθαι μέν μοι καὶ διδάξαι ἔφυγες καὶ οὐκ	5
ἠθέλησας, δεῦρο δὲ εἰσάγεις, οἷ νόμος ἐστὶν εἰσάγειν τοὺς
κολάσεως δεομένους ἀλλ᾽ οὐ μαθήσεως.

ἀλλὰ γάρ, ὦ ἄνδρες Ἀθηναῖοι, τοῦτο μὲν ἤδη δῆλον
οὑγὼ ἔλεγον, ὅτι Μελήτῳ τούτων οὔτε μέγα οὔτε μικρὸν	b
πώποτε ἐμέλησεν. ὅμως δὲ δὴ λέγε ἡμῖν, πῶς με φῂς

διαφθείρειν, ὦ Μέλητε, τοὺς νεωτέρους; ἢ δῆλον δὴ ὅτι
κατὰ τὴν γραφὴν ἣν ἐγράψω θεοὺς διδάσκοντα μὴ νομίζειν
οὓς ἡ πόλις νομίζει, ἕτερα δὲ δαιμόνια καινά; οὐ ταῦτα 5
λέγεις ὅτι διδάσκων διαφθείρω;

πάνυ μὲν οὖν σφόδρα ταῦτα λέγω.

πρὸς αὐτῶν τοίνυν, ὦ Μέλητε, τούτων τῶν θεῶν ὧν νῦν
ὁ λόγος ἐστίν, εἰπὲ ἔτι σαφέστερον καὶ ἐμοὶ καὶ τοῖς ἀν-
δράσιν τουτοισί. ἐγὼ γὰρ οὐ δύναμαι μαθεῖν πότερον λέγεις c
διδάσκειν με νομίζειν εἶναί τινας θεούς--καὶ αὐτὸς ἄρα νομίζω
εἶναι θεοὺς καὶ οὐκ εἰμὶ τὸ παράπαν ἄθεος οὐδὲ ταύτῃ ἀδικῶ
—οὐ μέντοι οὕσπερ γε ἡ πόλις ἀλλὰ ἑτέρους, καὶ τοῦτ᾽ ἔστιν
ὅ μοι ἐγκαλεῖς, ὅτι ἑτέρους, ἢ παντάπασί με φῂς οὔτε 5
αὐτὸν νομίζειν θεοὺς τούς τε ἄλλους ταῦτα διδάσκειν.

ταῦτα λέγω, ὡς τὸ παράπαν οὐ νομίζεις θεούς.

ὦ θαυμάσιε Μέλητε, ἵνα τί ταῦτα λέγεις; οὐδὲ ἥλιον d
οὐδὲ σελήνην ἄρα νομίζω θεοὺς εἶναι, ὥσπερ οἱ ἄλλοι ἄν-
θρωποι;

μὰ Δί᾽, ὦ ἄνδρες δικασταί, ἐπεὶ τὸν μὲν ἥλιον λίθον
φησὶν εἶναι, τὴν δὲ σελήνην γῆν. 5

Ἀναξαγόρου οἴει κατηγορεῖν, ὦ φίλε Μέλητε; καὶ οὕτω
καταφρονεῖς τῶνδε καὶ οἴει αὐτοὺς ἀπείρους γραμμάτων εἶναι
ὥστε οὐκ εἰδέναι ὅτι τὰ Ἀναξαγόρου βιβλία τοῦ Κλαζομε-
νίου γέμει τούτων τῶν λόγων; καὶ δὴ καὶ οἱ νέοι ταῦτα παρ᾽
ἐμοῦ μανθάνουσιν, ἃ ἔξεστιν ἐνίοτε εἰ πάνυ πολλοῦ δραχμῆς 10
ἐκ τῆς ὀρχήστρας πριαμένοις Σωκράτους καταγελᾶν, ἐὰν e
προσποιῆται ἑαυτοῦ εἶναι, ἄλλως τε καὶ οὕτως ἄτοπα ὄντα;
ἀλλ᾽, ὦ πρὸς Διός, οὑτωσί σοι δοκῶ; οὐδένα νομίζω θεὸν
εἶναι;

οὐ μέντοι μὰ Δία οὐδ᾽ ὁπωστιοῦν. 5

ἄπιστός γ᾽ εἶ, ὦ Μέλητε, καὶ ταῦτα μέντοι, ὡς ἐμοὶ
δοκεῖς, σαυτῷ. ἐμοὶ γὰρ δοκεῖ οὑτοσί, ὦ ἄνδρες Ἀθηναῖοι,
πάνυ εἶναι ὑβριστὴς καὶ ἀκόλαστος, καὶ ἀτεχνῶς τὴν γρα-
φὴν ταύτην ὕβρει τινὶ καὶ ἀκολασίᾳ καὶ νεότητι γράψασθαι.
ἔοικεν γὰρ ὥσπερ αἴνιγμα συντιθέντι διαπειρωμένῳ "ἆρα 27
γνώσεται Σωκράτης ὁ σοφὸς δὴ ἐμοῦ χαριεντιζομένου καὶ
ἐναντί᾽ ἐμαυτῷ λέγοντος, ἢ ἐξαπατήσω αὐτὸν καὶ τοὺς ἄλ-
λους τοὺς ἀκούοντας;" οὗτος γὰρ ἐμοὶ φαίνεται τὰ ἐναντία
λέγειν αὐτὸς ἑαυτῷ ἐν τῇ γραφῇ ὥσπερ ἂν εἰ εἴποι· "ἀδικεῖ 5
Σωκράτης θεοὺς οὐ νομίζων, ἀλλὰ θεοὺς νομίζων." καίτοι
τοῦτό ἐστι παίζοντος.

συνεπισκέψασθε δή, ὦ ἄνδρες, ᾗ μοι φαίνεται ταῦτα
λέγειν· σὺ δὲ ἡμῖν ἀπόκριναι, ὦ Μέλητε. ὑμεῖς δέ, ὅπερ
κατ᾽ ἀρχὰς ὑμᾶς παρῃτησάμην, μέμνησθέ μοι μὴ θορυβεῖν b
ἐὰν ἐν τῷ εἰωθότι τρόπῳ τοὺς λόγους ποιῶμαι.

ἔστιν ὅστις ἀνθρώπων, ὦ Μέλητε, ἀνθρώπεια μὲν νομίζει
πράγματ᾽ εἶναι, ἀνθρώπους δὲ οὐ νομίζει; ἀποκρινέσθω, ὦ
ἄνδρες, καὶ μὴ ἄλλα καὶ ἄλλα θορυβείτω· ἔσθ᾽ ὅστις ἵππους 5
μὲν οὐ νομίζει, ἱππικὰ δὲ πράγματα; ἢ αὐλητὰς μὲν οὐ
νομίζει εἶναι, αὐλητικὰ δὲ πράγματα; οὐκ ἔστιν, ὦ ἄριστε
ἀνδρῶν· εἰ μὴ σὺ βούλει ἀποκρίνεσθαι, ἐγὼ σοὶ λέγω καὶ
τοῖς ἄλλοις τουτοισί. ἀλλὰ τὸ ἐπὶ τούτῳ γε ἀπόκριναι·
ἔσθ᾽ ὅστις δαιμόνια μὲν νομίζει πράγματ᾽ εἶναι, δαίμονας δὲ c
οὐ νομίζει;

οὐκ ἔστιν.

ὡς ὤνησας ὅτι μόγις ἀπεκρίνω ὑπὸ τουτωνὶ ἀναγκαζό-
μενος. οὐκοῦν δαιμόνια μὲν φῄς με καὶ νομίζειν καὶ διδά- 5
σκειν, εἴτ᾽ οὖν καινὰ εἴτε παλαιά, ἀλλ᾽ οὖν δαιμόνιά γε
νομίζω κατὰ τὸν σὸν λόγον, καὶ ταῦτα καὶ διωμόσω ἐν τῇ
ἀντιγραφῇ. εἰ δὲ δαιμόνια νομίζω, καὶ δαίμονας δήπου

πολλὴ ἀνάγκη νομίζειν μέ ἐστιν· οὐχ οὕτως ἔχει; ἔχει δή·
τίθημι γάρ σε ὁμολογοῦντα, ἐπειδὴ οὐκ ἀποκρίνῃ. τοὺς δὲ   10
δαίμονας οὐχὶ ἤτοι θεούς γε ἡγούμεθα ἢ θεῶν παῖδας; φῂς   d
ἢ οὔ;

πάνυ γε.

οὐκοῦν εἴπερ δαίμονας ἡγοῦμαι, ὡς σὺ φῄς, εἰ μὲν θεοί
τινές εἰσιν οἱ δαίμονες, τοῦτ' ἂν εἴη ὃ ἐγώ φημί σε αἰνίτ-   5
τεσθαι καὶ χαριεντίζεσθαι, θεοὺς οὐχ ἡγούμενον φάναι με
θεοὺς αὖ ἡγεῖσθαι πάλιν, ἐπειδήπερ γε δαίμονας ἡγοῦμαι·
εἰ δ' αὖ οἱ δαίμονες θεῶν παῖδές εἰσιν νόθοι τινὲς ἢ ἐκ νυμ-
φῶν ἢ ἔκ τινων ἄλλων ὧν δὴ καὶ λέγονται, τίς ἂν ἀνθρώ-
πων θεῶν μὲν παῖδας ἡγοῖτο εἶναι, θεοὺς δὲ μή; ὁμοίως γὰρ   10
ἂν ἄτοπον εἴη ὥσπερ ἂν εἴ τις ἵππων μὲν παῖδας ἡγοῖτο   e
ἢ καὶ ὄνων, τοὺς ἡμιόνους, ἵππους δὲ καὶ ὄνους μὴ ἡγοῖτο
εἶναι. ἀλλ', ὦ Μέλητε, οὐκ ἔστιν ὅπως σὺ ταῦτα οὐχὶ
ἀποπειρώμενος ἡμῶν ἐγράψω τὴν γραφὴν ταύτην ἢ ἀπορῶν
ὅ τι ἐγκαλοῖς ἐμοὶ ἀληθὲς ἀδίκημα· ὅπως δὲ σύ τινα πείθοις   5
ἂν καὶ σμικρὸν νοῦν ἔχοντα ἀνθρώπων, ὡς οὐ τοῦ αὐτοῦ
ἔστιν καὶ δαιμόνια καὶ θεῖα ἡγεῖσθαι, καὶ αὖ τοῦ αὐτοῦ μήτε
δαίμονας μήτε θεοὺς μήτε ἥρωας, οὐδεμία μηχανή ἐστιν.   28

ἀλλὰ γάρ, ὦ ἄνδρες Ἀθηναῖοι, ὡς μὲν ἐγὼ οὐκ ἀδικῶ
κατὰ τὴν Μελήτου γραφήν, οὐ πολλῆς μοι δοκεῖ εἶναι ἀπο-
λογίας, ἀλλὰ ἱκανὰ καὶ ταῦτα· ὃ δὲ καὶ ἐν τοῖς ἔμπροσθεν
ἔλεγον, ὅτι πολλή μοι ἀπέχθεια γέγονεν καὶ πρὸς πολλούς,   5
εὖ ἴστε ὅτι ἀληθές ἐστιν. καὶ τοῦτ' ἔστιν ὃ ἐμὲ αἱρεῖ, ἐάν-
περ αἱρῇ, οὐ Μέλητος οὐδὲ Ἄνυτος ἀλλ' ἡ τῶν πολλῶν δια-
βολή τε καὶ φθόνος. ἃ δὴ πολλοὺς καὶ ἄλλους καὶ ἀγαθοὺς

ἄνδρας ᾕρηκεν, οἶμαι δὲ καὶ αἱρήσει· οὐδὲν δὲ δεινὸν μὴ ἐν   b
ἐμοὶ στῇ.

ἴσως ἂν οὖν εἴποι τις· "εἶτ᾽ οὐκ αἰσχύνῃ, ὦ Σώκρατες,
τοιοῦτον ἐπιτήδευμα ἐπιτηδεύσας ἐξ οὗ κινδυνεύεις νυνὶ ἀπο-
θανεῖν;" ἐγὼ δὲ τούτῳ ἂν δίκαιον λόγον ἀντείποιμι, ὅτι "οὐ   5
καλῶς λέγεις, ὦ ἄνθρωπε, εἰ οἴει δεῖν κίνδυνον ὑπολογίζεσθαι
τοῦ ζῆν ἢ τεθνάναι ἄνδρα ὅτου τι καὶ σμικρὸν ὄφελός ἐστιν,
ἀλλ᾽ οὐκ ἐκεῖνο μόνον σκοπεῖν ὅταν πράττῃ, πότερον δίκαια ἢ
ἄδικα πράττει, καὶ ἀνδρὸς ἀγαθοῦ ἔργα ἢ κακοῦ. φαῦλοι
γὰρ ἂν τῷ γε σῷ λόγῳ εἶεν τῶν ἡμιθέων ὅσοι ἐν Τροίᾳ   c
τετελευτήκασιν οἵ τε ἄλλοι καὶ ὁ τῆς Θέτιδος υἱός, ὃς
τοσοῦτον τοῦ κινδύνου κατεφρόνησεν παρὰ τὸ αἰσχρόν τι
ὑπομεῖναι ὥστε, ἐπειδὴ εἶπεν ἡ μήτηρ αὐτῷ προθυμουμένῳ
Ἕκτορα ἀποκτεῖναι, θεὸς οὖσα, οὑτωσί πως, ὡς ἐγὼ οἶμαι·   5
'ὦ παῖ, εἰ τιμωρήσεις Πατρόκλῳ τῷ ἑταίρῳ τὸν φόνον
καὶ Ἕκτορα ἀποκτενεῖς, αὐτὸς ἀποθανῇ—αὐτίκα γάρ τοι,'
φησί, 'μεθ᾽ Ἕκτορα πότμος ἑτοῖμος'—ὁ δὲ τοῦτο ἀκούσας
τοῦ μὲν θανάτου καὶ τοῦ κινδύνου ὠλιγώρησε, πολὺ δὲ μᾶλ-
λον δείσας τὸ ζῆν κακὸς ὢν καὶ τοῖς φίλοις μὴ τιμωρεῖν,   d
'αὐτίκα,' φησί, 'τεθναίην, δίκην ἐπιθεὶς τῷ ἀδικοῦντι,
ἵνα μὴ ἐνθάδε μένω καταγέλαστος παρὰ νηυσὶ κορωνίσιν
ἄχθος ἀρούρης". μὴ αὐτὸν οἴει φροντίσαι θανάτου καὶ
κινδύνου;"   5

οὕτω γὰρ ἔχει, ὦ ἄνδρες Ἀθηναῖοι, τῇ ἀληθείᾳ· οὗ ἄν τις
ἑαυτὸν τάξῃ ἡγησάμενος βέλτιστον εἶναι ἢ ὑπ᾽ ἄρχοντος
ταχθῇ, ἐνταῦθα δεῖ, ὡς ἐμοὶ δοκεῖ, μένοντα κινδυνεύειν,
μηδὲν ὑπολογιζόμενον μήτε θάνατον μήτε ἄλλο μηδὲν πρὸ
τοῦ αἰσχροῦ. ἐγὼ οὖν δεινὰ ἂν εἴην εἰργασμένος, ὦ ἄνδρες   10
Ἀθηναῖοι, εἰ ὅτε μέν με οἱ ἄρχοντες ἔταττον, οὓς ὑμεῖς εἵλεσθε   e

ἄρχειν μου, καὶ ἐν Ποτειδαίᾳ καὶ ἐν Ἀμφιπόλει καὶ ἐπὶ
Δηλίῳ, τότε μὲν οὗ ἐκεῖνοι ἔταττον ἔμενον ὥσπερ καὶ ἄλλος
τις καὶ ἐκινδύνευον ἀποθανεῖν, τοῦ δὲ θεοῦ τάττοντος, ὡς ἐγὼ
ᾠήθην τε καὶ ὑπέλαβον, φιλοσοφοῦντά με δεῖν ζῆν καὶ ἐξετά- 5
ζοντα ἐμαυτὸν καὶ τοὺς ἄλλους, ἐνταῦθα δὲ φοβηθεὶς ἢ θάνατον
ἢ ἄλλ' ὁτιοῦν πρᾶγμα λίποιμι τὴν τάξιν. δεινόν τἂν εἴη, καὶ 29
ὡς ἀληθῶς τότ' ἄν με δικαίως εἰσάγοι τις εἰς δικαστήριον,
ὅτι οὐ νομίζω θεοὺς εἶναι ἀπειθῶν τῇ μαντείᾳ καὶ δεδιὼς
θάνατον καὶ οἰόμενος σοφὸς εἶναι οὐκ ὤν. τὸ γάρ τοι
θάνατον δεδιέναι, ὦ ἄνδρες, οὐδὲν ἄλλο ἐστὶν ἢ δοκεῖν σοφὸν 5
εἶναι μὴ ὄντα· δοκεῖν γὰρ εἰδέναι ἐστὶν ἃ οὐκ οἶδεν. οἶδε
μὲν γὰρ οὐδεὶς τὸν θάνατον οὐδ' εἰ τυγχάνει τῷ ἀνθρώπῳ
πάντων μέγιστον ὂν τῶν ἀγαθῶν, δεδίασι δ' ὡς εὖ εἰδότες
ὅ τι μέγιστον τῶν κακῶν ἐστι. καίτοι πῶς οὐκ ἀμαθία ἐστὶν b
αὕτη ἡ ἐπονείδιστος, ἡ τοῦ οἴεσθαι εἰδέναι ἃ οὐκ οἶδεν; ἐγὼ
δ', ὦ ἄνδρες, τούτῳ καὶ ἐνταῦθα ἴσως διαφέρω τῶν πολλῶν
ἀνθρώπων, καὶ εἰ δή τῳ σοφώτερός του φαίην εἶναι, τούτῳ
ἄν, ὅτι οὐκ εἰδὼς ἱκανῶς περὶ τῶν ἐν Ἅιδου οὕτω καὶ οἴομαι 5
οὐκ εἰδέναι· τὸ δὲ ἀδικεῖν καὶ ἀπειθεῖν τῷ βελτίονι καὶ θεῷ
καὶ ἀνθρώπῳ, ὅτι κακὸν καὶ αἰσχρόν ἐστιν οἶδα. πρὸ οὖν τῶν
κακῶν ὧν οἶδα ὅτι κακά ἐστιν, ἃ μὴ οἶδα εἰ καὶ ἀγαθὰ ὄντα
τυγχάνει οὐδέποτε φοβήσομαι οὐδὲ φεύξομαι· ὥστε οὐδ' εἰ
με νῦν ὑμεῖς ἀφίετε Ἀνύτῳ ἀπιστήσαντες, ὃς ἔφη ἢ τὴν c
ἀρχὴν οὐ δεῖν ἐμὲ δεῦρο εἰσελθεῖν ἤ, ἐπειδὴ εἰσῆλθον, οὐχ
οἷόν τ' εἶναι τὸ μὴ ἀποκτεῖναί με, λέγων πρὸς ὑμᾶς ὡς εἰ
διαφευξοίμην ἤδη [ἂν] ὑμῶν οἱ ὑεῖς ἐπιτηδεύοντες ἃ Σωκρά-
της διδάσκει πάντες παντάπασι διαφθαρήσονται,—εἴ μοι 5
πρὸς ταῦτα εἴποιτε· "ὦ Σώκρατες, νῦν μὲν Ἀνύτῳ οὐ πει-

σόμεθα ἀλλ' ἀφίεμέν σε, ἐπὶ τούτῳ μέντοι, ἐφ' ᾧτε μηκέτι
ἐν ταύτῃ τῇ ζητήσει διατρίβειν μηδὲ φιλοσοφεῖν· ἐὰν δὲ
ἁλῷς ἔτι τοῦτο πράττων, ἀποθάνῃ"—εἰ οὖν με, ὅπερ εἶπον, d
ἐπὶ τούτοις ἀφίοιτε, εἴποιμ' ἂν ὑμῖν ὅτι "ἐγὼ ὑμᾶς, ὦ ἄνδρες
Ἀθηναῖοι, ἀσπάζομαι μὲν καὶ φιλῶ, πείσομαι δὲ μᾶλλον τῷ
θεῷ ἢ ὑμῖν, καὶ ἕωσπερ ἂν ἐμπνέω καὶ οἷός τε ὦ, οὐ μὴ
παύσωμαι φιλοσοφῶν καὶ ὑμῖν παρακελευόμενός τε καὶ 5
ἐνδεικνύμενος ὅτῳ ἂν ἀεὶ ἐντυγχάνω ὑμῶν, λέγων οἷάπερ
εἴωθα, ὅτι "ὦ ἄριστε ἀνδρῶν, Ἀθηναῖος ὤν, πόλεως τῆς
μεγίστης καὶ εὐδοκιμωτάτης εἰς σοφίαν καὶ ἰσχύν, χρημάτων
μὲν οὐκ αἰσχύνῃ ἐπιμελούμενος ὅπως σοι ἔσται ὡς πλεῖστα,
καὶ δόξης καὶ τιμῆς, φρονήσεως δὲ καὶ ἀληθείας καὶ τῆς e
ψυχῆς ὅπως ὡς βελτίστη ἔσται οὐκ ἐπιμελῇ οὐδὲ φροντί-
ζεις;' καὶ ἐάν τις ὑμῶν ἀμφισβητήσῃ καὶ φῇ ἐπιμελεῖσθαι,
οὐκ εὐθὺς ἀφήσω αὐτὸν οὐδ' ἄπειμι, ἀλλ' ἐρήσομαι αὐτὸν καὶ
ἐξετάσω καὶ ἐλέγξω, καὶ ἐάν μοι μὴ δοκῇ κεκτῆσθαι ἀρετήν, 5
φάναι δέ, ὀνειδιῶ ὅτι τὰ πλείστου ἄξια περὶ ἐλαχίστου ποι- 30
εῖται, τὰ δὲ φαυλότερα περὶ πλείονος. ταῦτα καὶ νεωτέρῳ
καὶ πρεσβυτέρῳ ὅτῳ ἂν ἐντυγχάνω ποιήσω, καὶ ξένῳ καὶ
ἀστῷ, μᾶλλον δὲ τοῖς ἀστοῖς, ὅσῳ μου ἐγγυτέρω ἐστὲ γένει.
ταῦτα γὰρ κελεύει ὁ θεός, εὖ ἴστε, καὶ ἐγὼ οἴομαι οὐδέν πω 5
ὑμῖν μεῖζον ἀγαθὸν γενέσθαι ἐν τῇ πόλει ἢ τὴν ἐμὴν τῷ θεῷ
ὑπηρεσίαν. οὐδὲν γὰρ ἄλλο πράττων ἐγὼ περιέρχομαι ἢ
πείθων ὑμῶν καὶ νεωτέρους καὶ πρεσβυτέρους μήτε σωμάτων
ἐπιμελεῖσθαι μήτε χρημάτων πρότερον μηδὲ οὕτω σφόδρα b
ὡς τῆς ψυχῆς ὅπως ὡς ἀρίστη ἔσται, λέγων ὅτι 'οὐκ ἐκ
χρημάτων ἀρετὴ γίγνεται, ἀλλ' ἐξ ἀρετῆς χρήματα καὶ τὰ
ἄλλα ἀγαθὰ τοῖς ἀνθρώποις ἅπαντα καὶ ἰδίᾳ καὶ δημοσίᾳ'.

εἰ μὲν οὖν ταῦτα λέγων διαφθείρω τοὺς νέους, ταῦτ᾽ ἂν εἴη 5
βλαβερά· εἰ δέ τίς μέ φησιν ἄλλα λέγειν ἢ ταῦτα, οὐδὲν
λέγει. πρὸς ταῦτα," φαίην ἄν, "ὦ ἄνδρες Ἀθηναῖοι, ἢ
πείθεσθε Ἀνύτῳ ἢ μή, καὶ ἢ ἀφίετέ με ἢ μή, ὡς ἐμοῦ οὐκ
ἂν ποιήσαντος ἄλλα, οὐδ᾽ εἰ μέλλω πολλάκις τεθνάναι." c
μὴ θορυβεῖτε, ὦ ἄνδρες Ἀθηναῖοι, ἀλλ᾽ ἐμμείνατέ μοι
οἷς ἐδεήθην ὑμῶν, μὴ θορυβεῖν ἐφ᾽ οἷς ἂν λέγω ἀλλ᾽ ἀκούειν·
καὶ γάρ, ὡς ἐγὼ οἶμαι, ὀνήσεσθε ἀκούοντες. μέλλω γὰρ οὖν
ἄττα ὑμῖν ἐρεῖν καὶ ἄλλα ἐφ᾽ οἷς ἴσως βοήσεσθε· ἀλλὰ 5
μηδαμῶς ποιεῖτε τοῦτο. εὖ γὰρ ἴστε, ἐάν με ἀποκτείνητε
τοιοῦτον ὄντα οἷον ἐγὼ λέγω, οὐκ ἐμὲ μείζω βλάψετε ἢ
ὑμᾶς αὐτούς· ἐμὲ μὲν γὰρ οὐδὲν ἂν βλάψειεν οὔτε Μέλητος
οὔτε Ἄνυτος--οὐδὲ γὰρ ἂν δύναιτο--οὐ γὰρ οἴομαι θεμιτὸν
εἶναι ἀμείνονι ἀνδρὶ ὑπὸ χείρονος βλάπτεσθαι. ἀποκτείνειε d
μεντἂν ἴσως ἢ ἐξελάσειεν ἢ ἀτιμώσειεν· ἀλλὰ ταῦτα οὗτος
μὲν ἴσως οἴεται καὶ ἄλλος τίς που μεγάλα κακά, ἐγὼ δ᾽ οὐκ
οἴομαι, ἀλλὰ πολὺ μᾶλλον ποιεῖν ἃ οὑτοσὶ νῦν ποιεῖ, ἄνδρα
ἀδίκως ἐπιχειρεῖν ἀποκτεινύναι. νῦν οὖν, ὦ ἄνδρες Ἀθη- 5
ναῖοι, πολλοῦ δέω ἐγὼ ὑπὲρ ἐμαυτοῦ ἀπολογεῖσθαι, ὥς τις
ἂν οἴοιτο, ἀλλὰ ὑπὲρ ὑμῶν, μή τι ἐξαμάρτητε περὶ τὴν τοῦ
θεοῦ δόσιν ὑμῖν ἐμοῦ καταψηφισάμενοι. ἐὰν γάρ με ἀπο- e
κτείνητε, οὐ ῥᾳδίως ἄλλον τοιοῦτον εὑρήσετε, ἀτεχνῶς—εἰ
καὶ γελοιότερον εἰπεῖν—προσκείμενον τῇ πόλει ὑπὸ τοῦ θεοῦ
ὥσπερ ἵππῳ μεγάλῳ μὲν καὶ γενναίῳ, ὑπὸ μεγέθους δὲ νωθε-
στέρῳ καὶ δεομένῳ ἐγείρεσθαι ὑπὸ μύωπός τινος, οἷον δή 5
μοι δοκεῖ ὁ θεὸς ἐμὲ τῇ πόλει προστεθηκέναι τοιοῦτόν τινα,
ὃς ὑμᾶς ἐγείρων καὶ πείθων καὶ ὀνειδίζων ἕνα ἕκαστον
οὐδὲν παύομαι τὴν ἡμέραν ὅλην πανταχοῦ προσκαθίζων. 31

τοιοῦτος οὖν ἄλλος οὐ ῥᾳδίως ὑμῖν γενήσεται, ὦ ἄνδρες,
ἀλλ᾽ ἐὰν ἐμοὶ πείθησθε, φείσεσθέ μου· ὑμεῖς δ᾽ ἴσως τάχ᾽
ἂν ἀχθόμενοι, ὥσπερ οἱ νυστάζοντες ἐγειρόμενοι, κρούσαντες
ἄν με, πειθόμενοι Ἀνύτῳ, ῥᾳδίως ἂν ἀποκτείναιτε, εἶτα τὸν 5
λοιπὸν βίον καθεύδοντες διατελοῖτε ἄν, εἰ μή τινα ἄλλον ὁ
θεὸς ὑμῖν ἐπιπέμψειεν κηδόμενος ὑμῶν. ὅτι δ᾽ ἐγὼ τυγχάνω
ὢν τοιοῦτος οἷος ὑπὸ τοῦ θεοῦ τῇ πόλει δεδόσθαι, ἐνθένδε
ἂν κατανοήσαιτε· οὐ γὰρ ἀνθρωπίνῳ ἔοικε τὸ ἐμὲ τῶν b
μὲν ἐμαυτοῦ πάντων ἠμεληκέναι καὶ ἀνέχεσθαι τῶν οἰκείων
ἀμελουμένων τοσαῦτα ἤδη ἔτη, τὸ δὲ ὑμέτερον πράττειν ἀεί,
ἰδίᾳ ἑκάστῳ προσιόντα ὥσπερ πατέρα ἢ ἀδελφὸν πρεσβύ-
τερον πείθοντα ἐπιμελεῖσθαι ἀρετῆς. καὶ εἰ μέν τι ἀπὸ 5
τούτων ἀπέλαυον καὶ μισθὸν λαμβάνων ταῦτα παρεκε-
λευόμην, εἶχον ἄν τινα λόγον· νῦν δὲ ὁρᾶτε δὴ καὶ αὐτοὶ
ὅτι οἱ κατήγοροι τἆλλα πάντα ἀναισχύντως οὕτω κατη-
γοροῦντες τοῦτό γε οὐχ οἷοί τε ἐγένοντο ἀπαναισχυντῆσαι
παρασχόμενοι μάρτυρα, ὡς ἐγώ ποτέ τινα ἢ ἐπραξάμην c
μισθὸν ἢ ᾔτησα. ἱκανὸν γάρ, οἶμαι, ἐγὼ παρέχομαι τὸν
μάρτυρα ὡς ἀληθῆ λέγω, τὴν πενίαν.

ἴσως ἂν οὖν δόξειεν ἄτοπον εἶναι, ὅ τι δὴ ἐγὼ ἰδίᾳ μὲν
ταῦτα συμβουλεύω περιιὼν καὶ πολυπραγμονῶ, δημοσίᾳ δὲ 5
οὐ τολμῶ ἀναβαίνων εἰς τὸ πλῆθος τὸ ὑμέτερον συμβου-
λεύειν τῇ πόλει. τούτου δὲ αἴτιόν ἐστιν ὃ ὑμεῖς ἐμοῦ
πολλάκις ἀκηκόατε πολλαχοῦ λέγοντος, ὅτι μοι θεῖόν τι καὶ
δαιμόνιον γίγνεται [φωνή], ὃ δὴ καὶ ἐν τῇ γραφῇ ἐπικω- d
μῳδῶν Μέλητος ἐγράψατο. ἐμοὶ δὲ τοῦτ᾽ ἔστιν ἐκ παιδὸς
ἀρξάμενον, φωνή τις γιγνομένη, ἣ ὅταν γένηται, ἀεὶ ἀπο-
τρέπει με τοῦτο ὃ ἂν μέλλω πράττειν, προτρέπει δὲ οὔποτε.
τοῦτ᾽ ἔστιν ὅ μοι ἐναντιοῦται τὰ πολιτικὰ πράττειν, καὶ 5

παγκάλως γέ μοι δοκεῖ ἐναντιοῦσθαι· εὖ γὰρ ἴστε, ὦ ἄνδρες
Ἀθηναῖοι, εἰ ἐγὼ πάλαι ἐπεχείρησα πράττειν τὰ πολιτικὰ
πράγματα, πάλαι ἂν ἀπολώλη καὶ οὔτ᾽ ἂν ὑμᾶς ὠφελήκη
οὐδὲν οὔτ᾽ ἂν ἐμαυτόν. καί μοι μὴ ἄχθεσθε λέγοντι τἀληθῆ· e
οὐ γὰρ ἔστιν ὅστις ἀνθρώπων σωθήσεται οὔτε ὑμῖν οὔτε
ἄλλῳ πλήθει οὐδενὶ γνησίως ἐναντιούμενος καὶ διακωλύων
πολλὰ ἄδικα καὶ παράνομα ἐν τῇ πόλει γίγνεσθαι, ἀλλ᾽
ἀναγκαῖόν ἐστι τὸν τῷ ὄντι μαχούμενον ὑπὲρ τοῦ δικαίου, 32
καὶ εἰ μέλλει ὀλίγον χρόνον σωθήσεσθαι, ἰδιωτεύειν ἀλλὰ
μὴ δημοσιεύειν.

μεγάλα δ᾽ ἔγωγε ὑμῖν τεκμήρια παρέξομαι τούτων, οὐ
λόγους ἀλλ᾽ ὃ ὑμεῖς τιμᾶτε, ἔργα. ἀκούσατε δή μοι τὰ 5
συμβεβηκότα, ἵνα εἰδῆτε ὅτι οὐδ᾽ ἂν ἑνὶ ὑπεικάθοιμι παρὰ
τὸ δίκαιον δείσας θάνατον, μὴ ὑπείκων δὲ ἀλλὰ κἂν ἀπο-
λοίμην. ἐρῶ δὲ ὑμῖν φορτικὰ μὲν καὶ δικανικά, ἀληθῆ δέ.
ἐγὼ γάρ, ὦ ἄνδρες Ἀθηναῖοι, ἄλλην μὲν ἀρχὴν οὐδεμίαν
πώποτε ἦρξα ἐν τῇ πόλει, ἐβούλευσα δέ· καὶ ἔτυχεν ἡμῶν b
ἡ φυλὴ Ἀντιοχὶς πρυτανεύουσα ὅτε ὑμεῖς τοὺς δέκα
στρατηγοὺς τοὺς οὐκ ἀνελομένους τοὺς ἐκ τῆς ναυμαχίας
ἐβουλεύσασθε ἀθρόους κρίνειν, παρανόμως, ὡς ἐν τῷ ὑστέρῳ
χρόνῳ πᾶσιν ὑμῖν ἔδοξεν. τότ᾽ ἐγὼ μόνος τῶν πρυτάνεων 5
ἠναντιώθην ὑμῖν μηδὲν ποιεῖν παρὰ τοὺς νόμους καὶ ἐναντία
ἐψηφισάμην· καὶ ἑτοίμων ὄντων ἐνδεικνύναι με καὶ ἀπάγειν
τῶν ῥητόρων, καὶ ὑμῶν κελευόντων καὶ βοώντων, μετὰ τοῦ
νόμου καὶ τοῦ δικαίου ᾤμην μᾶλλόν με δεῖν διακινδυνεύειν c
ἢ μεθ᾽ ὑμῶν γενέσθαι μὴ δίκαια βουλευομένων, φοβηθέντα
δεσμὸν ἢ θάνατον. καὶ ταῦτα μὲν ἦν ἔτι δημοκρατουμένης
τῆς πόλεως· ἐπειδὴ δὲ ὀλιγαρχία ἐγένετο, οἱ τριάκοντα αὖ

μεταπεμψάμενοί με πέμπτον αὐτὸν εἰς τὴν θόλον προσέταξαν 5
ἀγαγεῖν ἐκ Σαλαμῖνος Λέοντα τὸν Σαλαμίνιον ἵνα ἀποθάνοι,
οἷα δὴ καὶ ἄλλοις ἐκεῖνοι πολλοῖς πολλὰ προσέταττον, βου-
λόμενοι ὡς πλείστους ἀναπλῆσαι αἰτιῶν. τότε μέντοι ἐγὼ
οὐ λόγῳ ἀλλ᾽ ἔργῳ αὖ ἐνεδειξάμην ὅτι ἐμοὶ θανάτου μὲν d
μέλει, εἰ μὴ ἀγροικότερον ἦν εἰπεῖν, οὐδ᾽ ὁτιοῦν, τοῦ δὲ μηδὲν
ἄδικον μηδ᾽ ἀνόσιον ἐργάζεσθαι, τούτου δὲ τὸ πᾶν μέλει.
ἐμὲ γὰρ ἐκείνη ἡ ἀρχὴ οὐκ ἐξέπληξεν, οὕτως ἰσχυρὰ οὖσα,
ὥστε ἄδικόν τι ἐργάσασθαι, ἀλλ᾽ ἐπειδὴ ἐκ τῆς θόλου 5
ἐξήλθομεν, οἱ μὲν τέτταρες ᾤχοντο εἰς Σαλαμῖνα καὶ ἤγαγον
Λέοντα, ἐγὼ δὲ ᾠχόμην ἀπιὼν οἴκαδε. καὶ ἴσως ἂν διὰ
ταῦτα ἀπέθανον, εἰ μὴ ἡ ἀρχὴ διὰ ταχέων κατελύθη. καὶ
τούτων ὑμῖν ἔσονται πολλοὶ μάρτυρες. e

ἆρ᾽ οὖν ἂν με οἴεσθε τοσάδε ἔτη διαγενέσθαι εἰ ἔπραττον
τὰ δημόσια, καὶ πράττων ἀξίως ἀνδρὸς ἀγαθοῦ ἐβοήθουν
τοῖς δικαίοις καὶ ὥσπερ χρὴ τοῦτο περὶ πλείστου ἐποιούμην;
πολλοῦ γε δεῖ, ὦ ἄνδρες Ἀθηναῖοι· οὐδὲ γὰρ ἂν ἄλλος 5
ἀνθρώπων οὐδείς. ἀλλ᾽ ἐγὼ διὰ παντὸς τοῦ βίου δημοσίᾳ 33
τε εἴ πού τι ἔπραξα τοιοῦτος φανοῦμαι, καὶ ἰδίᾳ ὁ αὐτὸς
οὗτος, οὐδενὶ πώποτε συγχωρήσας οὐδὲν παρὰ τὸ δίκαιον
οὔτε ἄλλῳ οὔτε τούτων οὐδενὶ οὓς δὴ διαβάλλοντες ἐμέ
φασιν ἐμοὺς μαθητὰς εἶναι. ἐγὼ δὲ διδάσκαλος μὲν οὐδενὸς 5
πώποτ᾽ ἐγενόμην· εἰ δέ τίς μου λέγοντος καὶ τὰ ἐμαυτοῦ
πράττοντος ἐπιθυμοῖ ἀκούειν, εἴτε νεώτερος εἴτε πρεσβύτερος,
οὐδενὶ πώποτε ἐφθόνησα, οὐδὲ χρήματα μὲν λαμβάνων διαλέ-
γομαι μὴ λαμβάνων δὲ οὔ, ἀλλ᾽ ὁμοίως καὶ πλουσίῳ καὶ b
πένητι παρέχω ἐμαυτὸν ἐρωτᾶν, καὶ ἐάν τις βούληται
ἀποκρινόμενος ἀκούειν ὧν ἂν λέγω. καὶ τούτων ἐγὼ εἴτε
τις χρηστὸς γίγνεται εἴτε μή, οὐκ ἂν δικαίως τὴν αἰτίαν
ὑπέχοιμι, ὧν μήτε ὑπεσχόμην μηδενὶ μηδὲν πώποτε μάθημα 5
μήτε ἐδίδαξα· εἰ δέ τίς φησι παρ᾽ ἐμοῦ πώποτέ τι μαθεῖν ἢ

ἀκοῦσαι ἰδίᾳ ὅ τι μὴ καὶ οἱ ἄλλοι πάντες, εὖ ἴστε ὅτι οὐκ
ἀληθῆ λέγει.

ἀλλὰ διὰ τί δή ποτε μετ᾽ ἐμοῦ χαίρουσί τινες πολὺν
χρόνον διατρίβοντες; ἀκηκόατε, ὦ ἄνδρες Ἀθηναῖοι, πᾶσαν   c
ὑμῖν τὴν ἀλήθειαν ἐγὼ εἶπον· ὅτι ἀκούοντες χαίρουσιν
ἐξεταζομένοις τοῖς οἰομένοις μὲν εἶναι σοφοῖς, οὖσι δ᾽ οὔ.
ἔστι γὰρ οὐκ ἀηδές. ἐμοὶ δὲ τοῦτο, ὡς ἐγώ φημι, προστέ-
τακται ὑπὸ τοῦ θεοῦ πράττειν καὶ ἐκ μαντείων καὶ ἐξ ἐνυπνίων   5
καὶ παντὶ τρόπῳ ᾧπέρ τίς ποτε καὶ ἄλλη θεία μοῖρα ἀνθρώπῳ
καὶ ὁτιοῦν προσέταξε πράττειν. ταῦτα, ὦ ἄνδρες Ἀθηναῖοι,
καὶ ἀληθῆ ἐστιν καὶ εὐέλεγκτα. εἰ γὰρ δὴ ἔγωγε τῶν νέων
τοὺς μὲν διαφθείρω τοὺς δὲ διέφθαρκα, χρῆν δήπου, εἴτε   d
τινὲς αὐτῶν πρεσβύτεροι γενόμενοι ἔγνωσαν ὅτι νέοις οὖσιν
αὐτοῖς ἐγὼ κακὸν πώποτέ τι συνεβούλευσα, νυνὶ αὐτοὺς
ἀναβαίνοντας ἐμοῦ κατηγορεῖν καὶ τιμωρεῖσθαι· εἰ δὲ μὴ
αὐτοὶ ἤθελον, τῶν οἰκείων τινὰς τῶν ἐκείνων, πατέρας καὶ   5
ἀδελφοὺς καὶ ἄλλους τοὺς προσήκοντας, εἴπερ ὑπ᾽ ἐμοῦ τι
κακὸν ἐπεπόνθεσαν αὐτῶν οἱ οἰκεῖοι, νῦν μεμνῆσθαι καὶ
τιμωρεῖσθαι. πάντως δὲ πάρεισιν αὐτῶν πολλοὶ ἐνταυθοῖ
οὓς ἐγὼ ὁρῶ, πρῶτον μὲν Κρίτων οὑτοσί, ἐμὸς ἡλικιώτης
καὶ δημότης, Κριτοβούλου τοῦδε πατήρ, ἔπειτα Λυσανίας ὁ   e
Σφήττιος, Αἰσχίνου τοῦδε πατήρ, ἔτι δ᾽ Ἀντιφῶν ὁ Κηφι-
σιεὺς οὑτοσί, Ἐπιγένους πατήρ, ἄλλοι τοίνυν οὗτοι ὧν οἱ
ἀδελφοὶ ἐν ταύτῃ τῇ διατριβῇ γεγόνασιν, Νικόστρατος
Θεοζοτίδου, ἀδελφὸς Θεοδότου--καὶ ὁ μὲν Θεόδοτος τετε-   5
λεύτηκεν, ὥστε οὐκ ἂν ἐκεῖνός γε αὐτοῦ καταδεηθείη—καὶ
Παράλιος ὅδε, ὁ Δημοδόκου, οὗ ἦν Θεάγης ἀδελφός· ὅδε δὲ
Ἀδείμαντος, ὁ Ἀρίστωνος, οὗ ἀδελφὸς οὑτοσὶ Πλάτων, καὶ   34

Αἰαντόδωρος, οὗ Ἀπολλόδωρος ὅδε ἀδελφός. καὶ ἄλλους
πολλοὺς ἐγὼ ἔχω ὑμῖν εἰπεῖν, ὧν τινα ἐχρῆν μάλιστα μὲν ἐν
τῷ ἑαυτοῦ λόγῳ παρασχέσθαι Μέλητον μάρτυρα· εἰ δὲ τότε
ἐπελάθετο, νῦν παρασχέσθω—ἐγὼ παραχωρῶ—καὶ λεγέτω 5
εἴ τι ἔχει τοιοῦτον. ἀλλὰ τούτου πᾶν τοὐναντίον εὑρήσετε,
ὦ ἄνδρες, πάντας ἐμοὶ βοηθεῖν ἑτοίμους τῷ διαφθείροντι, τῷ
κακὰ ἐργαζομένῳ τοὺς οἰκείους αὐτῶν, ὥς φασι Μέλητος καὶ
Ἄνυτος. αὐτοὶ μὲν γὰρ οἱ διεφθαρμένοι τάχ᾽ ἂν λόγον b
ἔχοιεν βοηθοῦντες· οἱ δὲ ἀδιάφθαρτοι, πρεσβύτεροι ἤδη
ἄνδρες, οἱ τούτων προσήκοντες, τίνα ἄλλον ἔχουσι λόγον
βοηθοῦντες ἐμοὶ ἀλλ᾽ ἢ τὸν ὀρθόν τε καὶ δίκαιον, ὅτι
συνίσασι Μελήτῳ μὲν ψευδομένῳ, ἐμοὶ δὲ ἀληθεύοντι; 5

εἶεν δή, ὦ ἄνδρες· ἃ μὲν ἐγὼ ἔχοιμ᾽ ἂν ἀπολογεῖσθαι,
σχεδόν ἐστι ταῦτα καὶ ἄλλα ἴσως τοιαῦτα. τάχα δ᾽ ἄν τις
ὑμῶν ἀγανακτήσειεν ἀναμνησθεὶς ἑαυτοῦ, εἰ ὁ μὲν καὶ ἐλάττω c
τουτουῒ τοῦ ἀγῶνος ἀγῶνα ἀγωνιζόμενος ἐδεήθη τε καὶ
ἱκέτευσε τοὺς δικαστὰς μετὰ πολλῶν δακρύων, παιδία τε
αὑτοῦ ἀναβιβασάμενος ἵνα ὅτι μάλιστα ἐλεηθείη, καὶ ἄλλους
τῶν οἰκείων καὶ φίλων πολλούς, ἐγὼ δὲ οὐδὲν ἄρα τούτων 5
ποιήσω, καὶ ταῦτα κινδυνεύων, ὡς ἂν δόξαιμι, τὸν ἔσχατον
κίνδυνον. τάχ᾽ ἂν οὖν τις ταῦτα ἐννοήσας αὐθαδέστερον
ἂν πρός με σχοίη καὶ ὀργισθεὶς αὐτοῖς τούτοις θεῖτο ἂν μετ᾽
ὀργῆς τὴν ψῆφον. εἰ δή τις ὑμῶν οὕτως ἔχει—οὐκ ἀξιῶ d
μὲν γὰρ ἔγωγε, εἰ δ᾽ οὖν—ἐπιεικῆ ἄν μοι δοκῶ πρὸς τοῦτον
λέγειν λέγων ὅτι "ἐμοί, ὦ ἄριστε, εἰσὶν μέν πού τινες καὶ
οἰκεῖοι· καὶ γὰρ τοῦτο αὐτὸ τὸ τοῦ Ὁμήρου, οὐδ᾽ ἐγὼ 'ἀπὸ
δρυὸς οὐδ᾽ ἀπὸ πέτρης' πέφυκα ἀλλ᾽ ἐξ ἀνθρώπων, ὥστε 5
καὶ οἰκεῖοί μοί εἰσι καὶ ὑεῖς γε, ὦ ἄνδρες Ἀθηναῖοι, τρεῖς, εἷς
μὲν μειράκιον ἤδη, δύο δὲ παιδία· ἀλλ᾽ ὅμως οὐδένα αὐτῶν

δεῦρο ἀναβιβασάμενος δεήσομαι ὑμῶν ἀποψηφίσασθαι." τί
δὴ οὖν οὐδὲν τούτων ποιήσω; οὐκ αὐθαδιζόμενος, ὦ ἄνδρες
Ἀθηναῖοι, οὐδ᾽ ὑμᾶς ἀτιμάζων, ἀλλ᾽ εἰ μὲν θαρραλέως ἐγὼ   e
ἔχω πρὸς θάνατον ἢ μή, ἄλλος λόγος, πρὸς δ᾽ οὖν δόξαν καὶ
ἐμοὶ καὶ ὑμῖν καὶ ὅλῃ τῇ πόλει οὔ μοι δοκεῖ καλὸν εἶναι ἐμὲ
τούτων οὐδὲν ποιεῖν καὶ τηλικόνδε ὄντα καὶ τοῦτο τοὔνομα
ἔχοντα, εἴτ᾽ οὖν ἀληθὲς εἴτ᾽ οὖν ψεῦδος, ἀλλ᾽ οὖν δεδογμένον   5
γέ ἐστί τῳ Σωκράτη διαφέρειν τῶν πολλῶν ἀνθρώπων. εἰ   35
οὖν ὑμῶν οἱ δοκοῦντες διαφέρειν εἴτε σοφίᾳ εἴτε ἀνδρείᾳ
εἴτε ἄλλῃ ἡτινιοῦν ἀρετῇ τοιοῦτοι ἔσονται, αἰσχρὸν ἂν εἴη·
οἵουσπερ ἐγὼ πολλάκις ἑώρακά τινας ὅταν κρίνωνται, δο-
κοῦντας μέν τι εἶναι, θαυμάσια δὲ ἐργαζομένους, ὡς δεινόν   5
τι οἰομένους πείσεσθαι εἰ ἀποθανοῦνται, ὥσπερ ἀθανάτων
ἐσομένων ἂν ὑμεῖς αὐτοὺς μὴ ἀποκτείνητε· οἳ ἐμοὶ δοκοῦσιν
αἰσχύνην τῇ πόλει περιάπτειν, ὥστ᾽ ἄν τινα καὶ τῶν ξένων
ὑπολαβεῖν ὅτι οἱ διαφέροντες Ἀθηναίων εἰς ἀρετήν, οὓς   b
αὐτοὶ ἑαυτῶν ἔν τε ταῖς ἀρχαῖς καὶ ταῖς ἄλλαις τιμαῖς
προκρίνουσιν, οὗτοι γυναικῶν οὐδὲν διαφέρουσιν. ταῦτα γάρ,
ὦ ἄνδρες Ἀθηναῖοι, οὔτε ὑμᾶς χρὴ ποιεῖν τοὺς δοκοῦντας
καὶ ὁπηοῦν τι εἶναι, οὔτ᾽, ἂν ἡμεῖς ποιῶμεν, ὑμᾶς ἐπι-   5
τρέπειν, ἀλλὰ τοῦτο αὐτὸ ἐνδείκνυσθαι, ὅτι πολὺ μᾶλλον
καταψηφιεῖσθε τοῦ τὰ ἐλεινὰ ταῦτα δράματα εἰσάγοντος καὶ
καταγέλαστον τὴν πόλιν ποιοῦντος ἢ τοῦ ἡσυχίαν ἄγοντος.

χωρὶς δὲ τῆς δόξης, ὦ ἄνδρες, οὐδὲ δίκαιόν μοι δοκεῖ
εἶναι δεῖσθαι τοῦ δικαστοῦ οὐδὲ δεόμενον ἀποφεύγειν, ἀλλὰ   c
διδάσκειν καὶ πείθειν. οὐ γὰρ ἐπὶ τούτῳ κάθηται ὁ δικα-
στής, ἐπὶ τῷ καταχαρίζεσθαι τὰ δίκαια, ἀλλ᾽ ἐπὶ τῷ κρίνειν
ταῦτα· καὶ ὀμώμοκεν οὐ χαριεῖσθαι οἷς ἂν δοκῇ αὐτῷ, ἀλλὰ
δικάσειν κατὰ τοὺς νόμους. οὔκουν χρὴ οὔτε ἡμᾶς ἐθίζειν   5

ὑμᾶς ἐπιορκεῖν οὔθ᾽ ὑμᾶς ἐθίζεσθαι· οὐδέτεροι γὰρ ἂν ἡμῶν
εὐσεβοῖεν. μὴ οὖν ἀξιοῦτέ με, ὦ ἄνδρες Ἀθηναῖοι, τοιαῦτα
δεῖν πρὸς ὑμᾶς πράττειν ἃ μήτε ἡγοῦμαι καλὰ εἶναι μήτε
δίκαια μήτε ὅσια, ἄλλως τε μέντοι νὴ Δία πάντως καὶ ἀσε-   d
βείας φεύγοντα ὑπὸ Μελήτου τουτουΐ. σαφῶς γὰρ ἄν, εἰ
πείθοιμι ὑμᾶς καὶ τῷ δεῖσθαι βιαζοίμην ὀμωμοκότας, θεοὺς
ἂν διδάσκοιμι μὴ ἡγεῖσθαι ὑμᾶς εἶναι, καὶ ἀτεχνῶς ἀπολο-
γούμενος κατηγοροίην ἂν ἐμαυτοῦ ὡς θεοὺς οὐ νομίζω. ἀλλὰ   5
πολλοῦ δεῖ οὕτως ἔχειν· νομίζω τε γάρ, ὦ ἄνδρες Ἀθηναῖοι,
ὡς οὐδεὶς τῶν ἐμῶν κατηγόρων, καὶ ὑμῖν ἐπιτρέπω καὶ τῷ
θεῷ κρῖναι περὶ ἐμοῦ ὅπῃ μέλλει ἐμοί τε ἄριστα εἶναι καὶ ὑμῖν.

———

τὸ μὲν μὴ ἀγανακτεῖν, ὦ ἄνδρες Ἀθηναῖοι, ἐπὶ τούτῳ   e
τῷ γεγονότι, ὅτι μου κατεψηφίσασθε, ἄλλα τέ μοι πολλὰ   36
συμβάλλεται, καὶ οὐκ ἀνέλπιστόν μοι γέγονεν τὸ γεγονὸς
τοῦτο, ἀλλὰ πολὺ μᾶλλον θαυμάζω ἑκατέρων τῶν ψήφων
τὸν γεγονότα ἀριθμόν. οὐ γὰρ ᾠόμην ἔγωγε οὕτω παρ᾽
ὀλίγον ἔσεσθαι ἀλλὰ παρὰ πολύ· νῦν δέ, ὡς ἔοικεν, εἰ   5
τριάκοντα μόναι μετέπεσον τῶν ψήφων, ἀπεπεφεύγη ἄν.
Μέλητον μὲν οὖν, ὡς ἐμοὶ δοκῶ, καὶ νῦν ἀποπέφευγα, καὶ
οὐ μόνον ἀποπέφευγα, ἀλλὰ παντὶ δῆλον τοῦτό γε, ὅτι εἰ μὴ
ἀνέβη Ἄνυτος καὶ Λύκων κατηγορήσοντες ἐμοῦ, κἂν ὦφλε
χιλίας δραχμάς, οὐ μεταλαβὼν τὸ πέμπτον μέρος τῶν   b
ψήφων.

τιμᾶται δ᾽ οὖν μοι ὁ ἀνὴρ θανάτου. εἶεν· ἐγὼ δὲ δὴ
τίνος ὑμῖν ἀντιτιμήσομαι, ὦ ἄνδρες Ἀθηναῖοι; ἢ δῆλον ὅτι
τῆς ἀξίας; τί οὖν; τί ἄξιός εἰμι παθεῖν ἢ ἀποτεῖσαι, ὅ τι   5
μαθὼν ἐν τῷ βίῳ οὐχ ἡσυχίαν ἦγον, ἀλλ᾽ ἀμελήσας ὧνπερ
οἱ πολλοί, χρηματισμοῦ τε καὶ οἰκονομίας καὶ στρατηγιῶν

καὶ δημηγοριῶν καὶ τῶν ἄλλων ἀρχῶν καὶ συνωμοσιῶν καὶ
στάσεων τῶν ἐν τῇ πόλει γιγνομένων, ἡγησάμενος ἐμαυτὸν
τῷ ὄντι ἐπιεικέστερον εἶναι ἢ ὥστε εἰς ταῦτ᾽ ἰόντα σῴζεσθαι, c
ἐνταῦθα μὲν οὐκ ᾖα οἷ ἐλθὼν μήτε ὑμῖν μήτε ἐμαυτῷ ἔμελ-
λον μηδὲν ὄφελος εἶναι, ἐπὶ δὲ τὸ ἰδίᾳ ἕκαστον ἰὼν εὐεργε-
τεῖν τὴν μεγίστην εὐεργεσίαν, ὡς ἐγώ φημι, ἐνταῦθα ᾖα,
ἐπιχειρῶν ἕκαστον ὑμῶν πείθειν μὴ πρότερον μήτε τῶν   5
ἑαυτοῦ μηδενὸς ἐπιμελεῖσθαι πρὶν ἑαυτοῦ ἐπιμεληθείη ὅπως
ὡς βέλτιστος καὶ φρονιμώτατος ἔσοιτο, μήτε τῶν τῆς πό-
λεως, πρὶν αὐτῆς τῆς πόλεως, τῶν τε ἄλλων οὕτω κατὰ τὸν
αὐτὸν τρόπον ἐπιμελεῖσθαι--τί οὖν εἰμι ἄξιος παθεῖν τοιοῦ-   d
τος ὤν; ἀγαθόν τι, ὦ ἄνδρες Ἀθηναῖοι, εἰ δεῖ γε κατὰ τὴν
ἀξίαν τῇ ἀληθείᾳ τιμᾶσθαι· καὶ ταῦτά γε ἀγαθὸν τοιοῦτον
ὅ τι ἂν πρέποι ἐμοί. τί οὖν πρέπει ἀνδρὶ πένητι εὐεργέτῃ
δεομένῳ ἄγειν σχολὴν ἐπὶ τῇ ὑμετέρᾳ παρακελεύσει; οὐκ   5
ἔσθ᾽ ὅ τι μᾶλλον, ὦ ἄνδρες Ἀθηναῖοι, πρέπει οὕτως ὡς τὸν
τοιοῦτον ἄνδρα ἐν πρυτανείῳ σιτεῖσθαι, πολύ γε μᾶλλον ἢ
εἴ τις ὑμῶν ἵππῳ ἢ συνωρίδι ἢ ζεύγει νενίκηκεν Ὀλυμπία-
σιν· ὁ μὲν γὰρ ὑμᾶς ποιεῖ εὐδαίμονας δοκεῖν εἶναι, ἐγὼ δὲ
εἶναι, καὶ ὁ μὲν τροφῆς οὐδὲν δεῖται, ἐγὼ δὲ δέομαι. εἰ   e
οὖν δεῖ με κατὰ τὸ δίκαιον τῆς ἀξίας τιμᾶσθαι, τούτου
τιμῶμαι, ἐν πρυτανείῳ σιτήσεως.   37

ἴσως οὖν ὑμῖν καὶ ταυτὶ λέγων παραπλησίως δοκῶ λέγειν
ὥσπερ περὶ τοῦ οἴκτου καὶ τῆς ἀντιβολήσεως, ἀπαυθαδιζό-
μενος· τὸ δὲ οὐκ ἔστιν, ὦ ἄνδρες Ἀθηναῖοι, τοιοῦτον ἀλλὰ
τοιόνδε μᾶλλον. πέπεισμαι ἐγὼ ἑκὼν εἶναι μηδένα ἀδικεῖν   5
ἀνθρώπων, ἀλλὰ ὑμᾶς τοῦτο οὐ πείθω· ὀλίγον γὰρ χρόνον
ἀλλήλοις διειλέγμεθα. ἐπεί, ὡς ἐγᾦμαι, εἰ ἦν ὑμῖν νόμος,
ὥσπερ καὶ ἄλλοις ἀνθρώποις, περὶ θανάτου μὴ μίαν ἡμέραν
μόνον κρίνειν ἀλλὰ πολλάς, ἐπείσθητε ἄν· νῦν δ᾽ οὐ ῥᾴδιον   b

ἐν χρόνῳ ὀλίγῳ μεγάλας διαβολὰς ἀπολύεσθαι. πεπεισμέ-
νος δὴ ἐγὼ μηδένα ἀδικεῖν πολλοῦ δέω ἐμαυτόν γε ἀδικήσειν
καὶ κατ' ἐμαυτοῦ ἐρεῖν αὐτὸς ὡς ἄξιός εἰμί του κακοῦ καὶ
τιμήσεσθαι τοιούτου τινὸς ἐμαυτῷ. τί δείσας; ἦ μὴ πάθω 5
τοῦτο οὗ Μέλητός μοι τιμᾶται, ὅ φημι οὐκ εἰδέναι οὔτ' εἰ
ἀγαθὸν οὔτ' εἰ κακόν ἐστιν; ἀντὶ τούτου δὴ ἕλωμαι ὧν εὖ
οἶδά τι κακῶν ὄντων τούτου τιμησάμενος; πότερον δεσμοῦ;
καὶ τί με δεῖ ζῆν ἐν δεσμωτηρίῳ, δουλεύοντα τῇ ἀεὶ καθι- c
σταμένῃ ἀρχῇ, τοῖς ἕνδεκα; ἀλλὰ χρημάτων καὶ δεδέσθαι
ἕως ἂν ἐκτείσω; ἀλλὰ ταὐτόν μοί ἐστιν ὅπερ νυνδὴ ἔλεγον·
οὐ γὰρ ἔστι μοι χρήματα ὁπόθεν ἐκτείσω. ἀλλὰ δὴ φυγῆς
τιμήσωμαι; ἴσως γὰρ ἄν μοι τούτου τιμήσαιτε. πολλὴ 5
μεντἂν με φιλοψυχία ἔχοι, ὦ ἄνδρες Ἀθηναῖοι, εἰ οὕτως
ἀλόγιστός εἰμι ὥστε μὴ δύνασθαι λογίζεσθαι ὅτι ὑμεῖς μὲν
ὄντες πολῖταί μου οὐχ οἷοί τε ἐγένεσθε ἐνεγκεῖν τὰς ἐμὰς
διατριβὰς καὶ τοὺς λόγους, ἀλλ' ὑμῖν βαρύτεραι γεγόνασιν d
καὶ ἐπιφθονώτεραι, ὥστε ζητεῖτε αὐτῶν νυνὶ ἀπαλλαγῆναι·
ἄλλοι δὲ ἄρα αὐτὰς οἴσουσι ῥᾳδίως; πολλοῦ γε δεῖ, ὦ ἄνδρες
Ἀθηναῖοι. καλὸς οὖν ἄν μοι ὁ βίος εἴη ἐξελθόντι τηλικῷδε
ἀνθρώπῳ ἄλλην ἐξ ἄλλης πόλεως ἀμειβομένῳ καὶ ἐξελαυνο- 5
μένῳ ζῆν. εὖ γὰρ οἶδ' ὅτι ὅποι ἂν ἔλθω, λέγοντος ἐμοῦ
ἀκροάσονται οἱ νέοι ὥσπερ ἐνθάδε· κἂν μὲν τούτους ἀπ-
ελαύνω, οὗτοί με αὐτοὶ ἐξελῶσι πείθοντες τοὺς πρεσβυτέρους·
ἐὰν δὲ μὴ ἀπελαύνω, οἱ τούτων πατέρες δὲ καὶ οἰκεῖοι δι' e
αὐτοὺς τούτους.
ἴσως οὖν ἄν τις εἴποι· "σιγῶν δὲ καὶ ἡσυχίαν ἄγων, ὦ
Σώκρατες, οὐχ οἷός τ' ἔσῃ ἡμῖν ἐξελθὼν ζῆν;" τουτὶ δὴ
ἔστι πάντων χαλεπώτατον πεῖσαί τινας ὑμῶν. ἐάντε γὰρ 5

λέγω ὅτι τῷ θεῷ ἀπειθεῖν τοῦτ᾽ ἐστὶν καὶ διὰ τοῦτ᾽ ἀδύνα-
τον ἡσυχίαν ἄγειν, οὐ πείσεσθέ μοι ὡς εἰρωνευομένῳ· ἐάντ᾽   38
αὖ λέγω ὅτι καὶ τυγχάνει μέγιστον ἀγαθὸν ὂν ἀνθρώπῳ
τοῦτο, ἑκάστης ἡμέρας περὶ ἀρετῆς τοὺς λόγους ποιεῖσθαι
καὶ τῶν ἄλλων περὶ ὧν ὑμεῖς ἐμοῦ ἀκούετε διαλεγομένου καὶ
ἐμαυτὸν καὶ ἄλλους ἐξετάζοντος, ὁ δὲ ἀνεξέταστος βίος οὐ   5
βιωτὸς ἀνθρώπῳ, ταῦτα δ᾽ ἔτι ἧττον πείσεσθέ μοι λέγοντι.
τὰ δὲ ἔχει μὲν οὕτως, ὡς ἐγώ φημι, ὦ ἄνδρες, πείθειν δὲ οὐ
ῥᾴδιον. καὶ ἐγὼ ἅμα οὐκ εἴθισμαι ἐμαυτὸν ἀξιοῦν κακοῦ
οὐδενός. εἰ μὲν γὰρ ἦν μοι χρήματα, ἐτιμησάμην ἂν χρη-   b
μάτων ὅσα ἔμελλον ἐκτείσειν, οὐδὲν γὰρ ἂν ἐβλάβην· νῦν
δὲ οὐ γὰρ ἔστιν, εἰ μὴ ἄρα ὅσον ἂν ἐγὼ δυναίμην ἐκτεῖσαι,
τοσούτου βούλεσθέ μοι τιμῆσαι. ἴσως δ᾽ ἂν δυναίμην ἐκ-
τεῖσαι ὑμῖν που μνᾶν ἀργυρίου· τοσούτου οὖν τιμῶμαι.   5

Πλάτων δὲ ὅδε, ὦ ἄνδρες Ἀθηναῖοι, καὶ Κρίτων καὶ
Κριτόβουλος καὶ Ἀπολλόδωρος κελεύουσί με τριάκοντα μνῶν
τιμήσασθαι, αὐτοὶ δ᾽ ἐγγυᾶσθαι· τιμῶμαι οὖν τοσούτου,
ἐγγυηταὶ δὲ ὑμῖν ἔσονται τοῦ ἀργυρίου οὗτοι ἀξιόχρεῳ.

———

οὐ πολλοῦ γ᾽ ἕνεκα χρόνου, ὦ ἄνδρες Ἀθηναῖοι, ὄνομα   c
ἕξετε καὶ αἰτίαν ὑπὸ τῶν βουλομένων τὴν πόλιν λοιδορεῖν
ὡς Σωκράτη ἀπεκτόνατε, ἄνδρα σοφόν--φήσουσι γὰρ δὴ
σοφὸν εἶναι, εἰ καὶ μή εἰμι, οἱ βουλόμενοι ὑμῖν ὀνειδίζειν—
εἰ γοῦν περιεμείνατε ὀλίγον χρόνον, ἀπὸ τοῦ αὐτομάτου ἂν   5
ὑμῖν τοῦτο ἐγένετο· ὁρᾶτε γὰρ δὴ τὴν ἡλικίαν ὅτι πόρρω
ἤδη ἐστὶ τοῦ βίου θανάτου δὲ ἐγγύς. λέγω δὲ τοῦτο οὐ
πρὸς πάντας ὑμᾶς, ἀλλὰ πρὸς τοὺς ἐμοῦ καταψηφισα-   d
μένους θάνατον. λέγω δὲ καὶ τόδε πρὸς τοὺς αὐτοὺς
τούτους. ἴσως με οἴεσθε, ὦ ἄνδρες Ἀθηναῖοι, ἀπορίᾳ λόγων

ἑαλωκέναι τοιούτων οἷς ἂν ὑμᾶς ἔπεισα, εἰ ᾤμην δεῖν
ἄπαντα ποιεῖν καὶ λέγειν ὥστε ἀποφυγεῖν τὴν δίκην. 5
πολλοῦ γε δεῖ. ἀλλ᾽ ἀπορίᾳ μὲν ἑάλωκα, οὐ μέντοι λόγων,
ἀλλὰ τόλμης καὶ ἀναισχυντίας καὶ τοῦ μὴ ἐθέλειν λέγειν
πρὸς ὑμᾶς τοιαῦτα οἷ᾽ ἂν ὑμῖν μὲν ἥδιστα ἦν ἀκούειν—
θρηνοῦντός τέ μου καὶ ὀδυρομένου καὶ ἄλλα ποιοῦντος καὶ
λέγοντος πολλὰ καὶ ἀνάξια ἐμοῦ, ὡς ἐγώ φημι, οἷα δὴ καὶ e
εἴθισθε ὑμεῖς τῶν ἄλλων ἀκούειν. ἀλλ᾽ οὔτε τότε ᾠήθην
δεῖν ἕνεκα τοῦ κινδύνου πρᾶξαι οὐδὲν ἀνελεύθερον, οὔτε νῦν
μοι μεταμέλει οὕτως ἀπολογησαμένῳ, ἀλλὰ πολὺ μᾶλλον
αἱροῦμαι ὧδε ἀπολογησάμενος τεθνάναι ἢ ἐκείνως ζῆν. οὔτε 5
γὰρ ἐν δίκῃ οὔτ᾽ ἐν πολέμῳ οὔτ᾽ ἐμὲ οὔτ᾽ ἄλλον οὐδένα δεῖ
τοῦτο μηχανᾶσθαι, ὅπως ἀποφεύξεται πᾶν ποιῶν θάνατον. 39
καὶ γὰρ ἐν ταῖς μάχαις πολλάκις δῆλον γίγνεται ὅτι τό γε
ἀποθανεῖν ἄν τις ἐκφύγοι καὶ ὅπλα ἀφεὶς καὶ ἐφ᾽ ἱκετείαν
τραπόμενος τῶν διωκόντων· καὶ ἄλλαι μηχαναὶ πολλαί εἰσιν
ἐν ἑκάστοις τοῖς κινδύνοις ὥστε διαφεύγειν θάνατον, ἐάν τις 5
τολμᾷ πᾶν ποιεῖν καὶ λέγειν. ἀλλὰ μὴ οὐ τοῦτ᾽ ᾖ χαλεπόν,
ὦ ἄνδρες, θάνατον ἐκφυγεῖν, ἀλλὰ πολὺ χαλεπώτερον πονη-
ρίαν· θᾶττον γὰρ θανάτου θεῖ. καὶ νῦν ἐγὼ μὲν ἅτε βραδὺς b
ὢν καὶ πρεσβύτης ὑπὸ τοῦ βραδυτέρου ἑάλων, οἱ δ᾽ ἐμοὶ
κατήγοροι ἅτε δεινοὶ καὶ ὀξεῖς ὄντες ὑπὸ τοῦ θάττονος, τῆς
κακίας. καὶ νῦν ἐγὼ μὲν ἄπειμι ὑφ᾽ ὑμῶν θανάτου δίκην
ὀφλών, οὗτοι δ᾽ ὑπὸ τῆς ἀληθείας ὠφληκότες μοχθηρίαν 5
καὶ ἀδικίαν. καὶ ἐγώ τε τῷ τιμήματι ἐμμένω καὶ οὗτοι.
ταῦτα μέν που ἴσως οὕτως καὶ ἔδει σχεῖν, καὶ οἶμαι αὐτὰ
μετρίως ἔχειν.

τὸ δὲ δὴ μετὰ τοῦτο ἐπιθυμῶ ὑμῖν χρησμῳδῆσαι, ὦ κατα- c
ψηφισάμενοί μου· καὶ γάρ εἰμι ἤδη ἐνταῦθα ἐν ᾧ μάλιστα

ἄνθρωποι χρησμῳδοῦσιν, ὅταν μέλλωσιν ἀποθανεῖσθαι. φημὶ
γάρ, ὦ ἄνδρες οἳ ἐμὲ ἀπεκτόνατε, τιμωρίαν ὑμῖν ἥξειν εὐθὺς
μετὰ τὸν ἐμὸν θάνατον πολὺ χαλεπωτέραν νὴ Δία ἢ οἵαν   5
ἐμὲ ἀπεκτόνατε· νῦν γὰρ τοῦτο εἴργασθε οἰόμενοι μὲν ἀπαλ-
λάξεσθαι τοῦ διδόναι ἔλεγχον τοῦ βίου, τὸ δὲ ὑμῖν πολὺ
ἐναντίον ἀποβήσεται, ὡς ἐγώ φημι. πλείους ἔσονται ὑμᾶς
οἱ ἐλέγχοντες, οὓς νῦν ἐγὼ κατεῖχον, ὑμεῖς δὲ οὐκ ᾐσθά-   d
νεσθε· καὶ χαλεπώτεροι ἔσονται ὅσῳ νεώτεροί εἰσιν, καὶ
ὑμεῖς μᾶλλον ἀγανακτήσετε. εἰ γὰρ οἴεσθε ἀποκτείνοντες
ἀνθρώπους ἐπισχήσειν τοῦ ὀνειδίζειν τινὰ ὑμῖν ὅτι οὐκ
ὀρθῶς ζῆτε, οὐ καλῶς διανοεῖσθε· οὐ γάρ ἐσθ᾽ αὕτη ἡ ἀπαλ-   5
λαγὴ οὔτε πάνυ δυνατὴ οὔτε καλή, ἀλλ᾽ ἐκείνη καὶ καλλίστη
καὶ ῥᾴστη, μὴ τοὺς ἄλλους κολούειν ἀλλ᾽ ἑαυτὸν παρασκευά-
ζειν ὅπως ἔσται ὡς βέλτιστος. ταῦτα μὲν οὖν ὑμῖν τοῖς
καταψηφισαμένοις μαντευσάμενος ἀπαλλάττομαι.

τοῖς δὲ ἀποψηφισαμένοις ἡδέως ἂν διαλεχθείην ὑπὲρ τοῦ   e
γεγονότος τουτουῒ πράγματος, ἐν ᾧ οἱ ἄρχοντες ἀσχολίαν
ἄγουσι καὶ οὔπω ἔρχομαι οἷ ἐλθόντα με δεῖ τεθνάναι. ἀλλά
μοι, ὦ ἄνδρες, παραμείνατε τοσοῦτον χρόνον· οὐδὲν γὰρ
κωλύει διαμυθολογῆσαι πρὸς ἀλλήλους ἕως ἔξεστιν. ὑμῖν   5
γὰρ ὡς φίλοις οὖσιν ἐπιδεῖξαι ἐθέλω τὸ νυνί μοι συμβεβη-   40
κὸς τί ποτε νοεῖ. ἐμοὶ γάρ, ὦ ἄνδρες δικασταί—ὑμᾶς γὰρ
δικαστὰς καλῶν ὀρθῶς ἂν καλοίην--θαυμάσιόν τι γέγονεν.
ἡ γὰρ εἰωθυῖά μοι μαντικὴ ἡ τοῦ δαιμονίου ἐν μὲν τῷ
πρόσθεν χρόνῳ παντὶ πάνυ πυκνὴ ἀεὶ ἦν καὶ πάνυ ἐπὶ   5
σμικροῖς ἐναντιουμένη, εἴ τι μέλλοιμι μὴ ὀρθῶς πράξειν.
νυνὶ δὲ συμβέβηκέ μοι ἅπερ ὁρᾶτε καὶ αὐτοί, ταυτὶ ἅ γε δὴ
οἰηθείη ἄν τις καὶ νομίζεται ἔσχατα κακῶν εἶναι· ἐμοὶ δὲ
οὔτε ἐξιόντι ἕωθεν οἴκοθεν ἠναντιώθη τὸ τοῦ θεοῦ σημεῖον,   b

οὔτε ἡνίκα ἀνέβαινον ἐνταυθοῖ ἐπὶ τὸ δικαστήριον, οὔτε ἐν
τῷ λόγῳ οὐδαμοῦ μέλλοντί τι ἐρεῖν. καίτοι ἐν ἄλλοις λόγοις
πολλαχοῦ δή με ἐπέσχε λέγοντα μεταξύ· νῦν δὲ οὐδαμοῦ
περὶ ταύτην τὴν πρᾶξιν οὔτ' ἐν ἔργῳ οὐδενὶ οὔτ' ἐν λόγῳ 5
ἠναντίωταί μοι. τί οὖν αἴτιον εἶναι ὑπολαμβάνω; ἐγὼ
ὑμῖν ἐρῶ· κινδυνεύει γάρ μοι τὸ συμβεβηκὸς τοῦτο ἀγαθὸν
γεγονέναι, καὶ οὐκ ἔσθ' ὅπως ἡμεῖς ὀρθῶς ὑπολαμβάνομεν,
ὅσοι οἰόμεθα κακὸν εἶναι τὸ τεθνάναι. μέγα μοι τεκμήριον c
τούτου γέγονεν· οὐ γὰρ ἔσθ' ὅπως οὐκ ἠναντιώθη ἄν μοι τὸ
εἰωθὸς σημεῖον, εἰ μή τι ἔμελλον ἐγὼ ἀγαθὸν πράξειν.

ἐννοήσωμεν δὲ καὶ τῇδε ὡς πολλὴ ἐλπίς ἐστιν ἀγαθὸν
αὐτὸ εἶναι. δυοῖν γὰρ θάτερόν ἐστιν τὸ τεθνάναι· ἢ γὰρ 5
οἷον μηδὲν εἶναι μηδὲ αἴσθησιν μηδεμίαν μηδενὸς ἔχειν τὸν
τεθνεῶτα, ἢ κατὰ τὰ λεγόμενα μεταβολή τις τυγχάνει
οὖσα καὶ μετοίκησις τῇ ψυχῇ τοῦ τόπου τοῦ ἐνθένδε εἰς
ἄλλον τόπον. καὶ εἴτε δὴ μηδεμία αἴσθησίς ἐστιν ἀλλ'
οἷον ὕπνος ἐπειδάν τις καθεύδων μηδ' ὄναρ μηδὲν ὁρᾷ, θαυ- d
μάσιον κέρδος ἂν εἴη ὁ θάνατος--ἐγὼ γὰρ ἂν οἶμαι, εἴ τινα
ἐκλεξάμενον δέοι ταύτην τὴν νύκτα ἐν ᾗ οὕτω κατέδαρθεν
ὥστε μηδὲ ὄναρ ἰδεῖν, καὶ τὰς ἄλλας νύκτας τε καὶ ἡμέρας
τὰς τοῦ βίου τοῦ ἑαυτοῦ ἀντιπαραθέντα ταύτῃ τῇ νυκτὶ δέοι 5
σκεψάμενον εἰπεῖν πόσας ἄμεινον καὶ ἥδιον ἡμέρας καὶ
νύκτας ταύτης τῆς νυκτὸς βεβίωκεν ἐν τῷ ἑαυτοῦ βίῳ, οἶμαι
ἂν μὴ ὅτι ἰδιώτην τινά, ἀλλὰ τὸν μέγαν βασιλέα εὐαριθμή-
τους ἂν εὑρεῖν αὐτὸν ταύτας πρὸς τὰς ἄλλας ἡμέρας καὶ e
νύκτας--εἰ οὖν τοιοῦτον ὁ θάνατός ἐστιν, κέρδος ἔγωγε
λέγω· καὶ γὰρ οὐδὲν πλείων ὁ πᾶς χρόνος φαίνεται οὕτω
δὴ εἶναι ἢ μία νύξ. εἰ δ' αὖ οἷον ἀποδημῆσαί ἐστιν ὁ
θάνατος ἐνθένδε εἰς ἄλλον τόπον, καὶ ἀληθῆ ἐστιν τὰ 5

λεγόμενα, ὡς ἄρα ἐκεῖ εἰσι πάντες οἱ τεθνεῶτες, τί μεῖζον
ἀγαθὸν τούτου εἴη ἄν, ὦ ἄνδρες δικασταί; εἰ γάρ τις
ἀφικόμενος εἰς Ἅιδου, ἀπαλλαγεὶς τουτωνὶ τῶν φασκόντων   41
δικαστῶν εἶναι, εὑρήσει τοὺς ὡς ἀληθῶς δικαστάς, οἵπερ
καὶ λέγονται ἐκεῖ δικάζειν, Μίνως τε καὶ Ῥαδάμανθυς καὶ
Αἰακὸς καὶ Τριπτόλεμος καὶ ἄλλοι ὅσοι τῶν ἡμιθέων δίκαιοι
ἐγένοντο ἐν τῷ ἑαυτῶν βίῳ, ἆρα φαύλη ἂν εἴη ἡ ἀποδημία;   5
ἢ αὖ Ὀρφεῖ συγγενέσθαι καὶ Μουσαίῳ καὶ Ἡσιόδῳ καὶ
Ὁμήρῳ ἐπὶ πόσῳ ἄν τις δέξαιτ᾽ ἂν ὑμῶν; ἐγὼ μὲν γὰρ
πολλάκις ἐθέλω τεθνάναι εἰ ταῦτ᾽ ἔστιν ἀληθῆ. ἐπεὶ
ἔμοιγε καὶ αὐτῷ θαυμαστὴ ἂν εἴη ἡ διατριβὴ αὐτόθι, ὁπότε   b
ἐντύχοιμι Παλαμήδει καὶ Αἴαντι τῷ Τελαμῶνος καὶ εἴ τις
ἄλλος τῶν παλαιῶν διὰ κρίσιν ἄδικον τέθνηκεν, ἀντιπαρα-
βάλλοντι τὰ ἐμαυτοῦ πάθη πρὸς τὰ ἐκείνων—ὡς ἐγὼ οἶμαι,
οὐκ ἂν ἀηδὲς εἴη--καὶ δὴ τὸ μέγιστον, τοὺς ἐκεῖ ἐξετάζοντα   5
καὶ ἐρευνῶντα ὥσπερ τοὺς ἐνταῦθα διάγειν, τίς αὐτῶν σοφός
ἐστιν καὶ τίς οἴεται μέν, ἔστιν δ᾽ οὔ. ἐπὶ πόσῳ δ᾽ ἄν τις,
ὦ ἄνδρες δικασταί, δέξαιτο ἐξετάσαι τὸν ἐπὶ Τροίαν ἀγαγόντα
τὴν πολλὴν στρατιὰν ἢ Ὀδυσσέα ἢ Σίσυφον ἢ ἄλλους   c
μυρίους ἄν τις εἴποι καὶ ἄνδρας καὶ γυναῖκας, οἷς ἐκεῖ
διαλέγεσθαι καὶ συνεῖναι καὶ ἐξετάζειν ἀμήχανον ἂν εἴη
εὐδαιμονίας; πάντως οὐ δήπου τούτου γε ἕνεκα οἱ ἐκεῖ
ἀποκτείνουσι· τά τε γὰρ ἄλλα εὐδαιμονέστεροί εἰσιν οἱ ἐκεῖ   5
τῶν ἐνθάδε, καὶ ἤδη τὸν λοιπὸν χρόνον ἀθάνατοί εἰσιν, εἴπερ
γε τὰ λεγόμενα ἀληθῆ.

ἀλλὰ καὶ ὑμᾶς χρή, ὦ ἄνδρες δικασταί, εὐέλπιδας εἶναι
πρὸς τὸν θάνατον, καὶ ἕν τι τοῦτο διανοεῖσθαι ἀληθές, ὅτι
οὐκ ἔστιν ἀνδρὶ ἀγαθῷ κακὸν οὐδὲν οὔτε ζῶντι οὔτε τελευ-   d
τήσαντι, οὐδὲ ἀμελεῖται ὑπὸ θεῶν τὰ τούτου πράγματα·

οὐδὲ τὰ ἐμὰ νῦν ἀπὸ τοῦ αὐτομάτου γέγονεν, ἀλλά μοι
δῆλόν ἐστι τοῦτο, ὅτι ἤδη τεθνάναι καὶ ἀπηλλάχθαι πρα-
γμάτων βέλτιον ἦν μοι. διὰ τοῦτο καὶ ἐμὲ οὐδαμοῦ ἀπέτρεψεν 5
τὸ σημεῖον, καὶ ἔγωγε τοῖς καταψηφισαμένοις μου καὶ τοῖς
κατηγόροις οὐ πάνυ χαλεπαίνω. καίτοι οὐ ταύτῃ τῇ διανοίᾳ
κατεψηφίζοντό μου καὶ κατηγόρουν, ἀλλ᾽ οἰόμενοι βλάπτειν·
τοῦτο αὐτοῖς ἄξιον μέμφεσθαι. τοσόνδε μέντοι αὐτῶν e
δέομαι· τοὺς ὑεῖς μου, ἐπειδὰν ἡβήσωσι, τιμωρήσασθε, ὦ
ἄνδρες, ταὐτὰ ταῦτα λυποῦντες ἅπερ ἐγὼ ὑμᾶς ἐλύπουν, ἐὰν
ὑμῖν δοκῶσιν ἢ χρημάτων ἢ ἄλλου του πρότερον ἐπι- 5
μελεῖσθαι ἢ ἀρετῆς, καὶ ἐὰν δοκῶσί τι εἶναι μηδὲν ὄντες,
ὀνειδίζετε αὐτοῖς ὥσπερ ἐγὼ ὑμῖν, ὅτι οὐκ ἐπιμελοῦνται ὧν
δεῖ, καὶ οἴονταί τι εἶναι ὄντες οὐδενὸς ἄξιοι. καὶ ἐὰν 42
ταῦτα ποιῆτε, δίκαια πεπονθὼς ἐγὼ ἔσομαι ὑφ᾽ ὑμῶν αὐτός
τε καὶ οἱ ὑεῖς. ἀλλὰ γὰρ ἤδη ὥρα ἀπιέναι, ἐμοὶ μὲν
ἀποθανουμένῳ, ὑμῖν δὲ βιωσομένοις· ὁπότεροι δὲ ἡμῶν
ἔρχονται ἐπὶ ἄμεινον πρᾶγμα, ἄδηλον παντὶ πλὴν ἢ
τῷ θεῷ. 5

Glossary

Declensions

ἡ κρήνη, τῆς κρήνης - spring		ὁ ἀγρός, τοῦ ἀργοῦ - field		ὁ παῖς, τοῦ παιδός - child	
Nom. ἡ κρήνη	αἱ κρῆναι	ὁ ἀγρός	οἱ ἀγροί	ὁ παῖς	οἱ παῖδ-ες
Gen. τῆς κρήνης	τῶν κρηνῶν	τοῦ ἀγροῦ	τῶν ἀγρῶν	τοῦ παιδ-ός	τῶν παίδ-ων
Dat. τῇ κρήνῃ	ταῖς κρήναις	τῷ ἀγρῷ	τοῖς ἀγροῖς	τῷ παιδ-ί	τοῖς παι-σί(ν)
Acc. τὴν κρήνην	τὰς κρήνᾱς	τὸν ἀγρόν	τοὺς ἀγρούς	τὸν παῖδ-α	τοὺς παῖδ-ας
Voc. ὦ κρήνη	ὦ κρῆναι	ὦ ἀγρέ	ὦ ἀγροί		

Personal Pronouns

Nom.	ἐγώ		I	ἡμεῖς	we
Gen.	ἐμοῦ	μου	my	ἡμῶν	our
Dat.	ἐμοί	μοι	to me	ἡμῖν	to us
Acc.	ἐμέ		me	ἡμᾶς	us

Nom.	σύ		you	ὑμεῖς	you
Gen.	σοῦ	σου	your	ὑμῶν	your
Dat.	σοί	σοι	to you	ὑμῖν	to you
Acc.	σέ		you	ὑμᾶς	you

Nom.	αὐτός	(himself)	αὐτή	(herself)	αὐτό	(itself)
Gen.	αὐτοῦ	his	αὐτῆς	her	αὐτοῦ	its
Dat.	αὐτῷ	to him	αὐτῇ	to her	αὐτῷ	to it
Acc.	αὐτόν	him	αὐτήν	her	αὐτό	it

Nom.	αὐτοί	(themselves)	αὐταί	(themselves)	αὐτά	(themselves)
Gen.	αὐτῶν	their	αὐτῶν	their	αὐτῶν	their
Dat.	αὐτοῖς	to them	αὐταῖς	to them	αὐτοῖς	to them
Acc.	αὐτούς	them	αὐτάς	them	αὐτά	them

Relative Pronoun – who, which, that

	m.	f.	n.	m.	f.	n.
Nom.	ὅς	ἥ	ὅ	οἵ	αἵ	ἅ
Gen.	οὗ	ἧς	οὗ	ὧν	ὧν	ὧν
Dat.	ᾧ	ᾗ	ᾧ	οἷς	αἷς	οἷς
Acc.	ὅν	ἥν	ὅ	οὕς	ἅς	ἅ

Indefinite Relative Pronoun – whoever, anyone who; whatever, anything which

Nom.	ὅστις	ἥτις	ὅτι (ὅ τι)
Gen.	οὗτινος (ὅτου)	ἧστινος	οὗτινος (ὅτου)
Dat.	ᾧτινι (ὅτῳ)	ᾗτινι	ᾧτινι (ὅτῳ)
Acc.	ὅντινα	ἥντινα	ὅτι (ὅ τι)

Nom.	οἵτινες	αἵτινες	ἅτινα
Gen.	ὧντινων (ὅτων)	ὧντινων	ὧντινων (ὅτων)
Dat.	οἷστισιν (ὅτοις)	αἷστισιν	οἷστισιν (ὅτοις)
Acc.	οὕστινας	ἅστινας	ἅτινα

Correlative Adverbs and their Frequencies in the *Apology*

Interrogative	Indefinite	Demonstrative	Relative	Indefinite Relative
ποῦ *where?*	που [7] *somewhere* *(I suppose)*	ἐνθάδε [5] *here* ἐνταῦθα [10] *here* ἐκεῖ [7] *there*	οὗ [2] *where*	ὅπου *where(ver)*
ποῖ *to where?*	ποι *to somewhere*	δεῦρο [6] ἐνταυθοῖ [10] *to here* ἐκεῖσε *to there*	οἷ [3] *to where*	ὅποι [1] *to where(ver)*
πόθεν [1] *from where?*	ποθεν *from anywhere*	ἐνθένδε [3] ἐντεῦθεν [4] *from here* (ἐ)κεῖθεν *from there*	ὅθεν [1] *from where*	ὁπόθεν *from where(ver)*
πότε *when?*	ποτέ [10] *at some time* *ever, then*	τότε [6] *at that time,* *then*	ὅτε [2] *when* ὅταν [4] *whenever*	ὁπότε [1] *when(ever)*
πῇ *which way?*	πή *some way*	τῇ τῇδε [1] ταύτῃ [2] *in this way*	ᾗ *in which way*	ὅπη [2] *in which way* ὁπη-οῦν [1] *in whichever way*
πῶς [3] *how?*	πως [3] *somehow*	ὧδε [2], οὕτως [31] *thus, so* *in this way*	ὡς [68] *how, as* ὥσπερ [31] *just as, as*	ὅπως [11] *how(ever)* ὁπωστιοῦν [2] *howsoever*

Correlative Pronouns and their Frequencies in the *Apology*

Interrogative	Indefinite	Demonstrative	Relative	Indefinite Relative
τίς, τί [49] *who, what?*	τις, τι [121] *someone/thing* *anyone/thing*	ὅδε [13] οὗτος [237] *this* (ἐ)κεῖνος [22] *there*	ὅς, ἥ, ὅ [98] *who, which*	ὅστις, ἥτις, ὅ τι [11] *anyone who,* *whoever* ὅστισ-οῦν [4] *whosoever, what-*
πότερος [7] *which of two?*	ποτερος *one of two*	ἕτερος [8] *one (of two)*	ὁπότερος [1] *which of two*	ὁπότερος *whichever of two* ὁπότεροσ-οῦν [1] *whichsoever of two*
πόσος [4] *how much?*	ποσός *of some amount*	τοσόσδε [1] *so much/many* τοσοῦτος [11] *so much/many*	ὅσος [10] *as much/* *many as*	ὁπόσος *of whatever size/* *number*
ποῖος [1] *of what sort?*	ποιός *of some sort*	τοιόσδε [1] *such, this sort* τοιοῦτος [32] *such*	οἷος [26] *of which sort,* *such as, as* οἷοσπερ [2] *which very sort*	ὁποῖος *of whatever sort*
πηλίκος *how old/large?*	πηλικος *of some age,* *size*	τηλικόσδε [3] τηλικοῦτος [1] *of such an age,* *size*	ἡλίκος *of which age,* *size*	ὁπηλίκος *of whatever age/* *size*

λύω, λύσω, ἔλυσα, λέλυκα, λέλυμαι, ἐλύθην: loosen, ransom

	PRESENT		FUTURE		
	Active	Middle/Pass.	Active	Middle	Passive
Primary Indicative	λύω λύεις λύει λύομεν λύετε λύουσι(ν)	λύομαι λύε(σ)αι λύεται λυόμεθα λύεσθε λύονται	λύσω λύσεις λύσει λύσομεν λύσετε λύσουσι(ν)	λύσομαι λύσε(σ)αι λύσεται λυσόμεθα λύσεσθε λύσονται	λυθήσομαι λυθήσε(σ)αι λυθήσεται λυθησόμεθα λυθήσεσθε λυθήσονται
Secondary Indicative	ἔλυον ἔλυες ἔλυε(ν) ἐλύομεν ἐλύετε ἔλυον	ἐλυόμην ἐλύε(σ)ο ἐλύετο ἐλυόμεθα ἐλύεσθε ἐλύοντο			
Subjunctive	λύω λύῃς λύῃ λύωμεν λύητε λύωσι(ν)	λύωμαι λύῃ λύηται λυώμεθα λύησθε λύωνται			
Optative	λύοιμι λύοις λύοι λύοιμεν λύοιτε λύοιεν	λυοίμην λύοιο λύοιτο λυοίμεθα λύοισθε λύοιντο	λύσοιμι λύσοις λύσοι λύσοιμεν λύσοιτε λύσοιεν	λυσοίμην λύσοιο λύσοιτο λυσοίμεθα λύσοισθε λύσοιντο	λυθησοίμην λυθήσοιο λυθήσοιτο λυθησοίμεθα λυθήσοισθε λυθήσοιντο
Imp	λῦε λύετε	λύε(σ)ο λύεσθε			
Pple	λύων, λύουσα, λύον	λυόμενος, λυομένη, λυόμενον	λύσων, λύσουσα, λύσον	λυσόμενος, λυσομένη, λυσόμενον	λυθησόμενος, λυθησομένη, λυθησόμενον
Inf.	λύειν	λύεσθαι	λύσειν	λύσεσθαι	λυθήσεσθαι

2nd sg. mid/pass -σ is often dropped except in pf. and plpf. tenses: ε(σ)αι → ῃ,ει   ε(σ)ο → ου

AORIST			PERFECT		
Active	Middle	Passive	Active	Middle/Passive	Primary Indicative
			λέλυκα λέλυκας λέλυκε λελύκαμεν λελύκατε λελύκασι(ν)	λέλυμαι λέλυσαι λέλυται λελύμεθα λέλυσθε λελύνται	Primary Indicative
ἔλυσα ἔλυσας ἔλυε(ν) ἐλύσαμεν ἐλύσατε ἔλυσαν	ἐλυσάμην ἐλύσα(σ)ο ἐλύσατο ἐλυσάμεθα ἐλύσασθε ἐλύσαντο	ἐλύθην ἐλύθης ἐλύθη ἐλύθημεν ἐλύθητε ἐλύθησαν	ἐλελύκη ἐλελύκης ἐλελύκει ἐλελύκεμεν ἐλελύκετε ἐλελύκεσαν	ἐλελύμην ἐλέλυσο ἐλέλυτο ἐλελύμεθα ἐλέλυσθε ἐλέλυντο	Secondary Indicative
λύσω λύσῃς λύσῃ λύσωμεν λύσητε λύσωσι(ν)	λυσώμαι λύσῃ λύσηται λυσώμεθα λύσησθε λύσωνται	λυθῶ λυθῇς λυθῇ λυθῶμεν λυθῆτε λυθῶσι(ν)	λελύκω λελύκῃς λελύκῃ λελύκωμεν λελύκητε λελύκωσι(ν)	λελυμένος ὦ —— ᾖς —— ᾖ —— ὦμεν —— ἦτε —— ὦσιν	Subjunctive
λύσαιμι λύσαις λύσαι λύσαιμεν λύσαιτε λύσαιεν	λυσαίμην λύσαιο λύσαιτο λυσαίμεθα λύσαισθε λύσαιντο	λυθείην λυθείης λυθείη λυθεῖμεν λυθεῖτε λυθεῖεν	λελύκοιμι λελύκοις λελύκοι λελύκοιμεν λελύκοιτε λελύκοιεν	λελυμένος εἴην —— εἴης —— εἴη —— εἴημεν —— εἴητε —— εἴησαν	Optative
λῦσον λύσατε	λῦσαι λύσασθε	λύθητι λύθητε		λέλυσο λέλυσθε	Imp
λύσᾱς, λύσᾱσα, λῦσαν	λυσάμενος, λυσαμένη, λυσάμενον	λυθείς, λυθεῖσα, λυθέν	λελυκώς, λελυκυῖα λελυκός	λελυμένος, λελυμένη λελυμένον	Pple
λῦσαι	λύσασθαι	λυθῆναι	λελυκέναι	λελύσθαι	Inf.

Adapted from a handout by Dr. Helma Dik (http://classics.uchicago.edu/faculty/dik/niftygreek)

οἶδα: to know (pf. with pres. sense) [41 times]

	Perfect		Pluperfect		Future	
Active	οἶδα[8]	ἴσμεν	ᾔδη[1]	ᾖσμεν	εἴσομαι	εἰσόμεθα
	οἶσθα[1]	ἴστε[2]	ᾔδησθα	ᾖστε	εἴσῃ	εἴσεσθε
	οἶδε[4]	ἴσᾱσι[1]	ᾔδει	ᾖσαν	εἴσεται	εἴσονται
Imp	ἴσθι	ἴστε[6]				
Pple	εἰδώς, εἰδυῖα, εἰδός[5]					
	εἰδότος, εἰδυίᾱς, εἰδότος					
Inf.	εἰδέναι[12]					
subj/opt	εἰδῶ	εἰδῶμεν	εἰδείην	εἰδεῖμεν		
	εἰδῇς	εἰδῆτε[1]	εἰδείης	εἰδεῖτε		
	εἰδῇ	εἰδῶσι	εἰδείη	εἰδεῖεν		

εἰμί: to be, exist [282]

	Present		Imperfect		Future	
Active	εἰμί[9]	ἐσμέν	ἦ, ἦν	ἦμεν	ἔσομαι[1]	ἐσόμεθα
	εἶ[1]	ἐστέ[1]	ἦσθα	ἦτε	ἔσῃ	ἔσεσθε
	ἐστίν[84]	εἰσίν[13]	ἦν[14]	ἦσαν[2]	ἔσται[4]	ἔσονται[6]
Imp	2nd ἴσθι ἔστε					
	3rd ἔστω[1]					
Pple	ὤν, οὖσα, ὄν[51]			ἐσόμενος, η, ον[1]		
	ὄντος, οὔσης, ὄντος					
Inf.	εἶναι[69]			ἔσεσθαι[1]		
subj/opt	ὦ[1]	ὦμεν	εἴην[2]	εἶμεν		
	ᾖς	ἦτε	εἴης[1]	εἶτε		
	ᾖ	ὦσιν	εἴη[18]	εἶεν[3]		

ἔρχομαι, εἶμι, ἦλθον[12]: to go [21 + 18 in compounds]

	Present		Imperfect		Future	
Active	ἔρχομαι[2]	ἐρχόμεθα	ᾖα[7]	ᾖμεν	εἶμι[2]	ἴμεν
	ἔρχεσαι	ἔρχεσθε	ᾔεισθα	ᾖτε	εἶ	ἴτε
	ἔρχεται	ἔρχονται[1]	ᾔειν	ᾖσαν	εἶσι	ἴᾱσιν
Imp	2nd ἴθι[2] ἴτε					
	3rd ἴτω[1]					
Pple	ἰών, ἰοῦσα, ἰόν[9]					
	ἰόντος, ἰούσης, ἰόντος					
Inf.	ἰέναι[2]					
subj/opt	ἴω	ἴωμεν	ἴοιμι	ἴοιμεν		
	ἴῃς	ἴητε	ἴοις	ἴοιτε[1]		
	ἴῃ	ἴωσιν	ἴοι	ἴοιεν		

Uses of the Subjunctive in Plato's *Apology*

There are 63 subjunctive constructions identified in the commentary. Most dependent uses are future more vivid, where the subjunctive is translated in the present (with future sense), or generalizing clauses where the verb is translated in the present and ἄν, if translated, is often translated as "ever."

5   hortatory (main verb, 1s or 1p)
3   deliberative (main verb in a question)
2   prohibitive (main verb, μή + aor. subj.)
1   doubtful assertion/denial (main verb, μη (οὐ) + pres. subj.)
1   emphatic denial (main verb, οὐ μή + aor. subj.)

17   future more vivid condition (εἰ ἄν + subj., fut.)
10   general (indefinite) temporal clauses (ἄν + subj.)
10   general (indefinite) relative clause (ἄν + subj.)
5   present general condition (εἰ ἄν + subj., pres.)
5   purpose clauses (ἵνα + subj.)
3   fearing clauses (μή + subj.)
1   anticipatory subjunctive (ἕως, πρίν+ subj.)

Hortatory Subjunctive [5 times]
The most common independent subjunctive in the dialogue is a form of command (Lat. hortārī: *urge*) employed in the 1st person singular or plural:

τοῦτο ποιῶμεν   *Let us do this! We should do this!*

Deliberative Subjunctive [3]
Used in questions without ἄν, the deliberative expresses a question still under active consideration. Translate as 'am I to…?' or 'are we to…?'.

τοῦτο ποιῶμεν;   *Are we to do this?*

Prohibitive Subjunctive [2]
Introduced by μή + aor. subj., the prohibitive subj. is a common way to form a negative command in the 1st or 2nd person.

μὴ τοῦτο ποιήσῃς *Don't do this! You should not do this!*

Doubtful Assertion or Denial [1]
Introduced by μή (neg. μὴ οὐ) + pres. subj. (note: the prohibitive subj. is aor. subj.), this subjunctive suggests that the speaker is uncertain:

μὴ τοῦτο ποιῇς   *I suspect/surely you are doing this.*
μὴ οὐ τοῦτο ποιῇς *I suspect/surely you are not doing this.*

Type of Condition	Protasis (if-clause)	Apodosis (then-clause)
Present General	εἰ ἄν + subjunctive (*if ever*)	present indicative
Future More Vivid	εἰ ἄν + subjunctive	future indicative

Future More Vivid Condition[17 times] and Present General Condition [5]

In a future more vivid condition (ἐάν subj., fut.) the subjunctive is typically translated in the present with future sense. ἄν is often left untranslated.

ἐάν...ποιῇς, εὖ ποιήσεις.   *If you do this, you will do well.*

A present general condition (ἐάν subj., pres.), however, expresses a conclusion that holds true at any or all time. As all general clauses, this subjunctive takes a generalizing μή and is often translated with 'ever.'

ἐάν...ποιῇς, εὖ ποιεῖς.   *If (ever) you do this, you are doing well.*

General (Indefinite) Temporal Clauses [10]

A temporal clause with ἄν + subjunctive in primary sequence expresses either (a) a repeated action (equiv. to pres. general condition) or (b) a future action (equiv. to future more vivid). Translate ἄν as 'ever.'

ὅταν τοῦτο ποιῇς   *whenever you do this...*

General (Indefinite) Relative Clauses [10]

When the antecedent of a relative clause is indefinite, the relative clause may govern ἄν + subjunctive in primary sequence. This clause takes a generalizing μή instead of οὐ and is translated with the adverb 'ever.'

ἃ ἄν ποιῇς   *whatever you do...*

Purpose Clauses [5]

Introduced by ἵνα in the *Apology*, purpose clauses govern a subjunctive in primary sequence and, as a type of wish, governs a μή instead of οὐ.

ἵνα τοῦτο ποιῇς   *so that/in order that you may do this*

Fearing Clause [3]

This clause follows a verb of fearing and is introduced by μή or neg. μή οὐ. Translate the initial μή as "lest" or "that."

μή τοῦτο ποιῇς   *(I fear) lest/that you may do this.*

Anticipatory Subjunctive [1]

Introduced by ἕως/πρίν, this ἄν + subjunctive, is often future in sense.

ἕωσπερ ἄν τοῦτο ποιῇς   *As long as you do this*

All Uses of the Subjunctive **Hortatory**: p. 8, 29, 30, 44, 97; **Deliberative**: 84, 85 (ind. question, 15); **Prohibitive**: 15, 58; **Doubtful Denial**: 91; **Emphatic Denial**: 54; **Future More Vivid**: 3, 15, 28, 37; 38, 43, 54, 55, 55, 57, 60, 76, 76, 86; **General Temporal**: 1, 25, 26, 48, 62, 76, 84, 93, 97, 102; **General Relative**: 11, 15, 24, 50, 50, 54, 55, 62, 68, 86; **Purpose**: 14, 27, 40, 50, 64; **Present General**: 25, 34, 35, 68, 91; **Fearing**: 1, 48, 84; **Anticipatory**: 54

Uses of the Optative in Plato's *Apology*

There are at least 97 optative constructions identified in the commentary: 62 are independent verbs, and 35 are dependent constructions. Most independent optatives are potential optatives (*would/might*) and most dependent optatives are future less vivid (*should...,would...*) or optatives in secondary sequence replacing subjunctive and indicative verbs (translate as simple past).

56 potential optatives (main verb, with ἄν)
6 optatives of wish (main verb, without ἄν) εἴεν [4]

12 future less vivid conditions (εἰ opt., ἄν + opt.)
10 secondary sequence (ind. discourse or ind. question)
4 purpose clauses, secondary sequence
3 mixed conditions
2 past general conditions (εἰ opt., indicative)
2 general (indefinite) relative clauses, secondary sequence
1 general (indefinite) temporal clause, secondary sequence
1 emotional fut. less vivid (εἰ fut., ἄν + opt.)

Potential Optative [56 times]

Potential optatives are often the main verb. They (a) may be included in short or long clauses, (b) employ an ἄν, and (c) govern οὐ instead of μή.

ἄν τοῦτο ποιοῖς	*You would/might/could do this.*
οὐ ἄν τοῦτο ποιοῖς	*You would/might/could not do this.*

Optative of Wish [6]

Optatives of wish are easy to identify because, in addition to being the main verb, they (a) do not employ ἄν and (b) govern μή instead of οὐ. Four the six instances are εἴεν 'let them be so,' which is often translated as 'well then.'

τοῦτο ποιοῖς	*May/Would that you do this!*
μὴ τοῦτο ποιοῖς	*May/Would that you not do this!*

Future Less Vivid [12]

This condition (εἰ opt., ἄν opt.) employs a pair of optatives. The protasis is an optative of wish, which governs μή instead of οὐ, while the apodosis is a potential optative, which governs οὐ instead of μή. While we label the entire construction as future less vivid, knowing that one optative is a wish and the other expresses potential will help you explain the uses of οὐ and μή:

εἰ ποιοῖς, εὖ ἄν ποιοῖς.	*If you should do this, you would do well.*
εἰ μὴ ποιοῖς, οὐ εὖ ἄν ποιοῖς.	*If you should not do this, you would not do well.*

Secondary Sequence [10 times]

In secondary sequence, an optative may replace any indicative or subjunctive in indirect discourse and indirect questions. Translate as simple past.

ὅ τι ποιοῖς   ...*what you did.*

Purpose (Final) Clause, Secondary Sequence [4]

In secondary sequence, an optative often replaces a subjunctive in purpose clauses. In the *Apology*, there are four purpose clauses with an optative:

ἵνα τοῦτο ποιοῖς   ...*so that you might do this.*

Type of Condition	Protasis (if-clause)	Apodosis (then-clause)
Simple	εἰ + any indicative	any indicative
Present General	εἰ ἄν + subjunctive (*if ever*)	present indicative
Past General	**εἰ + optative (*if ever*)**	**past indicative**
Future More Vivid	εἰ ἄν + subjunctive	future indicative
Future Less Vivid	**εἰ + optative (*should*)**	**ἄν + optative (*would*)**
Contrary to fact	εἰ + imperfect ind. (*were*)	ἄν + imperfect (*would*)
Contrary to fact	εἰ + aorist ind. (*had*)	ἄν + aorist (*would have*)

Past General Condition [2]

A past general condition (εἰ opt., past indicative) expresses a conclusion that holds true at any time in the past. As all general clauses, this subjunctive takes a generalizing μή and is often translated with 'ever.'

εἰ...ποιοῖς, εὖ ἐποιεῖς.   *If (ever) you did this, you were doing well.*

General (Indefinite) Relative Clauses, Secondary Sequence [2]

When the antecedent of a relative clause is indefinite, the relative clause may govern ἄν + subj. in primary sequence (equiv. to a pres. general condition) and opt. without ἄν in secondary sequence (equiv. to past general condition). Translate the opt. in the simple past and add "ever" to the relative pronoun.

ἃ ποιοῖς   ...*whatever you did*

General/Indefinite Temporal Clauses, Secondary Sequence [1]

A general/indefinite temporal clause governs ἄν + subjunctive in primary sequence and optative without ἄν in secondary sequence. Translate the optative in the simple past and add the adverb "ever" to the main clause:

ὅταν τοῦτο ποιοῖς   *whenever you did this...*

All Uses of the Optative **Potential Opt.**: p. 2, 2, 4, 7, 13, 15, 23, 27, 35, 45, 46, 46, 46, 48, 48, 48, 51, 51, 57, 57, 58, 58, 58, 58, 58, 58, 60, 60, 61, 64, 64, 71, 72, 73, 73, 74, 74, 74, 76, 78, 82, 85, 85, 85, 86, 88, 91, 94, 95, 95, 97, 99, 99, 99, 100, 100; **Optative of wish**: 7, 8, 9, 49, 73, 80; **Future Less Vivid**: 24, 28, 42, 46, 50, 52, 53, 54, 60, 78, 97, 100; **Secondary Sequence**: 13, 16, 18, 20, 21, 22, 23, 46, 53, 81; **Purpose**: 20, 21, 66, 73; **Mixed Condition**: 10, 12, 68; **Past General Condition**: 68, 95; **General Relative**: 16, 21; **General Temporal**: 100; **Emotional Future Less Vivid**: 75

Uses of ἄν and Past Indicative in Plato's *Apology*

There are 17 instances of ἄν with imperfect, aorist, and pluperfect indicative.

4   present contrary to fact condition (εἰ + impf., ἄν + impf.)
3   past contrary to fact condition (εἰ + aor., ἄν + aor.)
8   mixed contrary to fact condition

1   present unreal potential (ἄν + impf. indicative)
0   past unreal potential (ἄν + aor. indicative)

1   customary past (ἄν + past indicative)

Type of Condition	Protasis (if-clause)	Apodosis (then-clause)
Simple	εἰ + any indicative	any indicative
Present General	εἰ ἄν + subjunctive (*if ever*)	present indicative
Past General	εἰ + optative (*if ever*)	past indicative
Future More Vivid	εἰ ἄν + subjunctive	future indicative
Future Less Vivid	εἰ + optative (*should*)	ἄν + optative (*would*)
Contrary to fact (present)	εἰ + imperfect ind. (*were*)	**ἄν + imperfect (*would*)**
Contrary to fact (past)	εἰ + aorist ind. (*had*)	**ἄν + aorist (*would have*)**

Contrary to Fact (Contrafactual) Conditions [15 times]
There are traditionally two conditions that employ ἄν + past indicative: a present contrary to fact (εἰ impf., ἄν + impf.), called the 'were-would' condition, and a past contrary-to-fact (εἰ aor., ἄν + aor.), called the 'had-would have' condition. Mixed conditions contain variations of both tenses.

εἰ ἐποίεις, εὖ ἄν ἐποίεις.   *If you were doing this, you would do well.*

εἰ ἐποίησας, εὖ ἄν ἐποίησας.   *If you had done this, you would have done well.*

Contrary to fact conditions are also called 'contrafactual conditions.'

Present Unreal Potential [1]
ἄν + imperfect indicative denotes a possible action in the *present* that is not in fact occurring. This is often called 'contrary to fact,' but is not a conditional sentence. Use the modal verbs "would" with the imperfect and "would have" with the aorist:

ἄν τοῦτο ἐποιεῖς   *You would do this.*
ἄν τοῦτο ἐποίησας   *You would have done this.*

Present Contrary to Fact: p. 3, 13, 61, 66; **Past Contrary to Fact**: 67, 80, 89; **Mixed Contrary to Fact**: 12, 63, 67, 70, 79, 83, 87, 90; **Present Unreal Potential**: 90; **Customary past**: 6

Conditions in Plato's *Apology*

There are 56 conditional sentences identified in the *Apology*:

17	future more vivid
12	future less vivid
15	contrary to fact (pure and mixed)
5	present general
4	emotional (more/less vivid)
2	mixed
2	past general

While ἄν + subj. is often translated as present with future sense, ἄν + opt. and ἄν + impf. use the modal 'would,' and ἄν + aor. often uses the modal verbs "would have."

In an emotional less vivid or emotional more vivid the protasis is replaced with a future indicative to expressed heightened emotions.

Type of Condition	Protasis (if-clause)	Apodosis (then-clause)
Simple	εἰ+ any indicative	any indicative
	εἰ τοῦτο ποιεῖς, *if you are doing this,*	εὖ ποιεῖς. *you are doing well.*
Present General (Indefinite)	εἰ + ἄν + subj. (*if ever*)	present indicative
	εἰ ἄν τοῦτο ποιῇς, *if (ever) you do this,*	εὖ ποιεῖς. *you are doing well.*
Past General (Indefinite)	εἰ + optative (*if ever*)	past indicative
	εἰ τοῦτο ποιοῖς *if (ever) you did this,*	εὖ ἐποίησας. *you did well.*
Future More Vivid	εἰ + ἄν + subjunctive	future indicative
	εἰ ἄν τοῦτο ποιῇς *if you do this,*	εὖ ποιήσεις. *you will do well.*
Future Less Vivid	εἰ+ optative	ἄν + optative
	εἰ τοῦτο ποιοῖς *if you should do this,*	εὖ ἄν ποιοῖς. *you would do well.*
Present Contrary to Fact	εἰ + impf. indicative	ἄν + impf. indicative
,	εἰ ἄν τοῦτο ἐποίεις *if you were doing this,*	εὖ ἐποίεις. *you would do well.*
Past Contrary to Fact	εἰ + aor. indicative	ἄν + aor. indicative
	εἰ ἄν τοῦτο ἐποίησας *if you had done this,*	εὖ ἐποίησας. *you would have done well.*

Future More Vivid: 3, 15, 28, 37; 38, 43, 54, 55, 55, 57, 60, 76, 76, 86; **Future Less Vivid**: 24, 28, 42, 46, 50, 52, 53, 54, 60, 78, 97, 100; **Contrary to Fact (pure, mixed)**: 3, 12, 13, 61, 63, 66, 67, 67, 70, 79, 80, 83, 87, 89, 90; **Present General Condition**: 25, 34, 35, 68, 91; **Emotional More/Less Vivid**: 49, 53, 75, 76; **Mixed**: 10, 12; **Past General Condition**: 68, 95

A Few Common Particles in the *Apology*

ἀλλά⁹³ (1) *but* (adversative after a positive clause)

    (2) *rather, but (rather), on the contrary* (adversative after a negative clause)

    (3) *well, well then* (in reply or an objection raising another point)

    (4) *come!* (preceding an imperative)

ἀλλὰ γὰρ⁶   *but in fact; well, in fact*

ἀλλὰ δή¹   *well then* (objection and resumptive)

δή (1) *just, precisely, exactly, very* (intensive)

    …with demonstratives, e.g. ταῦτα δή 'just these things' 'precisely these things'

    …with interrogatives, e.g. τί δή 'Just what?' 'What exactly?'

    …with relative pronouns, e.g. ἃ δή 'just which' 'exactly which' 'the very ones which'

    …with adverbs, e.g. οὕτω δή 'in just this way' 'in exactly this way'

    …with imperatives, e.g. εἶπε δή 'just say!' or temporal and emphatic 'say now'

    (2) *now, then, accordingly* (resumptive/inferential)

    (3) *indeed, of course, clearly, naturally* (obvious and natural/evidential)

    (4) *now, already* (temporal)

γὰρ δή⁸   *for… indeed*

δὲ δή⁸   *but/and… indeed*

μὲν δή¹   *indeed*

δήπου⁸   *perhaps, I suppose, surely* (δή makes που more indefinite)

γάρ¹²⁵ (1) *for, in fact* (causal and/or confirmatory, explains what precedes)

    (2) *since* (anticipatory, explains the main clause that follows)

    (3) *that is to say, namely, for example* (appositional)

Note that γάρ answers yes/no questions but not 'why?'questions. This is one reason that we say γάρ is causal AND confirmatory.

γε (1) *indeed, in fact* (intensive, often left untranslated and expressed by using italics or ALL CAPS in print or changing the intonation of the preceding words in speech)

    (2) *at least, at any rate* (restrictive, e.g. ἔγωγε¹⁰ 'I at least' = 'I for my part')

    (3) *yes; indeed* (in replies, affirmative)

πανὺ γε³   *quite so, yes quite*

καί⁴⁷³ (1) *and; both…and,* (conjunction)

    (2) *also, too; actually, in fact* (adverb)

καὶ δή²   *and indeed, and of course*

καὶ δὴ καί³   *and in particular, and indeed also*

καὶ γάρ⁸   *for in fact, and in fact*

καὶ…γε³   *and…indeed; …actually; yes, and…* (emphasizes the intervening word)

καὶ μέντοι καί¹   *and certainly also*

οὖν⁶⁸ (1) *and so, then* (resumptive, often resuming or inferring from the previous clause)

    (2) *certainly, at any rate, in fact* (confirmatory)

μὲν οὖν⁸   *certainly* (often expressing positive certainty)

δ'οὖν⁶   *but at any rate* (μέν is not true but (δέ) at any rate this is the case)

γοῦν (γε οὖν)³   *at any rate; yes, well…*

οὐκοῦν²   *therefore, then, accordingly* (note accent on οὖν)

οὔκουν¹   *therefore not, at any rate…not* (note accent on οὔκ)

περ⁶⁷   *really, precisely, exactly, very* (intensive)

τοι³   *you know, let me tell you* (originally, ethical dat. σοι/τοι)

Dyer and Seymour's The Athenian Court[1]

48. Six thousand Athenian citizens were entrusted with the judicial power. Choice was made by lot, every year, of six hundred men from each of the ten tribes (φυλαί), and any citizen more than thirty years of age was eligible. Every one thus chosen was liable, after taking a prescribed oath, to be called to act as a δικαστής. δικασταί, *judges* or *jurymen,* was the official name by which they were addressed, but they really formed a committee of the Assembly, and often were addressed as "Men of Athens." Divisions into courts were made. Like the English word 'court,' δικαστήριον may mean a judicial body as well as the place where such a body sits in judgment. Generally a court was composed of five hundred jurymen, but sometimes of less, as of two or four hundred; sometimes two or more courts of five hundred sat as one, but seldom if ever did the whole six thousand sit as one court. The even numbers, 200, 500, 1000, etc., were habitually increased by one, in order to avoid a tie vote.

49. On days appointed for holding court, each division was assigned by lot to one of the places used as court-rooms, and there tried the suit appointed for that time and place. Ingenious devices were used that no suitor might know beforehand which court was to try his case, and so be able privately to influence the judges. Each juryman received as the badge of his office a staff (βακτηρία) corresponding in color to a sign over the door of his court. He also received a ticket (σύμβολον), by showing which he secured his fee after his day's service. A fee of one obol for every day's session was introduced by Pericles, and afterwards trebled by Cleon.

50. The most general term to designate an action at law is δίκη; though the same word also has the narrower meaning of a private suit. According as the complaint preferred involved the rights of individuals or of the whole state, δίκαι in the wider sense were subdivided into (1) δίκαι in the narrower sense, *private suits,* and (2) γραφαί, *public suits.*

51. In the ordinary course of procedure, every plaintiff was required to present his charge (γραφή) in writing to the particular magistrate whose department included the matters involved. The first archon, called ἄρχων *par excellence,* dealt especially with charges involving family rights and inheritance; the second archon, called ἄρχων

---

[1] Reprinted from Dyer, Louis. 1908. *Apology of Socrates and Crito, with Extracts from the Phaedo and Symposium and from Xenophon's Memorabilia.* Revised by Thomas Day Seymour, 31-36. Boston and New York: Ginn & Co.

βασιλεύς, dealt with charges involving the regulations and requirements of religion and public worship; the third archon, called πολέμαρχος, dealt with most cases involving foreign-residents (μέτοικοι) and foreigners; the remaining six archons, called the *Thesmothetae*, dealt with most cases not specially assigned to the first three.

52. The accusation was made in the presence of the accused, who had previously been served with notice to appear. Legal notice required the presence of two *witnesses to the summons* (κλητῆρες). If the magistrate allowed proceedings in the case, the terms of accusation were copied and posted in some public place, and at the time of this publication a day was fixed, on which both parties were bound to appear before the magistrate for the *preliminary investigation* (ἀνάκρισις). There the plaintiff's charges and the defendant's answer, both of them presented in writing, were reaffirmed under oath, and both parties submitted to the magistrate such evidence as they intended to use. The reaffirmation or *confirmation under oath* was called διωμοσία, sometimes ἀντωμοσία. The evidence submitted consisted in citations from the laws, documentary evidence of various kinds, the depositions of witnesses, and particularly any testimony given under torture (βάσανος) by slaves, which had been taken and written down in the presence of witnesses. The magistrate fixed his official seal upon all the documents thus submitted, and took charge of them against the day when the case was to be tried. The person charged with an offense was not arrested and put in prison unless he was taken in the very act of crime. Strong efforts were made to settle mere disputes by arbitration.

53. On the day (ἡ κυρία) when a court was to sit upon any case, the magistrate who had presided over the preliminary investigation proceeded to the appointed court-room, where he met the δικασταί *assigned by lot* (ἐπικεκληρωμένοι) to the case. Both parties to the suit, having been previously notified, were required to put in an appearance; if either were absent, the case went by default (δίκη ἐρήμη) against him. Proceedings in court were opened by some religious ceremony; then the *clerk* (γραμματεύς) read aloud the written accusation and the reply, and finally the parties to the suit were successively called to state their case. This was the *opening of the case* (εἰσαγωγὴ τῆς δίκης) by the magistrate (εἰσαγωγεύς). Only one day was allowed for the trial of even a capital case (*Ap.* 37a); whether two or three unimportant cases, in which the litigants were allowed less time for their speeches, were ever tried by the same court on the same day, is uncertain.

54. The law required that every man should conduct his own case in person, and hence those who were not themselves skillful pleaders often induced others to write for them speeches which they should pronounce. Still, the law permitted a man to appear in court accompanied by *advocates* (συνήγοροι), who came as his friends, and therefore were not supposed to be paid for their trouble. Sometimes, after a short speech from the principal, the most important part of his plea was made by one of his advocates; e.g. Demosthenes's speech *On the Crown* was made by him as Ctesiphon's advocate. The *water-clock* (κλέψυδρα sometimes called simply τὸ ὕδωρ) was used to measure the time allotted to each for pleading before the court. When called for, the written documents offered in evidence were read by the clerk, and meanwhile the flow of water was stopped. By way of precaution, the witnesses whose depositions were read were required to be present in court and acknowledge their testimony; but no opportunity was given for cross-examination. While making his plea a man was protected by law from interruption by his opponent, and the law required his opponent to answer his questions. Such an examination occupied part of the time allotted for the speech. The opponent was not put under oath for this examination, and was not liable to punishment for false statements. The jurymen might interrupt the speaker if in their opinion he was off the point, or if they required fuller explanation on any point, but the extant orations do not show that the judges often did so interrupt the speaker. The presiding magistrate acted simply as a chairman; he did not interpret the law, or even call attention to any misstatements of it. Indeed, Socrates does not appeal to the presiding officer of the court to maintain order, but asks the jurymen not to make a disturbance. In an Athenian court, equity was much more important than justice; harmony with the letter of the law was insufficient to win a case. Of course, frequent attempts were made to prejudice the jurymen instead of enlightening them, and nothing was commoner than to make appeal to their sympathies. A defendant often appeared in court with his wife and children, or with infirm and helpless parents, and sometimes with friends of great popularity or of high character; he depended upon these to act as his intercessors with the court. Such practices, though manifestly tending to disarm the severity of the law and to defeat the ends of justice for which the court was organized, seem not to have been prohibited in any court except that of Areopagus.

No witnesses seem to be introduced in the *Apology.* Possibly the testimony of Chaerephon's brother was read after *Ap.* 21a; but if this was done, then the opening of the following paragraph has been adapted to the form of Socrates's preceding words and not to the testimony.

55. When the pleas had been made, the jurymen proceeded to decision by a secret vote. In public suits, in general, only one speech was allowed to the plaintiff, and one to the defendant. In private suits, two were allowed to each. The jurors generally voted with bronze disks with axles either solid (to denote acquittal) or perforated (to denote condemnation). These were called ψῆφοι. If the vote was a tie, the case went in favor of the defendant; and, in a public suit, if less than one-fifth of the votes were for the plaintiff, he was fined (1000 drachmas) and also debarred from ever again acting as plaintiff in a similar suit. In such a case also the plaintiff incurred both these penalties if, without good and sufficient excuse, he failed to appear in court, and thus by his own acts allowed that his case was bad. If the defendant failed to appear, the case went against him by default (see on ἐρήμην κατηγοροῦντες, *Ap.* 18c), and he was pronounced guilty *in contumaciam.* In most private suits, the plaintiff, under similar circumstances, forfeited one sixth of the sum which he claimed; this forfeiture was called ἐπωβελία, *one obol for every drachma.*

56. Actions were divided into (1) ἀγῶνες τιμητοί, in which, if it decided against the defendant, the court had still to determine the degree of punishment to be inflicted (τίμημα), because no penalty was fixed by law; and (2) ἀγῶνες ἀτίμητοι, in which, after deciding against the defendant, the court had no further decision to make, because the penalty was fixed by law. In cases of the former kind, if they were public suits—like the γραφὴ ἀσεβείας brought against Socrates—the accuser proposed the penalty which he considered adequate, and the accused, if convicted, might make a counterproposition. Probably the judges were not confined to a choice between these two propositions, but could, if they saw fit, impose a third penalty, between the two.

57. The ordinary penalties imposed on citizens for crimes against the state were death, exile, loss of rights of citizenship (ἀτιμία), confiscation of property, and fines. All these are summed up in the formula τί χρὴ παθεῖν ἢ ἀποτεῖσαι, *what must he suffer or pay for his offense.* Imprisonment was comparatively little used by way of punishment. In case the convicted defendant was not an Athenian by birth, he might be sold into slavery.

The commission which had general oversight of all prisons and floggings, and executions generally, was called *the Eleven* (οἱ Ἕνδεκα). Ten men on this board were chosen by lot every year, one from each of the ten tribes; the eleventh was a *scribe,* γραμματεύς.

Plato's *Apology*
Alphabetized Core Vocabulary (10 or more times)

The following is an alphabetized list of all 144 words that occur ten or more times in the *Apology*. A running list is found in the introduction. These words are not included in the commentary and therefore must be reviewed as soon as possible. The number of occurrences, indicated at the end of the dictionary entry, were tabulated by the author. The left column indicates the page numer where the word first occurs.

ἀγαθός, -ή, -όν: good, brave, capable, 27

ἀδικέω, ἀδικήσω , ἠδίκησα, ἠδίκηκα, ἠδίκημαι, ἠδικήθην: be unjust, do wrong, wrong, 12

Ἀθηναῖος, ὁ: an Athenian, 48

ἀκούω, ἀκούσομαι, ἤκουσα, ἀκήκοα, - , ἠκούσθην: to hear, listen to, 26

ἀληθής, -ές: true, 24

ἀλλά: but, 93

ἄλλος, -η, -ο: other, one...another, 83

ἄν: modal adv., 122

ἀνήρ, ἀνδρός, ὁ: a man, 90

ἄνθρωπος, ὁ: human being, man, 36

Ἄνυτος, ὁ: Anytus, 12

ἄξιος, -α, -ον: worthy or deserving of (gen) 10

ἀποθνῄσκω, ἀποθανέομαι, ἀπέθανον, τέθνηκα, - , -: to die, perish, 22

ἀποκρίνομαι: to answer, reply, 13

ἀποκτείνω, ἀποκτενέω, ἀπέκτεινα, ἀπέκτονα: kill; condemn to death, 14

ἀπολογέομαι: to speak or say in defense, 12

ἀρετή, ἡ: excellence, goodness, virtue, 11

αὖ: again, once more; further, moreover, 11

αὐτός, -ή, -ό: he, she, it; same; -self, 102

βίος, ὁ: life, 10

βούλομαι, βουλήσομαι, - , - , βεβούλημαι, ἐβουλήθην: to wish, be willing, desire, 10

γάρ: for, (yes) for; since, because, 125

γε: at least, indeed, at any rate, 43

γίγνομαι, γενήσομαι, ἐγενόμην, γέγονα, γεγένημαι, -: come to be, become, be born, 44

δέ: but, and, on the other hand, 177

δεινός, -ή, -όν: skilled, clever, terrible, fearful, 11

δέω, δεήσω, ἐδεήθην: lack, need, *mid.* ask (gen.); δεῖ, it is necessary, lacks (inf.), 44

δή: exactly, precisely, just; accordingly, 59

διά: through (gen); on account of (acc), 16

διαβολή, ἡ: slander, false accusation, 12

διαφθείρω -φθερῶ, -έφθειρα, -έφθαρκα, -έφθαρμαι, -εφθάρην: to corrupt; destroy, 21

διδάσκω: to teach, instruct, 15

δίκαιος, -α, -ον: just, right, lawful, fair, 20

δικαστής, οῦ, ὁ: a juror, judge, 13

δοκέω, δόξω, ἔδοξα, —, δέδογμαι, ἐδόχθην: to seem (good); think, decide, 48

ἐάν: εἰ ἄν, if (+ subj.), 18

ἑαυτοῦ, -ῆς, -οῦ: himself, her-, it-, them-, 17

ἐγώ: I, 294

ἔγωγε: I for my part; I indeed, 11

εἰ: if, whether, 88

εἰμί, ἔσομαι: to be, exist, 282

εἴπερ: precisely if, if (and only if), if really, 14

εἷς, μία, ἕν: one, single, alone, 11

εἴτε: whether...or (both if...and if...), 14

εἰς: into, to,; in regard to (acc.), 16

ἐκ, ἐξ: out of, out from, from (gen.), 21

ἕκαστος, -η, -ον: each, every one, 10

ἐκεῖνος, -η, -ον: that, those, 22

ἐμαυτοῦ, -ῆ, -οῦ: myself, 23

ἐμός, -ή, -όν: my, mine, 16

ἐν: in, on, among. (+ dat.), 55

ἐνταῦθα: here, there; at that time, then, 10

ἐξετάζω, ἐξετάσω, ἐξήτασα, ἐξήτακα, ἐξήτασμαι, ἐξητάσθην: examine, scrutinize, 11

ἐπί: upon (gen.), to, against, for (acc.), at, on (the condition) (dat.), 31

ἐπιμελέομαι, -μελήσομαι, - , -μέλημαι, -εμελήθην: take care of, have concern for (gen), 10

ἔρχομαι, εἶμι/ἐλεύσομαι, ἦλθον, ἐλήλυθα: to come or go, 21

εὖ: well, 10

ἔχω, ἕξω/σχήσω, ἔσχον, ἔσχηκα, ἔσχημαι, -: have; be able; be disposed; know, 43

ἤ: or (either...or); than, 87

ἡγέομαι, ἡγήσομαι, ἡγησάμην, - , ἥγημαι, ἡγήθην: to be a leader, lead (gen); believe 14

ἤδη: already, now, at this time, 14

ἡμεῖς: we, 14

θάνατος, -ον: mortal, 25

θεός, ὁ: god, goddess; divinity, 51

ἵνα: in order that, so that (subj.); where, 10

ἴσως: perhaps, probably; equally, likely, 20

καί: and; adv. also, too; in fact, actually 473

κακός, -ή, -όν: bad, base, cowardly, evil, 22

καλός, -ή, -όν: beautiful, fair, noble, fine, 11

κατά: down (along), according to, 16

καταγορέω: accuse, allege, charge, speak against (gen), 14

κατήγορος, ὁ: accuser, charge, 13

λέγω, ἐρέω (λέξω), εἶπον (ἔλεξα), εἴρηκα (εἴλοχα), λέλεγμαι, ἐλέχθην: say, speak, 144

λόγος ὁ: word, speech, account, 29

μάλιστα: most of all; certainly, especially 11

μᾶλλον: more, rather, 16

μέγας, μεγάλη, μέγα: big, great, important 12

Μέλητος, -ου ὁ: Meletus, 34

μέλλω: to be going to, intend to (+ fut. inf.) 13

μέν: on the one hand, 106
μέντοι: however; certainly, 13
μετά: with (gen.); after (acc.), 12
μή: not, lest, 64
μηδείς, μηδεμία, μηδέν: no one, nothing, 19
μήτε: and not; neither...nor, 20
νέος, -α, -ον: young; new; *subst.* youth, 22
νομίζω, νομιέω, ἐνόμισα, νενόμικα, νενόμισμαι, ἐνομίσθην: believe, think, 28
νόμος, ὁ: law, custom, 10
νῦν: now; as it is, 24
ὁ, ἡ, τό: the, 612
ὅδε, ἥδε, τόδε: this here, these here, 13
οἶδα, εἴσομαι, ᾔδη: to know, 41
οἴομαι (οἶμαι), οἰήσομαι, -, -, ᾠήθην: suppose, think, imagine, 53
οἷος, -α, -ον: which sort, who, 26
ὀλίγος -η, -ον: few, little, small, 14
ὄνομα, -ατος, τό: name, (single) word, 10
ὅπως: how, in what way; (in order) that, 11
ὅς, ἥ, ὅ: who, which, that, 98
ὅσος, -η, -ον: as much/many as; all who/that 10
ὅσπερ, ἥπερ, ὅπερ: the very one who/which, precisely who/which, 15
ὅστις, ἥτις, ὅ τι: whoever, whichever, anyone who, anything which, 21
ὅτι: that; because, 74
οὐ, οὐκ, οὐχ: not, 143
οὐδέ: not even, nor, but not, 35
οὐδείς, οὐδεμία, οὐδέν: no one, nothing, 60
οὖν: and so, then; at any rate, certainly, 68
οὔτε: and not, neither...nor, 41
οὗτος, αὕτη, τοῦτο: this, these, 237
οὑτοσί, αὑτηί, τουτί: this here, these here, 16
οὕτως: in this way, thus, so, 31
πάνυ: quite, entirely, exceedingly, 15
παρά: beside, at (dat.), from (the side of) (gen), to (the side of); contrary to (acc.) 10
πᾶς, πᾶσα, πᾶν: every, all, the whole, 30
πάσχω, πείσομαι, ἔπαθον, πέπονθα: to suffer; allow, experience, 10
πείθω, πείσω, ἔπεισα, πέπεικα, πέπεισμαι, ἐπείσθην: persuade; *mid.* obey, trust (dat.), 27
περί: about, concerning (acc. gen.), 28
ποιέω, ποιήσω, ἐποίησα, πεποίηκα, πεποίημαι, ἐποιήθην: to do, make; bring about, 48
πόλις, -εως ἡ: a city-state, city, 22
πολύς, πολλά, πολύ: much, many, 72
ποτέ: ever, at some time, once, 10
πρᾶγμα, τό: deed, act; business; matter; trouble, 12
πράττω, πράξω, ἔπραξα, πέπραχα, πέπραγμαι, ἐπράχθην: do; exact (money), 22

πρός: to, against, in regard to (acc.), near, (dat.), before, (gen.), 33

πώποτε: ever yet, ever, 11

σοφία, ἡ: wisdom, skill, intelligence, 12

σοφός, -ή, -όν: wise, skilled, 35

σύ: you, 29

Σωκράτης, -εος, ὁ: Socrates, 18

τε: and, both, 57

τιμάω, τιμήσω, ἐτίμησα: to honor, value; *mid.* estimate/propose (as penalty), 15

τίς, τί: who?, which?; why?, 49

τις, τι: anyone, -thing, someone, -thing; a certain, a kind of, 121

τοιοῦτος, -αύτη, -οῦτο: such, this sort, 32

τοσοῦτος, -αύτη, -οῦτο: so great/many/much, 12

ὑμεῖς: you, 137

ὑπό: by, because of, under (gen.), 29

φημί, φήσω, ἔφησα: to claim, say, assert, 39

χρῆμα, -ατος, τό: thing; money, property, 13

χρόνος, ὁ: time, 16

ὦ: O! oh! 106

ὡς: as, thus, so, that; when, since, 68

ὥσπερ: just as (precisely as, exactly as), as if, as it were, 31

ὥστε: so that, that, so as to, 20